RIEN NE VA PLUS

DU MÊME AUTEUR
CHEZ POCKET

L'Homme qui voulait vivre sa vie
Les Désarrois de Ned Allen
La Poursuite du bonheur
Rien ne va plus
Une relation dangereuse
Les Charmes discrets de la vie conjugale
La Femme du Ve
Piège nuptial
Quitter le monde
Cet instant-là

Récits

Au pays de Dieu
Au-delà des pyramides
Combien ?

DOUGLAS KENNEDY

RIEN NE VA PLUS

Traduit de l'américain par Bernard Cohen

BELFOND

Titre original : *LOSING IT*

Vous pouvez consulter le site de l'auteur à l'adresse suivante :
www.douglas-kennedy.com

MIXTE
Papier issu de
sources responsables
FSC® C003309
FSC
www.fsc.org

Pocket, une marque d'Univers Poche,
est un éditeur qui s'engage pour la
préservation de son environnement et
qui utilise du papier fabriqué à partir
de bois provenant de forêts gérées de
manière responsable.

© Douglas Kennedy 2002. Tous droits réservés.
© Belfond 2002 pour la traduction française.
ISBN 978-2-266-19923-9

À Fred Haines

Réussir ne suffit pas. Il faut qu'un autre échoue.

Gore VIDAL

Première partie

1

J'ai toujours rêvé d'être riche. Je sais, ça doit avoir l'air idiot de dire ça, mais c'est la vérité et j'admets, j'admets. Mon vœu s'est réalisé il y a près d'une année, après dix de poisse continuelle, une accumulation toxique de lettres de refus, de « nous préférons faire l'impasse là-dessus » et de l'échantillon habituel d'échecs doux-amers (« c'est exactement ce que nous aurions aimé avoir il y a un mois »), sans parler des centaines de messages téléphoniques laissés sans réponse. Soudain, le dieu Hasard avait décidé que je valais un sourire, et même un coup de fil. Non, mieux que ça : « le » coup de téléphone que tous ceux qui tentent de gagner leur vie en scribouillant ont envie de recevoir un jour.

Il venait d'Alison Ellroy, ma malheureuse et fidèle agente.

— Je l'ai vendu, David !

Mon cœur s'est arrêté. Ce mot-là, « vendu », je ne l'avais plus entendu depuis… Bon, pour être très honnête, je ne l'avais encore jamais entendu.

— Vendu quoi ? ai-je fini par bredouiller, puisque cinq de mes scénarios de film étaient alors en train de jouer les Hollandais volants à travers divers studios et maisons de production.

— Mais le pilote !

— Pour la télé ?

— Oui m'sieur ! J'ai vendu *Vous êtes à vendre !*

— À qui ?

— Eh bien…

— Ah, j'aime pas trop ce « eh bien… »

— Pourquoi ?

— Parce que ça a un peu l'air d'annoncer du bon mais aussi du très mauvais.

— Tu crois toujours qu'il y a forcément du mauvais derrière le bon ?

— Euh, rappelle-moi, Ali. Est-ce que tu as jamais eu une bonne nouvelle pour moi ?

— Tu n'as pas tort, là. Mais cette fois c'est…

— Vas-y. S'il te plaît !

— La FRT.

— Hein ?

— Tu m'as bien entendue. FRT. Pour Front Row Television. C'est-à-dire le plus lancé, le plus classieux, le mieux, quoi, dans ce qui se produit pour le câble.

J'étais carrément bon pour le défibrillateur, maintenant.

— Je connais la FRT, Ali… Et donc, tu me dis qu'ils ont acheté mon pilote ?

— Oui, David. Ils viennent d'acheter *Vous êtes à vendre !*

Un ange est passé.

— Et… ils paient ?

— Bien sûr qu'ils paient ! Tu crois qu'on fait quoi, exactement, là ? Qu'on s'amuse ?

— Pardon, pardon ! C'est simplement que… que je suis pas trop habitué. Et… combien, en fait ?

— Quarante mille.

— Ouais.

— Pas vraiment l'enthousiasme, on dirait.

— Mais si. C'est juste que…

— Je sais, je sais. C'est pas le coup à un million de dollars. Mais ici, un contrat pareil pour un inconnu, ça se voit disons deux fois par an, au mieux. Et tu es parfaitement au courant. Tout comme tu n'ignores pas que quarante mille, pour un pilote télé, c'est le prix normal. Surtout quand l'auteur n'a jamais été produit. À propos, combien ils te paient, maintenant, à Book Soup ?

— Quinze mille annuels.

— D'accord. Donc vois-le comme ça : avec un seul deal, tu viens de te faire trois années de salaire. Et ce n'est qu'un début. Parce qu'ils ne se contentent pas de prendre le pilote. Ils vont aussi le faire.

— Ils… ils te l'ont dit ?

— Mais oui !

— Et tu les crois ?

— Chéri ! Ici, c'est la capitale mondiale des langues fourchues et des arnaqueurs, tu as oublié ? Mais tu as quand même des chances sérieuses.

La tête me tournait. Rien que du bon, alors !

— Je… je ne sais pas quoi dire.

— Et si tu essayais « merci » ?

— Merci !

Je ne me suis pas arrêté là pour elle. Le lendemain, j'ai foncé au Beverly Centre et j'ai claqué trois cent

11

soixante-quinze dollars dans un Mont Blanc. L'après-midi même, elle a paru sincèrement émue quand elle a ouvert l'écrin du stylo.

— Tu sais que c'est la première fois que je reçois un cadeau d'un auteur en… Depuis combien de temps je suis dans ce boulot, moi ?

— À toi de me le dire.

— Trente ans, au bas mot. Enfin, il y a un début à tout, faut croire. Et donc… merci. Mais ne te figure pas que tu vas me l'emprunter pour signer tes contrats !

Lucy, pour sa part, a été sidérée en apprenant que j'avais dépensé autant pour mon agente.

— Qu'est-ce qui t'arrive, exactement ? Tu décroches enfin quelque chose, rien de mirobolant, je dois souligner, et ça y est, tu te prends pour Robert Towne ?

— C'est un geste, voilà tout.

— Un geste à trois cent soixante-quinze dollars.

— On peut se le permettre.

— Ah oui, vraiment ? Fais tes comptes, David. Sur ces quarante mille, Alison prend une com' de quinze pour cent et les impôts raflent leurs trente-trois pour cent. Ce qui te laisse vingt-trois mille et des poussières.

— Comment tu sais tout ça ?

— Parce que je les ai déjà faits, les comptes, moi. De même que j'ai été capable d'additionner nos découverts sur les cartes Visa et MasterCard : douze mille, et ça grossit un peu plus chaque mois. De même que je me rappelle le prêt qu'on a pris pour payer le dernier semestre de Caitlin à l'école : six mille, là aussi avec des intérêts. De même que je n'oublie pas qu'on a un seul véhicule dans une ville où tout le monde en a deux par foyer, et que le véhicule en question a douze ans, avec la transmission sur le point de lâcher si on ne la répare pas, mais qu'on n'a pas vraiment de quoi casquer le garage parce que tu préfères…

— D'accord, d'accord. J'ai jeté l'argent par les fenêtres, là. C'est ma faute, c'est ma très grande faute. Et, entre parenthèses, c'est gentil d'avoir gâché ma fête.

— Personne, tu m'entends, personne ne te gâche rien ! Tu ne te rappelles pas comme j'étais contente quand tu m'as annoncé la nouvelle hier ? Exactement ce dont tu… ce dont on rêvait depuis environ onze ans, maintenant. Mais je voulais simplement souligner une chose, David : cet argent n'existe plus, il est déjà parti en fumée.

— Oui, oui, compris, ai-je reconnu, pressé d'en finir.

— Et même si je ne vais certainement pas reprocher son Mont Blanc à Alison, j'aurais sans doute apprécié que tu aies une petite pensée, avant tout, pour celle qui nous a gardés à l'abri des huissiers depuis tout ce temps.

— C'est vrai. Je suis désolé.

Et pour le prouver, j'ai lâché dès le lendemain quatre cents dollars pour une croix en argent de chez Tiffany que Lucy convoitait en silence depuis un moment déjà. Elle a été encore plus ulcérée par cette nouvelle preuve d'irresponsabilité financière, ce qui ne l'a tout de même pas empêchée de la porter.

— Oublie le ticket de caisse, je t'en prie, ai-je avancé quand elle m'a traité de panier percé.

— Mais j'ai quand même des raisons de m'inquiéter, non ?

— Il n'y a qu'à se baisser, Lucy !

— Tu ne crois pas que tu vas un peu vite en besogne ?

— Ça va venir, je t'assure.

— J'espère que tu as raison, a-t-elle commenté tout bas. On mérite de souffler un peu.

Je lui ai donné une caresse sur la joue et elle m'a répondu par un petit sourire fatigué. Elle avait l'air à bout de forces, à vrai dire, et non sans raison : pour elle comme pour moi, ces dix dernières années n'avaient été qu'une longue bataille pour remonter une pente vertigineuse.

On s'était rencontrés au début des années quatre-vingt-dix, à Manhattan, où j'avais débarqué un peu plus tôt de mon Chicago natal, bien décidé à devenir un auteur dramatique en vue. En réalité, je m'étais retrouvé régisseur dans des théâtres confidentiels, à arrondir mes fins de mois en me tapant l'inventaire au Gotham Book Mart. J'avais un agent, certes, et il se débrouillait pour montrer mes pièces même si aucune n'a été produite. L'une d'elles, *Un soir tranquille à Oak Park*, « féroce satire de l'existence banlieusarde », est allée jusqu'à la lecture publique par la Compagnie théâtrale de l'Avenue B ; au moins, ce n'était pas l'Avenue C. Il y avait une certaine Lucy Everett dans la troupe. Une semaine après le premier spectacle, nous nous étions convaincus que c'était le grand amour entre nous et, quand la troisième lecture est venue, je m'étais déjà installé chez elle, 19e Rue Est, un studio étriqué mais néanmoins bien plus vaste que le réduit que je louais de l'autre côté du pont, à

Borough Hall. Deux mois plus tard, elle décrochait un rôle dans un projet de feuilleton pour la chaîne ABC qui se tournait sur la côte ouest. Comme j'étais fou d'elle, je n'ai pas hésité une seconde lorsqu'elle m'a dit « Viens avec moi ».

Nous vivions donc à Los Angeles, dans un petit deux pièces de King's Road à Hollywood. Pendant que Lucy était devant les caméras, j'aménageais la seconde de nos minuscules chambres en repaire d'écrivain. ABC a mis le projet à la poubelle et moi j'ai terminé mon premier scénario de film, *Duo de dingues*, présenté comme une « féroce satire » ayant pour prétexte un casse organisé par deux anciens du Vietnam. Il ne m'a rien rapporté, sinon l'intérêt d'Alison Ellroy, l'un des derniers spécimens d'une espèce en voie de disparition, celle de l'agent indépendant installé non pas dans quelque monolithe néo-pharaonien mais dans un modeste bureau loué à Beverly Hills. Après avoir lu cette « féroce satire » pour le cinéma, puis la précédente destinée au théâtre, elle a bien voulu me prendre pour client, non sans m'offrir un conseil au passage :

— Vous avez du talent mais vous écrivez comme si c'était encore les années soixante-dix. Genre « ce système est pourri » et « fais passer le joint, mec »…

— Attendez ! Il n'y a pas un seul truc hippie-chic dans tout ce que j'ai fait.

— Exact. Mais si vous voulez gagner votre croûte à Hollywood, rappelez-vous que vous devez faire « tendance ». Avec une touche « férocement satirique » de temps à autre, si vous voulez, mais rien qu'une touche. Bruce Willis peut lâcher une vanne, éventuellement, mais il est surtout là pour bousiller le terroriste à la belle gueule de nazi avant d'aller sortir sa chérie de la tour en flammes. Vous voyez ce que je veux dire ?

Et comment. Dans l'année qui a suivi, j'ai pondu trois scripts différents : un film d'action – des islamistes s'emparent d'un yacht en Méditerranée sur lequel naviguaient les trois enfants du président des États-Unis –, un drame familial – cancéreuse en phase terminale, une mère tente de renouer avec ses rejetons désormais adultes alors que sa méchante bellemaman l'a forcée à les abandonner dans leur jeune âge – et une comédie romantique, à vrai dire un pompage de *Vies privées* dans lequel deux jeunes mariés s'amourachent réciproquement du frère et de la sœur de l'autre conjoint au cours de leur voyage de noces. Tous trois très tendance. Tous trois présentant des moments « férocement satiriques », mais rien que des moments. Tous trois rejetés par les studios.

Pendant ce temps, après avoir vu le projet sombrer corps et âme, Lucy découvrait que les portes d'airain du casting ne semblaient pas s'ouvrir toutes grandes devant elle. Elle tournait dans quelque spot publicitaire par-ci par-là, manquait de peu le rôle d'une compatissante spécialiste des tumeurs dans une dramatique télé sur un coureur de marathon aux prises avec un cancer généralisé, attendait en vain qu'on lui confie celui de la victime glapissante d'un éventreur dans un film d'éventreur glapissant… Tout comme moi, elle allait de déception en déception. Et notre compte en banque commençait à entrer dans le rouge, lui aussi. Nous devions trouver un vrai job, qui paie. Au baratin, j'ai obtenu un modeste trente heures par semaine à Book Soup, sans doute la meilleure librairie indépendante de L.A. Lucy s'est laissé convaincre de tenter la profession de télévendeuse par une collègue qui pointait à la caisse de chômage des artistes. Elle a détesté, au début, et puis l'actrice en elle a fini par se prendre au rôle de « battante » qu'on la forçait à jouer au bout du fil. À sa grande stupéfaction, elle s'est révélée une star de la télévente, ce qui lui assurait des revenus corrects, environ trente mille à l'année. Elle a continué à se rendre aux auditions et à ne rien décrocher. Elle a continué le télémarketing.

Caitlin est arrivée dans notre vie. J'ai pris un congé à la librairie pour garder notre fille et j'ai aussi repris sérieusement l'écriture : scénarios, une nouvelle pièce de théâtre, un pilote télé… Rien ne s'est vendu. Autour du premier anniversaire de Caitlin, Lucy a omis de renouveler sa cotisation au Syndicat des artistes du spectacle. J'avais repris le collier à Book Soup, entre-temps, et elle avait été promue au rang d'instructrice. À nous deux, nous atteignions difficilement les quarante mille après impôts, somme dérisoire dans une ville où le gus moyen dépensait autant à l'année pour se gonfler les pectoraux. Nous n'avions pas les moyens de mieux nous loger, nous devions nous partager une Volvo poussive qui avait vu le jour sous le premier mandat de Ronald Reagan. Nous nous sentions à l'étroit, non seulement dans cet appartement trop petit mais aussi à cause du constat, toujours plus accablant, d'être désormais prisonniers de vies étriquées dont l'horizon ne cessait de se réduire.

— Ta vie de quoi ?

Il y avait dans sa voix une nuance de sarcasme qui allait bien au-delà du persiflage.

— Arrête de raconter n'importe quoi, tu veux bien ?

Sa sortie a naturellement provoqué l'une de ces querelles conjugales de magnitude sept dans lesquelles des années de ressentiment, d'hostilité plus ou moins rentrée et de lassitude domestique explosent soudain en une confrontation dévastatrice. Elle m'a traité de raté, je lui ai répondu qu'elle n'avait aucun talent. Elle m'a accusé de pousser le nombrilisme au point de faire passer mes ridicules prétentions littéraires avant le bien-être de Caitlin. J'ai contré en lui rappelant que tout en étant un modèle de père – et c'était le cas, oui – j'étais resté à la hauteur de mes ambitions professionnelles, moi… Les échanges suivants sont partis comme des missiles thermonucléaires :

LUCY

Ambitions ? Toi qui n'as jamais été capable de caser quoi que ce soit, je répète, quoi que ce soit ? Et tu oses venir me parler d'ambitions ?

MOI

En tout cas, je ne suis pas devenu un théoricien de la vente par téléphone, au moins !

LUCY

Si je fais ce travail immonde, c'est uniquement parce que j'ai épousé un minable.

MOI
(attrapant mon manteau)

Et merde !

18

C'est ça, tire-toi ! Il ne manquait plus qu'un mariage raté à ton magnifique CV.

Je suis parti, en claquant la porte. J'ai conduit toute la nuit, m'arrêtant juste avant San Diego. J'ai erré sur la plage à Del Mar en me maudissant de ne pas avoir l'inconscience de continuer plus au sud, de passer la frontière, de disparaître dans Tijuana et d'échapper au gâchis qu'était ma vie. Lucy avait raison : j'étais un bon à rien, mais du moins un bon à rien relativement responsable qui n'allait pas abandonner sa fille sur un coup de rage. Et donc je suis revenu à la voiture, j'ai remis le cap au nord et je suis rentré quand le jour allait se lever. Pelotonnée sur le canapé de notre séjour étouffant, Lucy avait les yeux grands ouverts sur une tristesse indicible. Je me suis jeté dans le fauteuil en face d'elle et nous sommes restés un long, un très long moment en silence. C'est elle qui l'a rompu.

— C'était… horrible.

— Oui. Je sais.

— Je ne pensais pas ce que j'ai dit.

— Moi non plus.

— C'est juste que… Je suis tellement fatiguée, David.

Je lui ai pris la main.

— Bienvenue au club.

Il y a eu le rituel du baiser de réconciliation, puis nous avons donné son petit déjeuner à Caitlin, nous l'avons mise dans le car de ramassage scolaire et chacun de nous est parti à un travail qui ne nous donnait aucune satisfaction, pas même celle d'être bien payé. Quand Lucy est rentrée ce soir-là, la coexistence pacifique régnait de nouveau à la maison et nous n'avons plus jamais fait allusion à cet affrontement destructeur. Mais il y a des mots qui ne peuvent se reprendre. Tacite et cependant perceptible, un net refroidissement avait envahi notre relation. Nous avions beau prétendre que le navire conjugal continuait sur sa lancée, il avait commencé à perdre son centre de gravité, l'équilibre de son lest. Et quand la quille n'est plus fiable, le naufrage devient imminent.

Aucun de nous ne voulait reconnaître cette sombre perspective, cependant. À la place, nous nous sommes réfugiés dans le travail. J'ai ainsi pondu encore un scénario sans avenir, ainsi qu'un pilote de trente minutes pour une série télé intitulée *Vous êtes à vendre !*, la trépidante et complexe vie interne d'une agence de relations publiques de Chicago. Ma ville, je l'ai dit. Ça grouillait de névrosés malins comme tout, et c'était… férocement satirique, oui. Et Alison a bien aimé, elle qui avait fait la moue devant tous mes scripts depuis des années ! Certes, c'était encore un peu trop « férocement satirique » à son goût mais elle l'a quand même passé au chef des projets à FRT, qui l'a à son tour montré à un producteur indépendant, Brad Bruce, lequel commençait à se faire un nom dans la spécialité des sitcoms « décalées » pour le câble. Brad a été emballé, il y a donc eu le fameux coup de fil d'Alison et… tout s'est mis à changer pour moi.

Brad Bruce s'est révélé être l'oiseau rare : quelqu'un de convaincu que l'humour était le seul moyen de survivre dans la Cité des Anges. La trentaine finissante comme moi, c'était lui aussi un gars du Midwest – Milwaukee, en l'occurrence… Dieu préserve –, et non seulement nous nous sommes tout de suite bien entendus mais la relation de travail que nous avons établie a été des plus faciles. Je réagissais positivement à ses suggestions, on improvisait ensemble, on se faisait rire… Il savait très bien qu'il s'agissait du premier script que j'étais arrivé à vendre et pourtant il me traitait d'égal à égal, en vétéran chevronné de toutes les guerres télévisuelles. En retour, je bossais dur pour lui parce que je comprenais que j'avais trouvé un allié, un parrain. Bon, je me rendais aussi compte que si ce pilote n'aboutissait pas il irait voir ailleurs.

Mais Brad avait de la ressource. Grâce à lui, la maquette a été tournée, impeccablement qui plus est : le réalisateur et les acteurs idoines, un style aussi original que drôle. À la FRT, ils ont beaucoup aimé. Une semaine plus tard, nouveau coup de fil d'Alison :

— Cette fois, il faut vraiment t'asseoir, David.

— C'est une bonne nouvelle ?

— On ne peut mieux. Je viens d'avoir Brad Bruce. Il va t'appeler dans un quart de seconde mais je voulais être la première. Alors prends une chaise et écoute : la FRT commande huit épisodes de *Vous êtes à vendre !* en phase initiale. Brad veut que ce soit toi qui écrives les quatre premiers et que tu supervises le scénario sur l'ensemble de la série.

Comme je restais sans voix, elle s'est inquiétée :

— Tu es toujours là ?

— J'essayais juste de me remettre debout. Qu'est-ce qu'il est dur, ce parquet !

— Eh bien, restes-y tant que tu n'as pas eu le chiffrage de la proposition. À soixante-quinze mille l'épisode, ça fait d'entrée de jeu trois cents briques. Je pense que tu peux obtenir moitié autant pour la supervision des autres, sans parler de la mention « sur une idée de » à tous les génériques, sans parler de cinq à dix pour cent de droits sur l'ensemble de la série. Bref, mes félicitations : tu vas rouler sur l'or.

J'ai quitté Book Soup le soir même. À la fin de la semaine, nous avions versé le dépôt de garantie pour une charmante petite maison de style hispanique dans un quartier tranquille. La Volvo cacochyme a cédé la place à une Jeep Cherokee flambant neuve et j'ai aussi pris en leasing une Mazda Miata, tout en me promettant une Porsche si le feuilleton marchait bien. Lucy n'en revenait pas de ce radical changement de niveau de vie. C'était la première fois que nous connaissions l'aisance matérielle. Le luxe, même, d'après nos critères : nous pouvions enfin acheter du mobilier correct, des appareils design, des marques. Comme j'avais des délais extrêmement contraignants – cinq mois seulement pour rendre mes quatre épisodes –, c'est elle qui s'est chargée de décorer notre nouveau foyer. Elle venait juste de commencer la formation d'un régiment de télévendeurs débutants, de sorte que nous trimions l'un et l'autre douze heures par jour. Nos rares moments de liberté étaient consacrés à notre fille. Ce n'était pas plus mal : un emploi du temps surchargé constitue un excellent moyen de masquer les fissures révélatrices dans un mariage qui a subi des dégâts structurels. Donc on n'arrêtait pas, elle et moi, et on s'émerveillait ensemble de ce retournement de situation, et on faisait comme si tout était revenu à la normale entre nous, alors que par-devers lui chacun était persuadé du contraire.

Plus révélateur encore : avec ma soudaine promotion au rang de Soutien de Famille, l'équilibre des forces au sein de notre couple avait été modifié du tout au tout. Je ne cherchais pas à jouer sur ce facteur, je le jure, mais il arrivait à Lucy de glisser quelque pique à propos de cette inversion des rôles. Lorsque, près d'un an plus tard, le premier épisode de ma série a été encensé par la critique dès sa diffusion, elle m'a fixé du regard :

— Je présume que tu vas me quitter, maintenant…

— Pourquoi ça ?

— Parce que tu « peux ».

— Ça n'arrivera pas, non.

— Mais si. C'est écrit dans le scénario du succès.

Elle voyait juste, bien sûr. Ce n'est arrivé qu'au bout de six mois, certes, alors que j'avais échangé ma Miata pour la Porsche que je m'étais promise si le feuilleton tenait une saison de plus. Or, non seulement mon contrat avait été renouvelé, mais je me retrouvais soudain sous les projecteurs, *Vous êtes à vendre !* étant devenu « la » série culte dans les milieux branchés de l'époque et suscitant des réactions fantastiques dans la presse. *Newsweek*, ainsi, allait jusqu'à soutenir que j'étais « un quart Arthur Miller, un quart David Mamet, et l'éternel sale gosse américain pour l'autre moitié, bref un génie comique qui a compris que le bureau est l'espace où nous redevenons des enfants dans la cour de récréation, prêts à défouler toute l'agressivité accumulée ».

Je n'aurais pu dire mieux moi-même. La critique qui m'a le plus ravi, pourtant, a été celle du *New York*

Observer, dont l'auteur terminait son dithyrambe en affirmant que ma série reflétait « avec une pertinence rare cette obsession typiquement américaine d'avoir le dernier mot et de décrocher le contrat à n'importe quel prix. […] Pour tous ceux qui se lamentent sur l'abêtissement chronique de notre époque, voici la preuve que l'ironie la plus caustique peut encore triompher sur le petit écran ». Cet article, je l'ai bientôt connu par cœur. Et, bien sûr, j'ai été tout autant emballé quand *Esquire*, me consacrant un portrait de deux feuillets dans la rubrique « On les aime bien », m'a surnommé « le Tom Wolfe du câble ». Et je n'ai pas refusé non plus lorsque le *Los Angeles Times* m'a demandé une interview, qui a été publiée avec un long chapeau résumant mes nombreuses années de purgatoire professionnel, mon passage dans la librairie alternative et ma soudaine accession à « ce club fermé d'auteurs hollywoodiens qui se moquent du diktat du "genre" ». J'ai demandé à ma secrétaire de faire une copie de ce dernier papier et de l'envoyer par coursier à Alison, accompagné d'un Post-it sur lequel j'ai griffonné : « Avec toutes mes pensées, tendance ou pas. Bises. David. »

Une heure plus tard, un autre coursier s'est présenté avec une enveloppe portant le sigle de l'agence d'Alison. À l'intérieur, il y avait une carte : « Va au diable. Avec tout mon amour. A. » Et un petit paquet cadeau qui contenait un objet dont je rêvais depuis des lustres, un stylo Waterman Edson, la Ferrari des écrivains. Six cent soixante-quinze dollars chez les distributeurs agréés, je le savais. Mais Alison pouvait se le permettre, puisque les honoraires qu'elle avait négociés contre ma « collaboration artistique » à la deuxième tranche du feuilleton approchaient le million de dollars... moins sa commission de quinze pour cent, évidemment.

Alison était citée dans la page que le *Los Angeles Times* m'a consacrée. Avec son humour habituel, elle confiait au journaliste que, si elle ne m'avait pas laissé tomber pendant ma traversée du désert, c'était en partie parce que je savais « quand il ne faut "pas" téléphoner, et, croyez-moi, il y a peu d'artistes qui aient cette qualité, dans cette ville ». Mon émotion m'a moi-même surpris lorsque je l'ai lue déclarer que « le talent mais aussi la persévérance peuvent parfois payer, à L.A., et David en est la preuve. Il s'est accroché quand plein d'autres auraient jeté l'éponge et il mérite donc tout ce qu'il peut maintenant avoir, l'argent, la réputation, le prestige. Et surtout, le fait qu'on réponde à ses coups de fil, et que je sois assaillie de demandes de rendez-vous avec lui. Parce que tous ceux qui voient un peu loin veulent travailler avec David Armitage, désormais ». Absorbé comme je l'étais par la préparation de la deuxième saison de la série, j'ai refusé la plupart de ces requêtes, cependant. Et c'est seulement en cédant aux pressions d'Alison que je suis allé déjeuner avec une jeune directrice de programmes à Fox Television, une certaine Sally Birmingham.

— Je ne l'ai rencontrée qu'une seule fois, m'a confié mon agente, mais tout ce qui bouge dans la profession lui promet beaucoup d'avenir. Et je sais que Rupert et ses petits gars de la Fox lui garantissent une ligne de crédit pratiquement illimitée. Et, comme n'importe qui avec un tant soit peu de goût ici, elle adore ta série. C'est pour ça qu'elle serait prête à te donner un quart de million pour n'importe quel pilote de trente minutes, sujet libre.

L'information m'a obligé à réfléchir un instant, je l'avoue.

— Deux cent cinquante mille rien que pour un pilote ?

— Oui, m'sieur. Et je veillerai à ce que ce soit un paiement sans clause réservatoire.

— Et tu l'as prévenue que je ne pourrai me lancer dans rien d'autre tant que la deuxième tranche n'est pas en boîte ?

— Elle s'en doutait, figure-toi. Elle dit qu'elle peut attendre, qu'elle veut juste te signer tout de suite pour ce projet. Admets que ça ferait bien dans son CV, aussi, d'avoir raflé David Armitage pour un pilote... Enfin, à toi de voir. Si tout se passe bien, tu auras un bon mois et demi de libre entre les phases deux et trois de *Vous êtes à vendre !* Combien de temps il te faudrait pour lui torcher un truc ?

— Trois semaines, maxi.

— Ce qui t'en laisse trois autres pour buller sur une plage... Bon, si tu arrives à rester tranquille tout ce temps, rien qu'à te dire que tu viens de te faire un quart de million en vingt et un jours.

— OK. J'y vais, à ce déjeuner.

— Malin. D'autant qu'en plus, en plus, tu vas bien l'aimer. Et il y a de quoi : non seulement elle a quelque chose dans la tête mais elle est gironde.

Alison avait eu trois fois raison : un, j'ai tout de suite apprécié Sally Birmingham ; deux, elle était intelligente ; trois, elle était belle. À tel point qu'au bout de vingt minutes j'étais complètement sous son charme.

Son assistante a contacté la mienne pour convenir du rendez-vous au restaurant The Ivy. Grâce aux bouchons habituels sur la 10, je suis arrivé un peu en retard. Elle était déjà là, installée à une très bonne table, et, dès qu'elle s'est levée pour m'accueillir j'ai été captivé, quand bien même j'ai tout fait pour ne pas le montrer. Grande, un visage fin et lumineux, cheveux noisette coupés court, sourire narquois, je l'ai d'abord cataloguée comme un spécimen de la rupinerie Nouvelle-Angleterre, le produit d'une coûteuse éducation, la fille qui devait avoir eu son cheval à l'écurie paternelle dès l'âge de huit ans. Après un quart d'heure de conversation, cependant, j'ai conclu qu'elle avait réussi à mâtiner ses origines patriciennes, très comté de Westchester, d'une bonne dose de véritable érudition et d'intelligence de la vie. Elle avait grandi à Bedford, certes ; elle avait fréquenté Rosemary Hall et Princeton, d'accord ; ses connaissances littéraires étaient intimidantes et elle avait l'air, comme votre serviteur, d'avoir passé pas mal d'heures dans les salles de cinéma. Tout cela ne l'empêchait pas de porter un regard très lucide sur Hollywood dans toute sa cruelle gloire, ni de reconnaître avec sincérité qu'elle adorait jouer en division un, celle des décideurs. J'ai aussitôt compris pourquoi les grands bwanas de Fox Television l'appréciaient autant : c'était une fille de la haute, mais qui savait parler leur langage. Et qui avait le rire le plus sexy qui soit.

— Vous voulez entendre mon histoire préférée sur Los Angeles ? m'a-t-elle demandé.

— J'en meurs d'envie.

— Alors voilà. Le mois dernier, je déjeune avec Mia Morrison, la chef des RH à Fox. Elle fait signe au serveur d'approcher et elle lui sort : « Dites-moi les eaux que vous avez. » Lui, un vrai pro, il réagit au quart de tour malgré la bizarrerie de la formulation : « Eh bien, nous avons du Perrier de France, de la Ballygowen d'Irlande, de la San Pellegrino d'Italie, de la… » Et Mia qui le coupe : « Ah, non, non, pas de San Pellegrino. C'est trop lourd, ça ! »

— Je crois que je la recaserai, celle-là.

— « Les poètes en herbe imitent, les poètes accomplis se contentent de piller. »

— T. S. Eliot, non ?

— Donc c'est vrai, vous avez été à Dartmouth ?

— Votre connaissance de ma biographie est impressionnante.

— Autant que votre maîtrise de l'œuvre de ce bon M. Eliot.

— Et je suis sûr que vous avez noté toutes les références aux *Quatre Quatuors* qu'il y a dans ma série…

— Ah, je pensais que vous étiez plutôt du genre *La Terre vaine*, vous.

— Non, non, c'est trop lourd, ça.

Et elle a éclaté de rire à ce que j'ai dit.

Non seulement le courant est tout de suite passé, mais nous avons parlé librement des sujets les plus divers. Y compris le mariage. Cela a commencé par un coup d'œil lancé à mon alliance et un :

— Et donc vous êtes marié, ou vous êtes « vraiment » marié ?

Elle l'avait dit sur un ton badin. J'ai souri.

— Deuxième case.

— Depuis… ?

— Onze ans.

— Impressionnant, encore. Et heureux ? – J'ai haussé les épaules. – Ça, ce n'est pas exceptionnel. Surtout après onze ans.

— Et vous, vous voyez quelqu'un ? ai-je repris en tentant de me montrer aussi nonchalant qu'elle.

— Il y a eu quelqu'un, oui… Une petite distraction, rien de plus. Nous avons arrêté il y a environ quatre mois, d'un commun accord. Depuis, je vole en solo.

— Vous n'avez jamais fait le grand saut, alors ? Conjugal, j'entends.

— Non. Quoique j'aurais pu commettre l'une des bêtises classiques. Épouser mon petit ami à Princeton, par exemple. Il était très partant, lui, mais je lui ai rappelé que les couples formés à la fac ont une espérance de vie de deux ans, en général. D'ailleurs, toute relation finit par s'épuiser quand l'habitude prend le pas sur la passion. C'est pour cette raison que je n'ai jamais tenu plus de trois ans avec quiconque.

— Si je comprends bien, vous ne croyez pas aux balivernes du style « il n'y a qu'un être qui te soit destiné »…

Encore ce rire, et puis :

— Eh bien si, en fait. Simplement je n'ai pas encore rencontré l'âme sœur.

À nouveau, la remarque est venue sur un ton insouciant. Nous nous sommes lancé un regard bref mais entendu et aussitôt après nous avons replongé dans cet échange tourbillonnant. J'étais étonné par l'aisance avec laquelle nous nous ouvrions l'un à l'autre, par la similarité de nos points de vue. La complicité était remarquable, d'emblée, mais aussi un peu effrayante. Parce que, à moins d'être en train de tout lire de travers, je sentais que l'attirance était mutuelle et grandissait à chaque seconde.

Nous avons fini par en arriver aux affaires. Elle m'a demandé ce que j'aurais pensé mettre dans le pilote qu'elle me proposait. J'ai donné l'idée sans fioritures :

— La vie professionnelle et privée d'une conseillère matrimoniale sur le retour.

— C'est bon, ça. – Je lui ai rendu son sourire. – Première question : est-ce qu'elle est divorcée ?

— Bien sûr.

— Des enfants à problèmes ?

— Une fille adolescente convaincue que sa maman est une abrutie.

— Charmant. Elle a un ex-mari, cette dame ?

— Oui. Qui s'est enfui avec une prof de yoga de vingt-cinq ans.

— L'action se passe à Los Angeles, je vois.

— Je pensais à San Diego, en fait.

— Excellent. La belle vie californienne sans les tracas de L.A. Est-ce qu'elle rencontre des hommes, notre conseillère ?

— Sans arrêt. Avec des résultats désastreux, à chaque fois.

— Et ses clients, eux…

— Ils feront rire pas mal, croyez-moi.

— Vous avez un titre ?

— *Ciel, mon mariage !*

— Vendu.

J'ai essayé d'éviter un sourire trop béat.

— Vous savez que je ne peux pas m'y atteler avant d'avoir…

— Alison m'a mise au courant, oui. Pas de problème. Tout ce qui compte, c'est que je vous aie, maintenant.

Elle a effleuré le dos de ma main. Je ne l'ai pas retirée.

— J'en suis content.

Elle a soutenu mon regard, puis :

— Dîner demain soir ?

Nous nous sommes retrouvés chez elle, à West Hollywood. J'avais à peine passé sa porte que nos vêtements volaient en tous sens. Bien plus tard, pendant qu'étendus sur son lit nous sirotions un verre de Pinot noir post-coïtal, elle m'a demandé :

— Tu sais bien mentir ?

— À propos de ce genre de choses, tu veux dire ?

— Oui.

— C'est seulement la seconde fois que ça m'arrive en onze années avec Lucy.

— La première, c'était quand ?

— En 1994, une nuit avec une actrice qui était passée à la librairie, tard. Lucy était en visite chez ses parents, avec Caitlin.

— Et c'est tout ? Pas d'autre écart sur la voie conjugale ?

— Non.

— Eh bien… Tu as vraiment une morale, alors.

— C'est un mauvais point, je sais. Surtout ici.

— Et là, maintenant, tu vas te sentir coupable ?

— Non, ai-je répondu sans hésitation.

— Tiens, pourquoi ?

— Parce que entre Lucy et moi c'est très différent, aujourd'hui. Et aussi…

— Oui ?

— Et aussi parce que c'est toi.

Elle m'a embrassé légèrement sur les lèvres.

— C'est un aveu, ça ?

— Sans doute, oui.

— J'en ai un pour toi, moi aussi. Dix minutes après t'avoir rencontré, hier, je me suis dit : « C'est lui. » Et cette sensation ne m'a pas quittée de toute la nuit et de toute la journée, pendant que je comptais les heures jusqu'au moment où tu arriverais. Et maintenant… – Elle a laissé courir son index le long de ma mâchoire. – maintenant je ne vais plus te laisser partir.

— Est-ce une promesse ? ai-je soufflé en lui donnant un baiser.

— Croix de bois, croix de fer, oui… Mais tu comprends ce que ça signifie. À court terme, en tout cas…

— Oui. Il va falloir que j'apprenne à mentir.

J'avais déjà commencé, en réalité, puisque cette première nuit avec Sally je m'étais couvert en annonçant à Lucy que je devais faire un saut à Las Vegas pour un bref repérage destiné à un épisode de la série. Et Sally n'a pas sourcillé quand, à onze heures, j'ai utilisé son téléphone pour annoncer à ma femme que j'étais paisiblement claquemuré dans ma chambre au Bellagio et qu'elle me manquait affreusement. En rentrant à la maison le lendemain soir, j'ai guetté chez elle quelque signe de méfiance ou d'interrogation, je me suis même demandé si elle avait pu appeler l'hôtel de Las Vegas et découvrir que je n'y étais pas descendu. Mais non, elle était très détendue, elle n'a pas posé la moindre question et son accueil n'aurait pas pu être plus chaleureux puisqu'elle m'a entraîné au lit très tôt. Certes, la corde de la culpabilité a vibré en moi lorsque, blottie contre mon flanc, elle m'a murmuré son amour. Ses résonances ont cependant été vite étouffées par un constat encore plus retentissant : j'étais tombé follement amoureux de Sally Birmingham.

Et c'était réciproque. Elle l'a proclamé quinze jours après cette première soirée, en précisant qu'elle n'avait jamais rien éprouvé de semblable envers quiconque. Sa conviction était époustouflante. J'étais l'homme avec lequel elle voulait passer le reste de ses jours. Nous allions avoir une vie fantastique, de brillantes carrières, des enfants merveilleux. Et nous ne tomberions jamais dans la routine tiédasse qui caractérise la grande majorité des couples mariés : que pouvions-nous offrir l'un à l'autre sinon l'ardeur et la passion ? Nous serions bénis car tel était notre destin.

Je me rendais compte qu'elle exagérait un tout petit peu dans l'exaltation, bien sûr, mais je n'allais pas m'en plaindre, au contraire. Elle, si belle, si intelligente, avait craqué pour moi. Alors comment ne pas roucouler, moi aussi ? D'autant que l'attraction physique mutuelle me tournait la tête et m'entraînait dans le tourbillon hautement romantique de cette liaison. En fait, je n'arrivais pas à croire à l'avalanche de bonne fortune qui m'était tombée dessus en si peu de temps. La sortie du tunnel, la série, le succès, la prospérité et maintenant une déclaration d'amour passionnée de la part d'une femme exceptionnelle. C'était plus que de la réussite, c'était un triomphe personnel.

Il n'y avait qu'un seul problème : j'étais toujours marié. Et les conséquences probables d'un bouleversement marital sur la vie de Caitlin me remplissaient d'angoisse. Sur ce plan aussi, Sally se montrait un modèle de compréhension.

— Je ne te demande pas de t'en aller tout de suite, m'a-t-elle affirmé, mais seulement quand tu te sentiras prêt et que tu penseras que Caitlin l'est aussi. J'attendrai. Parce que tu vaux ça.

« Quand » tu te sentiras prêt. Non pas « si » tu te sens prêt. Certitude explicite. Pourtant, je n'ai pas été chiffonné une seconde par une approche aussi catégorique, pas plus que je n'ai pensé que nous allions peut-être un peu trop vite, après à peine deux semaines... Je partageais sa foi inébranlable en notre avenir, même si je me rongeais intérieurement à cause du chagrin et du chamboulement que je m'apprêtais à infliger à ma femme et à ma fille.

Reconnaissons-le, Sally ne m'a pas poussé une seule fois à abandonner le foyer conjugal, du moins au cours des huit mois qui ont suivi. À ce stade, j'avais terminé mon travail sur la deuxième tranche du feuilleton et j'étais devenu un expert en dissimulation. Lorsque la pression de la date de remise des trois épisodes que j'écrivais est devenue trop dure, j'ai décampé deux semaines au Four Seasons de Santa Barbara en invoquant la nécessité de m'isoler pour travailler d'arrache-pied. Et c'est ce que j'ai fait, mais Sally est venue en passer une avec moi, ainsi que les deux week-ends. Quand l'équipe est partie à Chicago tourner en extérieur, j'ai décidé de m'attarder trois jours de plus afin de renouer avec mes anciens copains, officiellement, alors qu'en réalité Sally et moi n'avons pratiquement pas quitté notre suite au Park Hyatt. En temps normal, nous arrivions à jongler assez bien avec nos carnets de rendez-vous respectifs pour nous retrouver deux fois par semaine à l'heure du déjeuner – il y avait toujours une chambre pour nous au Westwood Marquis, près du siège de Fox TV – et au moins un soir chez elle.

La dissimulation est vraiment un art, comme je m'en suis vite rendu compte, et un art très exigeant. Dès que l'on commence à broder sur le réel, on a créé une fiction dans laquelle on est obligé de rester. Contrairement à l'écriture ou au cinéma, il est impossible d'interrompre le récit une fois qu'il a été lancé. Le mensonge appelle le mensonge et la broderie s'étend jusqu'au point où l'on se surprend souvent à se demander si la tromperie n'est pas finalement la vérité. La frontière mal définie entre réalité et faux-semblant n'est plus discernable.

Il m'arrivait de m'étonner moi-même de l'ingéniosité de mes subterfuges, de la perfection de mes mensonges. Certes, on pourrait me rétorquer que vu mon statut de conteur professionnel je ne faisais que mettre mon métier en pratique. Mais jusqu'alors j'avais toujours pensé être un très piètre menteur, comme le prouvait un bref échange avec Lucy quelques jours après mon unique escapade adultérine, en 1994. De but en blanc, elle m'avait regardé fixement :

— Tu as couché avec quelqu'un d'autre, n'est-ce pas ?

J'avais pâli, bien sûr, et verdi, et tout nié en bloc. Et elle n'en avait pas cru un mot, évidemment :

— C'est ça, dis-moi que je délire. Le hic, c'est que tout se voit tellement, chez toi. Tu es aussi transparent que du film alimentaire.

— Je ne mens pas.

— Oh, arrête un peu !

— Lucy…

Mais elle avait déjà quitté la pièce. Elle n'est plus revenue là-dessus et au bout d'une semaine environ la sensation de culpabilité, aussi intense que la peur d'être démasqué, s'est éteinte, bâillonnée par le serment tacite que je m'étais fait de ne plus jamais être infidèle.

Il est resté valide six années, cet engagement. Jusqu'à ma rencontre avec Sally Birmingham. Et pourtant notre première nuit d'amour ne m'a pratiquement pas inspiré de remords, ni d'angoisse. Était-ce dû au fait que mon mariage était désormais régi par la loi des dividendes dégressifs ? Ou bien parce que dès le début de cette aventure j'ai compris que personne ne m'avait encore inspiré une telle passion ? Lucy, d'ailleurs, ne semblait pas s'interroger sur mes activités tous les soirs où je devais « travailler tard », pas plus qu'elle ne me décochait ces regards de reproche muet qui m'auraient fait comprendre qu'elle savait. Au contraire, elle n'aurait pu se montrer plus attentionnée, plus solidaire. Sans doute notre nouvelle aisance matérielle lui inspirait-elle de la gratitude à mon égard, ou du moins était-ce ce que je supposais. Mais, alors que je commençais à corriger les quatre scripts que d'autres avaient écrits pour la suite de la série, Sally a envoyé des signaux de plus en plus insistants quant à son désir de « régulariser » notre situation. Nous installer ensemble, notamment.

— Les secrets et la clandestinité, ça suffit, m'a-t-elle déclaré ; je veux t'avoir plus avec moi… si tu tiens toujours à moi, bien entendu.

— Mais évidemment ! Et tu le sais…

Sauf que je cherchais aussi à repousser l'épreuve de vérité, le moment où j'allais m'asseoir avec Lucy et lui briser le cœur. Donc je continuais à esquiver, et Sally s'impatientait, et je répétais : « Donne-moi encore trois semaines. » Jusqu'au soir où, rentré autour de minuit après un long dîner de préproduction avec Brad Bruce, j'ai découvert ma femme installée dans le salon, une de mes valises près de son fauteuil.

— Juste une question, d'accord ? Et ça fait sept mois que je voulais entendre la réponse : est-ce qu'elle crie beaucoup, au lit, ou bien c'est juste l'allumeuse qui ne supporte pas qu'on la touche, en réalité ?

Toujours pareil : je suis devenu blanc mais j'ai essayé de ne pas le montrer.

— Tu es folle ou quoi ?

— Non. Seulement très bien informée. Trop bien…

— Je ne vois pas de quoi tu parles, franchement.

— Tu veux dire que « franchement » tu ignores comment s'appelle la femme que tu sautes depuis maintenant sept mois ? Ou huit, non ?

— Il… il n'y a personne, je t'assure.

— Sally Birmingham, c'est « personne » ?

Je me suis laissé tomber sur le canapé, sans voix. D'un ton toujours aussi posé, Lucy a constaté :

— Bien, tu as eu assez de temps pour réfléchir, non ?

— Comment… comment tu sais son nom ?

— Quelqu'un l'a trouvé pour moi.

— Quel… quoi ?

— J'ai engagé un détective privé.

— Tu m'as espionné ?

— Ne prends pas tes grands airs outragés, imbécile. C'était évident, de toute façon… – Comment,

« évident » ? Après les trésors de prudence que j'avais déployés ? – … Et quand tes absences répétées ont prouvé que c'était plus sérieux qu'un petit trip d'ego de la part du Maître de l'Univers Télévisuel, je me suis dit que je ferais mieux de découvrir l'identité de ta chérie. Alors j'ai embauché un as de la filature et il…

— Ça a coûté cher ?

— Trois mille huit. Une somme que je compte bien récupérer d'une manière ou d'une autre dans les clauses de divorce.

— Lucy ! Je ne veux pas divorcer…

C'était moi qui avais dit ça ? Elle, de son côté, restait étonnamment calme.

— Je me moque de ce que tu veux, David. Moi, je divorce. C'est terminé.

Le désespoir m'a envahi d'un coup, et une peur panique. Elle faisait le sale boulot pour moi en prenant l'initiative finale. J'étais en train d'obtenir exactement ce que j'attendais et soudain j'étais mort de trouille.

— Si tu m'avais parlé dès le début, si tu…

— Si quoi ? – Son visage s'est crispé, il y avait maintenant de la colère dans sa voix. – Si j'avais essayé de te rappeler que nous avons été onze ans ensemble, que nous avons une fille que nous aimons tous les deux, que nous avons surmonté toute cette existence de merde et que nous pouvions enfin souffler un peu… – Elle s'est arrêtée, au bord des larmes. J'ai voulu lui prendre la main, qu'elle a retirée violemment. – Tu ne me touches plus ! Jamais ! – Il y a eu un long silence. – Quand j'ai enfin eu le nom de cette… femme, tu sais ce que j'ai pensé, d'abord ? « Il monte vraiment d'un échelon, là. Chef de projets à la Fox !

Diplômée avec mention de Princeton ! Et mignonne, en plus ! » Oui, c'est un type consciencieux, ce privé. Il est même revenu avec des clichés de ta Birmingham. Elle est très photogénique, hein ?

— On aurait pu discuter, voir si…

— Non ! Il n'y a rien à discuter. Tu as décidé de risquer ton mariage, ta famille, et moi je n'allais pas jouer la « pauvre petite femme » des chansons ringardes, qui supplie son salaud de mari de revenir à la maison.

— Alors pourquoi tu n'as rien dit pendant tout ce temps ?

— Parce que j'espérais que tu redescendrais sur terre, que cette histoire tournerait court, que tu te rendrais compte de ce que tu allais perdre et… – Elle s'est interrompue à nouveau, s'efforçant de maîtriser sa voix. Cette fois je n'ai pas bougé. – Je t'ai même accordé un délai. Six mois. Et puis, comme une idiote que je suis, j'ai allongé à sept, à huit… Mais il y a une semaine, à peu près, j'ai bien vu que tu étais décidé à t'en aller et…

— Je n'ai jamais pris cette décision !

— Menteur ! Ça se voyait comme le nez au milieu de la figure. Bon, en tout cas j'ai choisi de la prendre à ta place. Et donc tu dégages. Tout de suite !

Elle s'est levée. Moi aussi.

— S'il te plaît, Lucy ! Essayons de…

— Essayons quoi ? De faire comme si ces huit mois n'avaient jamais existé ?

— Et… et Caitlin ?

— Ah ! Je vois que tu te souviens enfin de ce petit détail, ta fille…

— Il faut que je lui parle.

— Parfait. Tu peux revenir demain.

J'ai été sur le point de parlementer pour passer la nuit sur le canapé, tout reconsidérer ensemble, posément, à la lumière du jour. Mais je savais qu'elle ne se laisserait pas fléchir. Et puis, au total, j'avais eu ce que je voulais, non ?

J'ai pris ma valise.

— Je suis désolé.

— Je n'accepte pas les excuses des salauds.

Et elle a disparu dans l'escalier.

Je suis resté devant mon volant une bonne dizaine de minutes, à me demander ce que j'allais faire. Soudain, j'avais bondi hors de la voiture, je courais à ma porte et je tambourinais dessus en hurlant le nom de ma femme. Il s'est passé un moment avant que je n'entende une voix derrière le battant :

— Va-t'en, David.

— Donne-moi au moins une chance de…

— De mentir encore plus ?

— Je… je me suis trompé, terriblement.

— Ah oui ? Il fallait y penser il y a sept mois.

— Je te demande juste de pouvoir…

— Il n'y a plus rien à dire.

— Lucy !

— On arrête.

J'ai cherché les clés de chez moi. Alors que je m'apprêtais à ouvrir la première serrure, j'ai surpris le bruit du verrou de sûreté enclenché à l'intérieur.

— Tu ne remettras plus les pieds ici, David. C'est fini. Pars. Tout de suite.

J'ai tempêté devant la porte, crié que c'était la plus grande erreur de ma vie, imploré son pardon. Mais j'avais déjà compris qu'elle n'était plus dans l'entrée, et que brusquement tout avait basculé dans un précipice vertigineux. Une partie de moi-même tremblait de frayeur à ce constat : ma petite famille détruite par ma vanité, par le succès qui m'était monté à la tête. Une autre partie, pourtant, savait pertinemment pourquoi j'étais allé au bout de cette voie destructrice, était parfaitement consciente de ce qui arriverait si la porte s'ouvrait soudain devant moi : je retournerais à une existence insipide. Et je me suis rappelé ce qu'un ami écrivain m'avait dit lorsqu'il avait quitté sa femme pour une autre : « Évidemment que nous avions quelques problèmes de couple, mais rien de rédhibitoire. Et, bien sûr, c'était un peu ennuyeux, parfois, mais là encore c'était le prix à payer pour douze années passées ensemble. Tout allait plutôt bien, entre nous. Pourquoi je suis parti, alors ? Fondamentalement, à cause d'une question qui n'arrêtait pas de me trotter dans le cerveau : "Quoi, c'est tout ce que la vie a encore pour moi ?" »

Les mots de mon ami ont été aussitôt couverts par une voix retentissante : « Tu ne peux pas faire ça ! » J'ai donc sorti mon portable et composé dans une hâte fébrile le numéro de la maison. Lucy a décroché au bout d'un moment.

— Chérie ! Je ferais n'importe quoi…

— N'importe quoi ?

— Oui, tout ce que tu voudras, tout !

— Alors va mourir.

Mon téléphone désormais inutile à la main, j'ai regardé la façade. Toutes les lumières s'étaient éteintes au rez-de-chaussée. J'ai pris ma respiration et j'ai franchi le point de non-retour : j'ai appelé Sally, je lui ai dit que je venais de faire ce qu'elle me réclamait depuis si longtemps. Tout en me demandant sur le ton navré, de circonstance, comment Lucy avait pris la nouvelle (« Pas trop bien », ai-je répondu) et comment je me sentais (« Content que ce soit fini »), elle a paru réellement transportée. Triomphante, même, à telle enseigne que je me suis demandé un instant si elle ne voyait pas là une sorte de victoire, le nec plus ultra de la fusion-acquisition. Cette dérangeante interrogation a vite disparu tandis qu'elle m'assurait à quel point elle m'aimait, comprenant que l'épreuve avait dû être tellement rude pour moi mais que je pouvais compter sur son amour. Soulagé par ces démonstrations, je ne me suis pas moins senti vide, perdu, état sans doute normal en la circonstance et cependant plutôt inquiétant.

— Viens tout de suite, chéri, a-t-elle murmuré, et moi :

— Je n'ai nulle part d'autre où aller.

Le lendemain, j'ai téléphoné à Lucy et nous sommes convenus que j'irais chercher Caitlin à la sortie de l'école.

— Tu lui as dit ? ai-je demandé.

— Évidemment.

— Et comment elle… ?

— Tu as détruit toute la confiance qu'elle avait dans la vie, David.

— Une minute ! Ce n'est pas moi qui divorce. C'est ta décision ! Je te l'ai répété hier, si seulement tu me donnais une chance de te prouver que…

— À d'autres.

Et elle a raccroché.

Devant l'école, Caitlin ne m'a pas laissé l'embrasser, ni lui prendre la main. Dans la voiture, elle ne m'a pas adressé la parole. J'ai proposé de marcher un peu sur la promenade à Santa Monica, ou d'aller dîner chez Johnny Rockets à Beverly Hills, son restaurant préféré, ou peut-être une petite virée dans les boutiques du Beverly Centre ? En alignant ces propositions affolées devant son silence, j'ai été assailli par un brusque constat : j'avais déjà tout du père divorcé.

— Je veux aller à la maison avec maman.
— Écoute, Caitlin, je suis désolé pour ce…
— Je veux aller à la maison avec maman.
— Je sais que c'est très dur, tu dois te dire que..
— Je veux aller à la maison avec maman.

Dix minutes après, comme elle n'avait toujours que cette unique réplique face à mes piètres tentatives d'explication, je me suis résigné. À peine m'étais-je garé devant la porte qu'elle a couru se jeter dans les bras de Lucy, qui était sortie sur le perron.

— Super, le lavage de cerveau ! lui ai-je lancé.
— Si tu veux parler, prends un avocat.

Elle a refermé la porte derrière elles.

En fin de compte, il m'en a fallu deux, d'avocats. Des collaborateurs du cabinet Sheldon & Strunkel, lequel m'avait été chaudement recommandé par Brad Bruce, qui avait eu recours à eux pour ses deux précédents divorces et les gardait au chaud au cas où sa troisième version de la félicité conjugale viendrait à capoter. Et leur interlocuteur a été la représentante de Lucy, Melissa Levin, qu'ils m'ont décrite comme un excellent exemple de l'école « Faisons payer le salopard » en vogue dans les tribunaux. D'emblée, elle n'a pas seulement cherché à me dépouiller de tous mes biens mais elle a manifesté sa claire intention de me voir sortir de ce divorce en morceaux, et boiteux à vie.

Après de ruineuses escarmouches, pourtant, mes petits gars ont réussi à contrer partiellement ses prétentions dignes d'Attila. Mais les dégâts n'en étaient pas moins formidables : Lucy a obtenu la maison, y compris la part qui me revenait, ainsi que pas moins de onze mille dollars mensuels en pension alimentaire pour l'enfant et pour elle. Dans la situation professionnelle où je me trouvais, ce n'était certes pas au-dessus de mes moyens, et je tenais à ce que Caitlin ne manque de rien, mais je trouvais quand même affligeant de penser que dorénavant je ne verrais même plus passer les premiers cent mille et quelques dollars de mon revenu annuel brut. Je n'étais pas plus ravi par l'une des clauses que l'Impitoyable Melissa avait imposées dans l'accord, lequel accordait à Lucy le droit de changer de ville de résidence avec Caitlin si sa carrière le nécessitait. Quatre mois après la conclusion de notre divorce accéléré, d'ailleurs, elle l'a exercé en prenant un nouveau travail à Kentfield – directrice du personnel dans une boîte d'e-business – et un appartement à Sausalito. Brusquement, ma fille, avec qui j'avais réussi à rétablir une bonne entente en partie grâce aux remarquables prédispositions de Sally au rôle de gentille belle-maman, n'était plus à côté de moi. Brusquement, je n'étais plus en mesure de m'esquiver de mon bureau pour l'emmener à Malibu après l'école ou à l'immense patinoire de Westwood. Brusquement, Caitlin se retrouvait à une heure d'avion, et comme le tournage des nouveaux feuilletons avait débuté, il m'était impossible de la voir plus d'une fois par mois.

Ce que je n'appréciais pas du tout. Alors, au cours de mes nombreuses nuits d'insomnie, je faisais les cent pas dans le grand loft que nous louions maintenant à West Hollywood pour la somme rondelette de quatre mille cinq cents dollars en me demandant pour la quarante-cinquième fois ou plus pourquoi j'avais foutu en l'air ma famille. Je connaissais la réponse, bien sûr : parce que notre mariage tournait en rond, avec Lucy, et parce que j'avais été soulevé de terre par la classe de l'étourdissante Miss Birmingham. Mais en ces moments de désespoir secret avant l'aube, je ne pouvais que me maudire d'avoir réagi aussi banalement à la crise de la quarantaine et d'être hanté par la même question : n'avais-je pas commis une épouvantable erreur ? Le lendemain, cependant, il y avait un scénario à terminer, un rendez-vous à assurer, une première à laquelle je me rendrais avec Sally à mon bras, bref, la logique implacable du succès qui me poussait en avant, sans cesse, et me permettait d'esquiver momentanément les tête-à-tête avec ma culpabilité, avec ce doute muet et insistant que j'éprouvais devant les moindres aspects de cette « nouvelle vie ».

Comme il fallait s'y attendre, tout Hollywood avait appris mes démêlés conjugaux pratiquement au moment où Lucy m'avait claqué la porte au nez. Chacun, en tout cas devant moi, avait sorti le couplet compatissant sur l'épreuve que constituait la fin d'un mariage. Et le fait que je me sois « enfui », pour reprendre l'horripilante expression, avec l'une des plus lancées et des plus jeunes décideuses de la profession ne portait pas préjudice à mon image de marque, au contraire. J'étais « monté d'un échelon » ou, ainsi que Brad Bruce l'avait résumé : « Tout le monde savait que tu étais un malin, David. Et maintenant tout le monde va se dire que tu es "vraiment" un malin. »

La réaction de mon agente, pourtant, a été nettement plus caustique. Dès les premiers frémissements de ma réussite, Alison, qui connaissait et appréciait Lucy, m'avait mis en garde contre les habituelles tentations d'envoyer bouler la stabilité matrimoniale. Quand je lui ai appris notre séparation et mon nouveau départ avec Sally, elle a fait la grimace, s'est tue un long moment avant de lâcher :

— Je devrais sans doute te féliciter d'avoir tenu plus d'un an avant de faire une chose pareille. Il faut croire que ça devait arriver, de toute façon. C'est toujours ce qui se passe quand n'importe qui perce d'un coup, ici.

— Je suis amoureux, Alison.

— Félicitations. C'est merveilleux, l'amour.

— J'étais sûr que tu allais réagir comme ça.

— Mon petit David... Tu ne savais pas qu'il y a seulement dix scénarios, sur cette planète ? Eh bien, tu es simplement en train de jouer l'un de ces dix. Je dois reconnaître une chose pour toi : ton interprétation donne un tour un peu différent de la version convenue, au moins.

— Ah oui ? En quoi ?

— Dans ton cas, l'artiste saute le producteur. Dans ma longue, longue expérience, ça a toujours été le contraire. Donc, bravo : tu défies les lois de la gravité hollywoodienne.

— Mais enfin, Alison... C'est toi qui nous as présentés l'un à l'autre, non ?

— Sans blague ? Enfin, ne te fais pas de souci : je ne te demanderai pas mes quinze pour cent sur vos profits communs, dans l'avenir.

Puisque ma liaison avec Sally était désormais officielle, a-t-elle aussitôt noté avec sa lucidité coutumière, il était sans doute préférable qu'elle et moi laissions temporairement en sommeil le pilote destiné à la Fox – que je n'avais toujours pas écrit, soit dit en passant.

— Admets que ça aurait l'air du cadeau de mariage à son génial auteur. Et je vois très bien je ne sais quel émule de Peter Bart en faire tout un plat dans *Daily Variety*.

— On en a déjà parlé, Sally et moi. On est d'accord : il vaut mieux oublier ce projet.

— Ça paraît charmant, vos conversations sur l'oreiller.

— C'était une conversation de petit déjeuner.

— Avant ou après la gym du matin ?

— Pourquoi je te supporte, Alison ?

— Parce que, pour parler « en amie », selon la formule consacrée ici, c'est ce que je suis : ton amie. Et parce que je protège tes intérêts. À tel point que le conseil que je viens de te donner me fait perdre près de quarante mille de commission, n'oublie pas.

— Tu es tellement altruiste, Ali.

— Non, seulement idiote. Ah, encore un dernier conseil de la part de la Grande Sœur à quinze pour cent : garde profil bas, dans les mois qui viennent. Tout a trop bien marché pour toi, ces derniers temps.

J'ai écouté cet avis, certes, mais même si nous étions en train de devenir rapidement un couple en vue nous ne faisions pas dans le tapageur, de toute façon. Nous étions deux spécimens parfaits du « New Hollywood », le genre d'individu cultivé et relativement raisonnable qui, on ne sait trop comment, s'épanouit dans l'univers superficiel de la télévision. Malgré nos confortables revenus, nous évitions toute ostentation. Notre loft était décoré dans la veine minimaliste, ma Porsche Boxster comme la Range Rover de Sally étaient des symboles de réussite mais aussi de retenue, l'idéal automobile pour des gens qui sont à l'évidence parvenus à un bon niveau dans leur carrière sans pour autant céder aux outrances nouveau riche qui accompagnent souvent le fait d'être « dans le coup ». Nous étions invités à toutes les soirées qui comptaient, aux premières où il « fallait » être, sans être égarés par le clinquant de la célébrité, ni par la constante nécessité d'attirer l'attention sur nous. D'ailleurs, nous étions tous deux beaucoup trop occupés pour chercher à mener la grande vie.

Comme n'importe quelle ville industrielle, quand bien même c'est de l'industrie du rêve qu'il est ici question, Los Angeles est avant tout une cité de couche-tôt. Avec Sally en plein planning des programmes de l'automne suivant et avec la production de la suite de *Vous êtes à vendre !* passée en Mach 2, nous avions très peu de temps pour les mondanités, et à peine l'un pour l'autre. En plus, je découvrais que Sally vivait avec un chronomètre dans la tête. Elle ne me l'aurait pas dit, non, mais j'étais certain qu'elle avait ainsi planifié trois « créneaux sexe » dans son agenda hebdomadaire. Même les occasions inattendues où elle me sautait dessus sans crier gare ont commencé à prendre une tournure curieusement préméditée, comme si elle avait presque calculé que, l'un des rares matins où elle n'avait pas de petit déjeuner de travail, nous arriverions toujours à trouver dix minutes et quelques pour atteindre ensemble l'orgasme. Avant qu'elle se mette à sa gym.

Je ne me plaignais pas, pourtant. Hormis mes fréquents assauts de remords vis-à-vis de Lucy et de Caitlin, tout allait au mieux pour moi. J'étais lancé, je faisais plein d'argent, j'avais la considération de toute ma profession, j'avais gagné l'amour d'une femme exceptionnelle. Et puis j'allais incessamment révéler au public américain le second volet d'une série que j'avais créée pour le plus grand bonheur de tous.

— Il y en a qui aimeraient bien avoir vos problèmes, a constaté Bobby Barra un soir où j'avais bu peut-être un martini de trop – mais c'était un vendredi, il faut le noter – et où je lui avais confié que j'étais encore tourmenté par le regret d'avoir bousillé mon mariage.

Il était content que je le prenne pour confesseur, Bobby Barra. Cela signifiait que nous étions proches l'un de l'autre. Et il aimait cette idée parce que j'étais désormais « quelqu'un », un nom, l'un des rares gagnants dans cette ville faite d'espoirs frénétiques et d'échecs persistants.

— Il faut le voir sous cet angle, mon vieux : cette histoire appartenait à une phase de votre vie où rien ne marchait pour vous. Donc, vous étiez forcé de la jeter par-dessus bord dès que vous avez enfin mis le cap sur l'île enchantée.

— Ouais, vous avez sans doute raison…

— Évidemment que j'ai raison. Une nouvelle vie, ça veut dire que tout est nouveau, tout !

Y compris de nouveaux amis tels que Bobby Barra.

2

Il était riche, Bobby Barra. Salement riche. Mais pas « foutrement riche ».

— Qu'est-ce que vous entendez par « foutrement riche » ? lui ai-je demandé un jour.

— On parle comportement ou chiffres, là ?

— Le comportement, je crois que je vois assez bien. Envoyez les chiffres.

— Cent millions.

— Tant que ça ?

— Ça fait pas tant que ça.

— Ça me paraît suffisant, à moi.

— Combien il y a de millions dans un milliard, vieux ?

— Je ne sais pas, en fait.

— Mille.

— Mille millions, ça fait un milliard ?

— Ça y est, ça rentre !

— Donc un milliard, c'est être « foutrement riche » ?

— Plus que ça. Ça permet d'envoyer se faire foutre n'importe qui et ses descendants pour les dix générations à venir.

— Pas mal, en effet. Mais si on n'a que cent millions, alors on est… ?

— Alors on peut dire : « Je suis riche et va te faire foutre », toujours, mais on est obligé de faire plus gaffe en choisissant son interlocuteur.

— Allez, Bobby ! Vous devez être « foutrement » riche, à ce stade.

— Je m'en approche, disons.

— C'est plutôt bien, non ?

— C'est pas encore ça. Croyez-moi, mon vieux, quand vous côtoyez les vrais nababs, les Bill Gates, les Paul Allen, les Phil Fleck, cent millions, c'est du pipi de chat. C'est… un dixième de milliard, voilà. Pour des mecs qui en pèsent trente, quarante, cinquante, c'est quoi ?

— Que dalle ?

— Exactement. Une prod' minable.

Je me suis permis de sourire.

— Eh bien, en tant que crève-la-faim qui a tout juste fait un petit million l'an dernier, je…

— Ouais, mais vous y arriverez. Surtout si vous me laissez vous aider.

— Je suis tout ouïe…

Dès qu'il s'agissait de la Bourse, Bobby Barra était d'excellent conseil. C'était son gagne-pain, sa raison d'être. Il travaillait tellement bien les marchés qu'à trente-cinq ans, lorsque je l'ai rencontré, il n'exagérait pas en prétendant « approcher de foutrement riche ».

Son ascension vers l'opulence n'avait pas été seulement vertigineuse. Ce qui la rendait encore plus impressionnante, c'était que le mérite n'en revenait qu'à lui-même. Fils d'un électricien de l'usine Ford de Dearborn, Bobby – « le Rital de Detroit » comme il aimait se surnommer – s'était enfui de la « capitale de l'automobile » dès qu'il avait eu son permis de conduire en poche. Mais, à l'âge où la plupart des gosses ne pensent qu'aux malheurs infligés par l'acné, Bobby réfléchissait déjà à la haute finance.

— Attends que je devine ce que tu lisais quand tu avais treize balais, m'a-t-il demandé à l'époque où nous sommes devenus proches. John Updike, je parie.

— Arrête, tu veux ? J'ai jamais mis de pulls shetland marron, moi. Non, essaie plutôt Tom Wolfe.

— J'étais pas loin.

— Et toi, qu'est-ce que tu lisais, à cet âge-là ?

— Lee Iaccoca. Rigole pas.

— Qui rigole ?

— Et pas seulement lui mais aussi Tom Peters, et Adam Smith, et Keynes, et Donald Trump.

— Il y a de tout, là-dedans. Et tu crois qu'il a lu Keynes, Donald Trump ?

— Ouais, sans doute. Dans le temps où Ivana voulait encore le sucer. Mais minute : ce type sait construire un casino et il est « foutrement riche » pour de bon. Et dès que j'ai eu terminé son bouquin, c'est ce que je me suis juré d'être, moi aussi.

— Pourquoi tu ne t'es pas lancé dans l'immobilier, alors ?

— Parce que là, t'es obligé de jouer le piston. Le cousin Sal qui a un oncle Joey qui a un neveu Tony qui est capable de mettre la pression sur le yid qui est le proprio du terrain où tu veux construire… Enfin, tu vois le genre ?

— On croirait entendre un réac de Blanc.

— Écoute, les Blancs de la bonne société, ils font exactement pareil, sauf qu'ils sont en costard Brooks Brothers et qu'ils sont diplômés en management et qu'ils ont des avocats à mille balles de l'heure. En tout cas, moi, je voulais pas du piston et je savais aussi qu'à Wall Street ils apprécieraient pas trop mon accent et mes origines prolos. Tandis que L.A., je me suis dit que ce serait un bien meilleur terrain de jeu pour moi. C'est quand même la capitale mondiale du « J'écoute ton fric, pas ta dialectique », que tu en veuilles ou non. Et en plus, ici, tout le monde se fiche que tu parles comme le fils taré de John Gotti. T'as un gros compte en banque, t'as une grosse bite. Basta.

— Oui, comme John Maynard Keynes l'a lui-même remarqué un jour.

Il faut concéder à Bobby qu'il s'est payé toutes ses études à l'université de Californie-Sud en faisant l'esclave trois nuits par semaine chez Michael Milken, dont le filon des investissements à haut risque allait soudain s'épuiser peu après. La fac terminée, il a été embauché par un type assez louche, un certain Eddie Edelstein, patron d'une petite société de courtage de Century City qui devait finir en vacances prolongées dans un Club Fed à cause d'une grosse bévue avec la Commission de contrôle des échanges boursiers.

— C'était mon maître, Eddie, m'a raconté Bobby ; le meilleur putain de courtier à l'ouest des Rocheuses. Il avait le nez pour les IPO, meilleur qu'un pitbull ! Et quand il s'agissait de jongler avec les dépôts de garantie, c'était du grand art ! Il a fallu que le pauvre couillon flanque tout par terre en ramassant cent plaques pour avoir traité avec un collègue sud-africain... Un enculé de nazi d'Afrikaaner, celui-là... Bon, il lui a refilé un tuyau sur l'introduction en Bourse imminente d'une société pétrolière. En fait, le nazi en question était aussi un sous-marin de la Commission de contrôle. Un putain d'indic ! J'ai supplié Eddie de plaider le coup monté... ça n'a servi à rien. Trois à cinq ans, il a pris. Et même si c'était une de ces nouvelles taules qu'ils font, où tu as le droit d'amener ta raquette de tennis avec toi, ça l'a tué. Cancer de la prostate. Cinquante-trois ans. Hé, Dave, pour te brosser les dents, tu as le jet dentaire ?

— Pardon ? ai-je fait, assez estomaqué par ce coq-à-l'âne.

— Sur son lit de mort, il m'a donné deux conseils, Eddie : primo, ne jamais se fier à un type qui se prétend afrikaaner mais qui a un accent du New Jersey pas possible ; secundo, si tu veux éviter le cancer de la prostate, toujours le jet dentaire, toujours.

— Je ne te suis pas trop, sur ce dernier point.

— Autrement, toute la plaque dentaire, toute cette merde te file dans le gosier et finit par se mettre dans ta prostate. C'est ce qui est arrivé à Eddie. Un courtier en ligne en or, un gars hors pair... mais il aurait dû avoir le jet.

Après cette conversation, je me suis mis à utiliser régulièrement le jet dentaire et à me demander tout aussi régulièrement pourquoi j'appréciais autant la compagnie de Bobby Barra. Je connaissais la réponse, pourtant : petit *a*, parce qu'il avait commencé à me faire gagner de l'argent, et petit *b* parce qu'il était distrayant, voire plus.

Bobby a surgi dans ma vie pendant la première saison de *Vous êtes à vendre !*, après le troisième épisode exactement. Dans une lettre qu'il m'avait adressée aux bons soins de la chaîne, sur papier à en-tête de sa société, il proclamait que mon feuilleton était le programme le plus hilarant qu'il ait vu depuis des années et il m'offrait ses services de courtier, en plus : « Je ne suis pas le gars qui vous promet la lune, le gars qui se vante de vous rendre riche le temps que vous ayez dit ouf, écrivait-il, mais je suis le meilleur de la profession en ville et, oui, je vais vous rapporter de l'argent, des paquets. De plus, je suis totalement honnête, si vous ne me croyez pas, je vous prie d'appeler... »

Suivait une liste, un florilège de célébrités majeures et mineures de Hollywood qui selon lui avaient désormais recours à ses lumières.

Avant d'expédier la missive au panier, j'ai eu tout de même un sourire amusé. De la trentaine de lettres rentre-dedans que j'avais reçues depuis que ma série avait débuté, propositions plus ou moins malhonnêtes de concessionnaires de voitures de luxe, d'agents immobiliers, de conseillers fiscaux, de profs de gym particuliers et des habituels filous New Age (« Venez transcender avec moi »), celle de Bobby était la plus éhontément gonflée, avec une conclusion d'un ridicule achevé : « Je ne suis pas simplement bon, je suis excellent. Si vous voulez voir vos billets faire des petits, téléphonez-moi. Autrement, vous le regretterez toute votre vie. »

Le lendemain, j'ai reçu la même lettre, accompagnée d'un Post-it : « Comme n'importe qui d'un peu sensé, vous avez sans doute jeté celle d'hier. Je vous la renvoie donc. Gagnons de l'argent ensemble, Dave ! »

Bon, je n'ai pu qu'admirer le toupet du bonhomme, même si les appels quotidiens qu'il a entrepris de me passer au bureau ont vite fini par me lasser – dès le début, j'avais veillé à ce que Jennifer, mon assistante, me dise en réunion non-stop dès qu'elle l'aurait au bout du fil. Je n'ai pas plus été impressionné lorsqu'il m'a expédié plus tard un carton de Bon Climat, le meilleur vignoble de la Napa Valley, mais j'ai eu la politesse de lui renvoyer un petit mot de remerciements. Une semaine a passé et c'est une caisse de Dom Pérignon qu'on m'a livrée. Avec une carte : « Vous boirez de ça comme du 7-Up si vous me laissez vous faire "vraiment" gagner de l'argent. »

Brad Bruce se trouvait dans mon bureau quand ce dernier cadeau est arrivé.

— Qui c'est, l'admiratrice ? Est-ce qu'elle donne un numéro de téléphone, au moins ?

— C'est un homme, en fait.

— Ah, laisse tomber…

— Non, c'est autre chose. Ce type veut me séduire, mais financièrement. C'est un courtier. Du genre très entreprenant.

— Il s'appelle ?

— Bobby Barra.

— Oh, lui…

J'en suis resté bouche bée.

— Tu le connais ?

— Bien sûr. Ted Lipton le fait bosser pour lui. – Le vice-président de Front Row Television, rien que ça… – Et c'est aussi le cas de…

Il a lâché une kyrielle de noms, dont plusieurs figuraient dans la lettre qu'il m'avait envoyée.

— Donc, il est crédible ?

— Absolument. D'après ce que j'ai entendu, en tout cas. Et il sait comment appâter le client, je vois. J'aimerais bien que mon courtier m'envoie des caisses de champ', moi !

L'après-midi même, je téléphonais à Ted Lipton. Après avoir parlé travail un moment, je lui ai demandé son opinion sur le sieur Barra. Réponse : « Il m'a eu vingt-sept pour cent de bénefs l'an dernier. Donc, j'ai confiance en ce petit salaud, oui ! »

Je n'avais pas de conseiller financier, à l'époque, tout simplement parce que, dans la folle accélération des événements depuis la signature de mon contrat avec la FRT, je n'avais même pas eu le temps de réfléchir à des subtilités telles que placer ma fortune toute fraîche. J'ai chargé Jennifer de glaner tout ce qu'elle pourrait apprendre sur le compte de Roberto Barra. Quarante-huit heures après, elle avait la fiche cuisine : né à Detroit, études à l'USC, rescapé des tripatouillages de Michael Milken et de feu Eddie Edelstein, établi à son compte à vingt-trois ans seulement, clientèle en progression constante et satisfaite de lui, casier vierge, pas d'accointances douteuses, estampillé conforme par la Commission de contrôle...

— Très bien, ai-je lancé en finissant de lire son rapport, convenez d'un déjeuner.

C'était un gars pas immense – un mètre soixante avec talonnettes –, aux cheveux noirs et bouclés, impeccablement sanglé dans un costume du bon faiseur italien (tiens, tiens...). Il m'a invité à L'Orso. Il parlait vite et avec esprit, m'a surpris par ses connaissances aussi bien filmiques que littéraires. Il m'a passé la pommade avant de se moquer de ses flagorneries. Il a juré qu'il ne m'abreuverait pas d'« en-tant-qu'ami », « comme tout le monde le fait à L.A. », pour ressortir délibérément le cliché cinq phrases plus tard. Il m'a déclaré : « Vous n'êtes pas qu'un auteur télé, vous êtes un auteur télé "sérieux", et dans votre cas il n'y a pas contradiction dans les termes. » C'était un excellent compagnon de table, un beau parleur qui pouvait combiner une véritable érudition avec la crânerie du mauvais garçon lâchant du coin des lèvres : « Vous avez besoin que quelqu'un se retrouve les jambes cassées, je connais deux ados mexicains qui vous feront ça pour trois cents dollars plus le plein d'essence. » En écoutant son numéro, je n'ai pu que lui trouver une nette ressemblance avec les petits durs de Chicago que Saul Bellow a si brillamment décrits. Il était rapide, vif, rien qu'un peu inquiétant. Il n'arrêtait pas de faire mousser son carnet d'adresses, non sans se saluer au passage comme « lécheur de stars et fier de l'être ». Mais je comprenais pourquoi tous ces gens importants tenaient à traiter avec lui : dans le domaine qu'il s'était choisi, sa compétence sautait aux yeux et ici, au royaume de l'autopromotion permanente, il n'y en avait pas deux à savoir se vendre comme lui.

— Tout ce que vous devez savoir, c'est que j'ai une obsession, une seule, fondamentale, incontournable : rapporter de l'argent à mes clients. C'est ma mission, l'air que je respire. Parce que qui dit argent dit choix. L'argent, c'est la possibilité d'arriver à ce truc si rare dans la vie qui est « exercer son libre arbitre ». Affronter l'aveuglement du destin en sachant qu'on dispose au moins de l'arsenal suffisant pour contrebalancer les éternelles vicissitudes de l'existence. L'argent, « beaucoup » d'argent, vous permet de prendre des décisions sans être commandé par la peur. De pouvoir dire au monde entier : « Va te faire foutre. »

— C'est un peu la thèse d'Adam Smith dans *La Richesse des nations*, non ?

— Vous aimez Adam Smith ?

— J'ai seulement lu ce qu'on disait de lui.

— Aux chiottes Machiavel, aux chiottes *Choisir la réussite*. Ce bouquin d'Adam Smith, c'est « le » manifeste du capitalisme.

Prenant sa respiration, il s'est alors mis à déclamer avec une voix que l'on aurait été enclin à qualifier de « Stentor de Detroit » :

— Tout système, qu'il soit fondé sur la préférence ou sur la contrainte, étant donc complètement balayé, celui de la liberté naturelle, dans son évidence et sa simplicité, s'établit alors sur ses propres termes. Chacun, dès lors qu'il n'enfreint point les lois de la justice, est laissé parfaitement libre de poursuivre ses propres intérêts à sa manière, de faire entrer son labeur et son capital en compétition avec ceux de tout autre individu ou de toute association d'individus... La défense, cependant, est bien plus importante que l'opulence.

Il s'est arrêté pour prendre une gorgée d'eau minérale (San Pellegrino) avant de continuer sur un ton normal :

— Je sais, je ne suis pas tout à fait Ralph Fiennes, mais...

— Non, je suis bluffé. Surtout que vous l'avez fait sans prompteur.

— Tout est là, mon vieux : nous vivons la plus longue ère de « liberté naturelle » que l'humanité ait connue. Mais il a salement raison d'ajouter ce truc à propos de défense et d'opulence, Smith : avant de commencer à faire le beau, vérifie que tu as assez de thunes pour assurer tes arrières. Et c'est là que j'interviens, moi. Financièrement parlant, je ne vais pas me contenter d'assurer vos arrières, non, je vais vous constituer un trésor de guerre des plus balèzes. Ce qui signifie qu'à l'avenir vous pourrez avoir des revers ou pas, mais vous serez toujours en position de force. Et bon, tant que vous êtes en position de force, personne ne va essayer de vous transformer en paillasson, pas vrai ?

— Qu'est-ce que vous proposez, exactement ?

— Moi ? Je… rien. Je veux juste vous montrer comment j'obtiens des résultats. Je vous explique comment j'aime jouer ça, d'habitude : si vous êtes prêt à me confier une somme de base, disons cinquante mille, je vous garantis de vous la multiplier par deux en six mois. Et je ne vais pas ajouter des trucs comme « Si tout se passe bien » ou « Si le marché continue à flamber ». Vous signez un chèque de cinquante mille à ma société, je vous renvoie les papiers adéquats et six mois plus tard vous recevez un chèque du double. Minimum.

— Et si on n'arrive pas à…

— J'arrive toujours.

— Euh… Bien. J'ai une question : pourquoi vous être donné tant de mal pour m'avoir ?

— Parce que vous êtes quelqu'un qui monte. C'est tout simple. Et j'aime bosser avec les doués, moi. Tout comme j'adore fréquenter la crème. Bon, je recommence à frimer avec mes connaissances mais Philip Fleck, ça vous dit quelque chose ?

— L'ermite multimilliardaire ? Le réalisateur maudit ? Qui ne connaît pas Phil Fleck ? Il est fameux jusqu'à l'infamie.

— Ouais. En fait, c'est rien qu'un type comme vous et moi. Avec vingt milliards dans la poche, d'accord…

— Ce qui le classe sûrement dans les « foutrement riches », j'imagine ?

— « Foutrement » de première classe, oui ! Et c'est également un très bon ami à moi.

— Parfait.

— Il vous admire beaucoup, à propos.

— Vous plaisantez ?

— « L'auteur télé le plus trapu actuellement. » Il me l'a dit pas plus tard que la semaine dernière.

Comme je ne savais pas s'il fallait gober ça ou non, je me suis contenté d'un prudent :

— Remerciez-le pour moi.

— Vous croyez que je suis encore dans le trip groupie, c'est ça ?

— Si vous dites que vous êtes ami avec Phil Fleck, je vous crois.

— Vous me croyez suffisamment pour me signer un chèque de cinquante plaques ?

— Mais… oui.

— Alors faites.

— Quoi, tout de suite ?

— Ouais. Vous sortez votre chéquier de votre veste, et ensuite…

— D'où savez-vous que je l'ai sur moi ?

— Eh bien, d'après ma modeste expérience, dès qu'un mec se met à vraiment rentrer de l'argent, surtout après des années de mouise, il a toujours son chéquier avec lui. Pour une raison simple : d'un coup, il peut se payer des tas de choses qui étaient au-dessus de ses moyens avant. Et puis je sais pas, c'est quand même plus classe de remplir un chèque que de balancer un bout de plastique vaguement platiné sur le comptoir…

Instinctivement, j'ai tâté la poche intérieure de ma veste.

— Je plaide coupable.

— Alors signez-le.

J'ai sorti le chéquier et mon stylo, que j'ai contemplés un long moment devant moi, assailli de doutes. Bobby s'est mis à tambouriner d'un index impatient sur la table.

— Allez, Dave ! C'est à vous d'annoncer la mise. Et je sais, oui : ça fait du fric. Vous n'êtes pas encore habitué à vous débrouiller avec tous ces zéros, hein ? Mais croyez-moi, vous êtes à un moment critique, un de ceux qui déterminent tout un avenir. Je comprends que vous vous demandiez aussi : « Bon, ce type, je peux lui faire confiance ? » Je ne vais pas refaire ma pub, maintenant. Je vais juste répondre à votre question par une autre : « Est-ce que vous avez le cran de devenir riche ? »

J'ai saisi mon stylo, j'ai pris un chèque, je l'ai rempli et Bobby n'a eu qu'un mot : « Malin. »

Quelques jours plus tard, le contrat d'investissement auprès de Roberto Barra and Partners m'est parvenu par courrier. Deux mois se sont écoulés avant que j'aie de ses nouvelles, un coup de fil très rapide, genre « Je voulais juste dire bonjour », par lequel il m'a informé que le marché était « magnifique » et que « nous » n'arrêtions pas de gagner. Il a également promis de me rappeler deux mois plus tard, ce qu'il a fait presque jour pour jour, à nouveau un court échange où il m'a paru très pressé mais toujours aussi optimiste. Encore deux mois et une enveloppe Federal Express est arrivée avec un chèque à mon nom, de 122 344,82 dollars, et un mot écrit à la hâte : « On a fait un peu mieux que 100 %. Et maintenant fêtons ça ! »

Je ne pouvais qu'apprécier l'élégance de Bobby. Après m'avoir embobiné, il s'était mis complètement en retrait jusqu'à ce qu'il ait des résultats à me montrer. Sous le coup de cette fabuleuse rentabilité, j'ai aussitôt réinvesti la somme avant de lui confier encore deux cent cinquante mille dollars, pris sur mon contrat pour le deuxième volet de la série. C'est à ce moment-là que nous avons commencé à dîner de temps à autre. Bobby n'était toujours pas marié – « Je supporte pas la taule », m'a-t-il confié –, mais il avait toujours un pot de fleurs avec lui, en général un mannequin ou une petite actrice. Toutes blondes, toutes gentilles et toutes un peu nunuches. Quand je l'ai taquiné sur cette image de « mec à fric », il n'a pas sourcillé : « Hé, il y a eu un temps où j'étais un petit Rital de Detroit, maintenant je suis un petit Rital de Detroit "blindé" ! Donc je vois pas pourquoi j'en profiterais pas pour schtoupper toutes ces pom-pom girls qui me tournaient le dos, avant. »

Après un ou deux soirs en compagnie de Bobby et de sa loute du jour, invariablement quelque bombe à peine postadolescente mais délurée, une beauté du Midwest avec un prénom à la Harold Robbins, dans le style Madison ou Avril, je lui ai laissé entendre que je n'étais pas fasciné par sa conception de la bonne vie et nous nous sommes donc rabattus sur un dîner mensuel « entre garçons », pendant lequel je me contentais de le laisser m'abreuver de son intarissable bagout. Sally, de son côté, ne comprenait pas mon engouement pour lui. Même si elle reconnaissait ses compétences d'investisseur et les prouesses qu'il accomplissait avec mon argent, la seule et unique fois où elle l'avait rencontré avait été catastrophique.

Très compréhensif durant ma rupture avec Lucy, Bobby n'en était que plus désireux de faire la connaissance de Sally lorsque le prétendu jeu se serait calmé, d'autant qu'il était parfaitement au courant de la cote qu'elle avait à la Fox. Trois mois environ après notre mise en ménage officieuse, il a donc proposé un dîner à trois à La Petite Porte. Nous nous étions à peine assis à table que j'ai capté l'étiquette dont Sally l'avait instantanément affublé : parvenu. Il a eu beau essayer de la charmer avec son baratin habituel, de la prendre par la flatterie, de jouer les intellos en lui demandant quel était son Don DeLillo préféré – « Aucun, a été la réponse en forme de missile. La vie est trop courte pour perdre son temps avec du nombrilisme littéraire » –, et même de se faire mousser en racontant que

Johnny Depp lui avait téléphoné de sa résidence parisienne deux jours plus tôt pour le consulter à propos d'un coup en Bourse, Sally s'est bornée à le fixer du regard tout en notant : « Donc, Johnny Depp sait quel numéro il faut faire pour appeler l'international ? Ça, c'est impressionnant. »

La voir démolir posément chaque tentative de Bobby pour gagner sa sympathie était assez flippant. Et le plus curieux, dans ce jeu de massacre, c'était le sourire hautain qui ne l'a pas quittée tout du long. Sans jamais élever la voix, sans sortir une seule fois de ses gonds – « Vous êtes complètement bidon », par exemple –, elle l'avait réduit à l'échelle Toulouse-Lautrec avant que la soirée se termine, et lui avait clairement fait comprendre, avec une aristocratique retenue, qu'elle le tenait pour un petit-bourge insignifiant.

Sur la route du retour, elle a tendu la main pour me caresser la nuque pendant que je conduisais :

— Tu sais que je t'adore, mon chéri, mais ne m'inflige plus jamais une chose pareille.

J'ai eu du mal à parler, un moment.

— C'était… c'était nul à ce point ?

— Tu sais très bien ce que je veux dire. C'est peut-être un as de la Bourse, mais pour le reste il est infréquentable.

— Je le trouve marrant, moi.

— Et je comprends tes raisons… surtout si tu finis par écrire un script pour Scorsese, un de ces jours. En réalité, il collectionne les relations comme d'autres les potiches et tu n'es que sa trouvaille du moment. Ce n'est pas à moi de te dicter ta vie, mais si j'étais toi je lui confierais mon portefeuille d'actions et bonjour, au revoir. Il est vulgaire, intrinsèquement. Ce genre de type interlope peut s'asperger d'après-rasage Armani le matin, il ne sentira toujours que le Mennen.

Je me suis dit que Sally avait la dent trop dure, qu'elle prenait un peu ses grands airs, mais je me suis tu. Et je suis resté presque aussi laconique sur le sujet lorsque, un jour ou deux après cette soirée désastreuse, Bobby m'a appelé pour m'annoncer qu'il prévoyait un rendement à vingt-neuf pour cent pour l'année.

— Vingt-neuf…, ai-je murmuré. Ça paraît quasiment illégal.

— Tout ce qu'il y a de plus légal, pourtant.

— Je plaisantais, ai-je corrigé, comprenant que je l'avais mis sur la défensive. Je suis ravi. Et très reconnaissant. Le prochain dîner, c'est moi qui invite.

— Il y en aura un autre, alors ? Parce que Sally m'a vraiment pris pour l'abruti complet, non ?

— Euh… Pas que je sache, non.

— Tu mens, mais j'apprécie l'intention quand même. Je sais quand quelqu'un accroche bien avec moi, tu comprends, tout comme je vois tout de suite si je suis catalogué comme le prolo de base.

— Le courant n'est pas trop passé entre vous deux, point.

— Très gentil. Mais bon, du moment que tu ne penses pas comme elle…

— Pourquoi faudrait-il ? Surtout quand tu me rapportes vingt-neuf pour cent.

Il a eu un petit rire.

— On en revient toujours à ça, non ?

— C'est toi qui me le demandes ?

Même s'il mettait un point d'honneur à prendre des nouvelles de Sally à chaque occasion, Bobby était assez futé pour ne jamais revenir sur ce pénible moment. De mon côté, j'ai continué à dîner avec lui une fois par mois. Pour les vingt-neuf pour cent, certes, mais aussi parce que je l'aimais bien, parce que je comprenais qu'au-delà des poses et de la frime il n'était qu'un autre d'entre nous à vouloir aller de l'avant, à essayer de laisser sa marque sur un monde radicalement indifférent. Comme nous tous, il remplissait ses jours d'ambitions et de soucis hypertrophiés pour tenter de se convaincre qu'il y avait somme toute quelque sens à ce que nous accomplissons tous pendant ce spasme éphémère qu'on appelle la vie.

J'étais moi-même bien trop occupé pour chercher à le fréquenter davantage. Avec l'entrée en production du deuxième volet de ma série, j'en étais venu à la même conclusion que Sally et son chronomètre intégré : vivre, c'était le travail quatorze heures par jour, sept jours sur sept, le seul écart dans cette organisation immuable étant le week-end mensuel que je passais à Sausalito avec Caitlin. Le peu de temps qui me restait, je le consacrais à Sally, laquelle ne se plaignait pas vraiment de ce rythme, convaincue comme elle l'était qu'une cadence un peu moins trépidante aurait confiné à la paresse.

Le plus étrange quand on est engagé dans ce genre d'existence, c'est que le temps passe vraiment comme une flèche. Je n'ai pas vu les six mois suivants, et un jour tous les épisodes ont été dans la boîte, prêts à la diffusion et suscitant un enthousiasme délirant au sein de la chaîne. À huit semaines du lancement de la deuxième saison, Alison recevait déjà des coups de téléphone de Brad Bruce et de Ted Lipton à propos d'un troisième volet. C'était une vie de dingue mais elle me plaisait. Ma carrière continuait sur ses rails, ma passion pour Sally demeurait intacte et elle paraissait en éprouver autant à mon égard. Mon argent faisait des petits. Et, même si Lucy continuait à m'ignorer chaque fois que j'allais à Sausalito, Caitlin était visiblement ravie de retrouver son père. Mieux encore, elle passait désormais un week-end par mois avec nous à Los Angeles.

— Qu'est-ce qui cloche chez toi ? m'a demandé Alison un jour que nous déjeunions ensemble. Tu as l'air heureux.

— Je le suis.

— Il faut que j'alerte la presse ?

— Pourquoi, c'est mal, d'être heureux ?

— Je ne pense pas. Simplement… Tu ne t'es jamais trop débrouillé pour l'être, Dave.

Elle avait raison. Il faut dire, c'était tellement nouveau pour moi, d'avoir ce que je voulais…

— Eh bien, mettons que je peux commencer à y arriver.

— Ça te changerait, oui. Et, pendant que tu y es, prends un peu de temps pour toi. Le succès te donne une mine pas possible, mon grand.

La vérité vraie, encore une fois. À part une escapade de deux jours à Marina del Rey avec Sally, un an et deux mois s'étaient enfuis sans que je m'accorde cette incongruité : des vacances. J'étais vanné, oui, et j'avais plus que besoin de souffler. Alors, quand à la mi-mars Bobby m'a téléphoné avec une proposition qui n'avait rien à voir avec le boursicotage – « Une petite virée dans les Caraïbes, ça te dirait ? Et tu peux emmener Sally… » –, j'ai répondu oui sans la moindre hésitation.

— Très bien, a fait Bobby. Parce que Phil Fleck veut te rencontrer.

Philip Fleck, portrait express. Né à Milwaukee il y a un peu plus de quarante ans. Le père, propriétaire d'une petite usine d'emballage, ayant été foudroyé par une crise cardiaque en 1979, Philip est arraché à ses études de cinéma à l'université de New York, qu'il devait achever cette année-là, pour venir reprendre l'affaire familiale. Malgré ses réticences devant une telle responsabilité, et le fait qu'il se voyait déjà cinéaste, il cède aux injonctions de sa mère et prend la direction de la boîte, qui en dix ans va devenir l'un des géants de la filière pour l'ensemble des États-Unis. À ce stade, il fait entrer sa société en Bourse et engrange son premier milliard. Dans les années quatre-vingt, il s'aventure sur le terrain du capital-risque et décide de miser sur un canasson encore pratiquement inconnu et affublé d'un nom obscur, l'Internet. Il investit, et bien, puisque au bout d'une petite quinzaine d'années on le dit peser plus de vingt milliards de dollars.

L'année de son quarantième anniversaire est aussi celle où il choisit brusquement de s'évaporer. Non content de démissionner de son poste de P-DG et d'éviter la moindre apparition en public, la moindre interview, il paie les services d'une importante société de sécurité pour se garantir contre toute incursion dans sa vie privée. Retranché derrière le vaste appareil qui continue à gérer son empire industriel, il devient si radicalement invisible que beaucoup pensent qu'il a sombré dans la folie, ou qu'il est mort, ou qu'il est J. D. Salinger.

Et puis un jour, Philip Fleck réapparaît. Ou plutôt, c'est son nom qui envahit soudain les conversations et les journaux lorsque son premier film, *La Dernière Chance*, sort en salles. Il en est l'auteur, le réalisateur et le producteur puisqu'il a pris seul en charge le budget de vingt millions de dollars. Dans un entretien exclusif avec *Esquire* avant la sortie du film, il décrit ce dernier comme l'« aboutissement de dix années de réflexion et de préparation ». Il s'agit d'une fable apocalyptique mettant en scène deux couples en villégiature sur une île au large du Maine, en proie à une mégacrise de conscience lorsqu'un accident nucléaire vient rayer de la carte la majeure partie de la Nouvelle-Angleterre. Pris au piège de leur refuge marin, il ne leur reste plus qu'à espérer que le nuage toxique ne fondra pas sur eux. Tout en s'entre-déchirant et en baisant, ils commencent à entrevoir, au cours de leurs conversations-monologues, le véritable sens de la destinée humaine et, bien sûr, l'inévitabilité de leur trépas.

Lancée là-dessus comme des kamikazes, la critique accuse Fleck de pousser la prétention jusqu'au grotesque, de n'être qu'un richard sans talent qui a englouti des sommes folles dans le film le plus stupidement vaniteux de toute l'histoire. Après un accueil aussi chaleureux, Fleck disparaît à nouveau de la circulation. Il maintient de rares contacts avec l'habituel « cercle d'amis très proches », mais son nom réapparaît brièvement dans la presse lorsqu'une indiscrétion révèle qu'il vient enfin de se marier, l'heureuse élue n'étant autre que la correctrice du script de *La Dernière Chance*... Une anecdote en passant : le jour où Brad Bruce est tombé sur l'annonce du mariage dans le carnet mondain de *Time*, alors que nous étions au travail ensemble, il m'a lancé que Fleck l'avait sans doute choisie « parce que ça a dû être la seule personne au monde à ne pas mourir de rire devant cette horreur de scénario ».

Les critiques ont peut-être entamé le capital d'amour-propre de Philip Fleck mais certainement pas celui qu'il avait en banque. Dans le classement 1999 des cent plus grosses fortunes américaines publié par la revue *Forbes*, il arrive en huitième position avec 24,4 milliards nets. Il possède des résidences à Manhattan, Malibu, Paris, San Francisco et Sydney, sans parler de son île privée près d'Antigua. Il se déplace dans son Boeing 767 personnel, collectionne infatigablement les œuvres d'art avec une préférence pour les artistes américains du XXe siècle, et plus précisément encore les peintres abstraits des années soixante tels Motherwell, Philip Guston et Rothko. Bienfaiteur de nombre d'organisations caritatives, il est surtout fameux pour être un cinéphile acharné qui a donné des fortunes à l'American Film Institute, à la Cinémathèque française et à l'Institut du cinéma de la NYU. Mais son amour du septième art est authentique : alors que dans la même interview à *Esquire* il a admis avoir vu plus de dix mille films dans sa vie, de rares témoins affirment l'avoir reconnu dans des salles de la rive gauche parisienne aussi légendaires que l'Accatone ou l'Action Christine, et ce même si de l'avis général il n'est pas facile à repérer dans une foule tant son apparence est notoirement ordinaire. Quelqu'un qui, « malgré toutes les ressources d'une garde-robe hors de prix, a toujours la dégaine d'un clampin du Midwest un peu amorphe », pour reprendre la description plutôt cavalière donnée par *Esquire*. Et le journaliste de poursuivre : « Mais c'est son attitude renfermée qui frappe avant tout, sans que l'on puisse savoir s'il est affligé d'une timidité maladive ou s'il s'agit de la misanthropie bougonne qui accompagne généralement le fait d'être plus que riche. Quel besoin aurait-il de fréquenter le commun des mortels, d'ailleurs ? Vous rencontrez Philip Fleck, vous prenez la mesure de sa formidable puissance, de son pouvoir financier sans limite, puis votre regard revient sur lui, vous le détaillez en silence et vous vous dites que parfois, en de rares occasions, les dieux daignent se pencher sur ceux que la nature n'a pas gâtés. »

Lorsque Bobby m'a proposé ce séjour dans la retraite tropicale de Fleck, j'ai demandé à mon assistante de me retrouver cette unique interview publiée. Ma lecture achevée, j'ai rappelé Bobby :

— Ce type d'*Esquire*, il est toujours vivant ?

— Techniquement, oui. Mais le desk du soir au *Bangor Daily News*, je pense pas que ce soit très exaltant, après avoir goûté aux délices de l'empire Hearst.

— Si j'avais eu la moitié d'une presse pareille, je crois que je me serais fait hara-kiri depuis longtemps.

— Ah bon ? Même avec vingt milliards sur ton compte ?

— C'est un argument, oui. Enfin, après ce qu'il s'est reçu dans la tronche avec son film, c'est évident qu'il ne va pas reprendre la caméra de sitôt…

— S'il y a un truc que je sais de Phil, c'est qu'il peut jouer les grincheux dans sa tour d'ivoire mais qu'il ne renonce jamais, absolument jamais. C'est l'obstination incarnée, le mec : quand il veut quelque chose, il l'obtient. Et en ce moment c'est toi qu'il veut.

Là résidaient l'occulte raison, le message implicite qui se tapissaient derrière ma soudaine convocation aux Caraïbes. J'avais plus ou moins réussi à faire cracher le morceau à Bobby lors de son appel initial, quand il m'avait invité à rencontrer l'ermite à neuf zéros.

— Voilà le truc, mon frère, avait-il commencé : Fleck passe une semaine dans son cabanon près d'Antigua. Ça s'appelle Saffron Island et c'est le paradis, je te le dis, et le paradis six étoiles.

— Attends que je devine. Il a fait construire un Tex-Mex rien que pour lui.

— Hé, je te trouve bien sarcastique, d'un coup !

— Je te charrie un peu sur ton pote blindé de chez blindé, c'est tout.

— Écoute-moi. C'est vraiment un original, Phil, un cas à part. Et bon, ces derniers temps il protège sa vie privée autant qu'une zone d'essais nucléaires, d'accord, mais entre copains c'est juste le gars à la coule. Surtout quand il t'apprécie. Ce qui est le cas avec moi. Je suis tellement agréable, faut dire…

— Ne te froisse pas, Bobby, mais je ne comprends toujours pas comment tu as réussi à te glisser dans le cercle des intimes. Bon sang, comparé à lui, feu M. Kubrick était le type le plus accessible du monde !

Il m'a alors expliqué qu'il avait été « mis en relation » avec Fleck trois ans plus tôt, pendant la phase de préproduction du film de ce dernier. Bien que décidé à payer la note de bout en bout, le milliardaire cherchait toujours un moyen de transformer l'opération en une gigantesque pompe à déductions fiscales. L'un de ses associés, par ailleurs client de Bobby, lui avait parlé de ce « génie de la finance », pour reprendre les propres termes de l'intéressé, et donc mon courtier avait été convoqué dare-dare à Château-Fleck, San Francisco, « une coquette villa de vingt pièces à Russian Hill ». Les deux s'étaient rapidement soupesés du regard avant de discuter le bout de gras et Bobby avait présenté son plan, selon lequel Fleck pourrait rayer l'intégralité de ces vingt millions sur sa déclaration de l'année suivante s'il tournait son film en Irlande. Le fisc américain n'aurait plus qu'à la boucler et à s'écraser.

Résultat, *La Dernière Chance* a été mise en boîte sur une île désolée des côtes du comté de Clare, avec quelques scènes en studio à Dublin. Et si le résultat a été un désastre pour tout le monde, Bobby Barra, lui, est ressorti de l'aventure avec un trophée de choix : l'amitié que lui vouait désormais Philip Fleck.

— Crois-moi ou non, mais on parle le même langage, tous les deux. Et je sais qu'il respecte ma compétence financière.

« Jusqu'à te laisser faire mumuse avec son argent ? » Je me suis ravisé avant de poser la question, certain qu'un Philip Fleck devait avoir au moins une douzaine de Bobby Barra dans son staff permanent. Ce que j'avais du mal à calculer, c'était pourquoi un être aussi taciturne et secret s'était entiché d'une pareille grande gueule. À moins que, tout comme moi, il ne le trouve divertissant et ne voie en lui une source potentielle d'inspiration...

— Et la jeune mariée, elle ressemble à quoi ? ai-je préféré demander à Bobby.

— Martha ? Très Nouvelle-Angleterre. Très intello. Pas vilaine, si on aime le genre Emily Dickinson.

— Quoi, tu connais Emily Dickinson ?

— On n'est jamais sortis ensemble mais... – Bobby était rarement pris de court, il fallait l'admettre. – Bon, que je te mette un peu au parfum. Quand Phil a décidé que ce serait elle, personne n'a été surpris. Avant ça, il faisait beaucoup dans la petite sauteuse pour un soir... même s'il avait toujours l'air paumé avec la mannequin roulée à se damner mais qui a du mal à épeler son nom. Malgré toute sa thune, il a jamais attiré les filles comme des mouches.

— C'est sympa qu'il ait rencontré quelqu'un, alors, ai-je noté tout en méditant que cette Martha, toute « Belle d'Amherst » qu'elle ait été, m'avait surtout l'air de s'y entendre pour harponner les types friqués.

— Enfin, pour revenir à cette invitation, c'est simple, a repris Bobby. Comme je te l'ai dit, Phil adore ta série, il voudrait te connaître et il a pensé que tu ne détesterais pas passer quelques jours avec la dame de ton cœur sous les palmiers de Saffron Island.

— Sally peut venir ?

— Qu'est-ce que je viens de dire, vieux ?

— Et c'est juste pour un « Bonjour, comment va ? », rien de plus ?

— Oui, voilà… – J'ai perçu un soupçon d'hésitation dans sa voix. – Enfin, il va sans doute vouloir parler boulot deux minutes.

— Ça ne me gêne pas.

— Et si ça ne te gêne pas non plus de jeter un œil à l'un de ses scénarios avant qu'on parte…

— Ah, je me doutais qu'il y avait un piège !

— Mais pas du tout, Dave. Il te demande juste une « lecture amicale » pour le nouveau film qu'il est en train d'écrire.

— Je n'ai rien à dire sur les scripts des autres, moi.

— Mes fesses. C'est exactement ce que tu fais avec tous les épisodes de ta série que tu n'écris pas toi-même.

— Ouais, mais la différence est là, justement : c'est ma série. Pardon si j'ai l'air chiant, je ne pratique pas la chirurgie esthétique sur le boulot d'autrui.

— Tu *es* chiant, tu n'en as pas seulement l'air ! Bon, encore une fois personne ne te demande de jouer au docteur. On n'attend qu'une lecture et l'auteur en question est M. Philip Fleck, qui va t'envoyer son jet privé pour te conduire sur son île privée où tu auras tes appartements et ta piscine privés, ainsi qu'un majordome à ta disposition, un service que tu ne trouveras dans aucun palace, et en échange de ce moment de luxe et de volupté, quoi ? Tu es prié de lire un texte qui, je dois te le préciser puisque j'ai ce fichu truc devant moi, fait cent quatre pages en tout et pour tout. Et quand tu as terminé, tu t'assois sous les palmiers, une piña colada à la main, et tu bavardes pendant une heure maxi avec l'un des huit types les plus riches d'Amérique à propos de son scénario...

Il s'est interrompu pour reprendre son souffle mais aussi pour ménager son effet :

— Et maintenant, répondez franchement, monsieur David Armitage : c'est un putain de piège, ça ?

— Très bien. Envoie-le par coursier.

Il est arrivé deux heures plus tard. Entre-temps, Jennifer avait repêché le portrait d'*Esquire* sur le Net et ma curiosité était de plus en plus piquée au vif. Ce paradoxe vivant, Philip Fleck, exerçait une attraction presque irrésistible : tellement d'argent et si peu de talent... ainsi que, à en croire le journaliste du magazine, le pathétique besoin de prouver au monde qu'il était extraordinairement doué. « Sans réussite personnelle, la richesse ne signifie rien », déclarait-il à *Esquire*. Mais si au bout du compte, milliard ou pas milliard, il s'avère que vous n'avez pas un gramme de talent ? Qu'est-ce que vous faites ? Sans doute, un pan de moi un peu tordu trouvait plutôt amusant d'observer durant quelques jours cette suprême ironie.

Même Sally a été intriguée à l'idée de passer une semaine à côtoyer une fortune aussi considérable.

— Tu es sûr que ce n'est pas un coup fourré concocté par ce nabot de Barra ? a-t-elle cependant demandé.

— Il a beau frimer comme pas deux, je doute que Bobby ait son propre 767, et encore moins une île dans les Caraïbes. En plus, j'ai eu la copie du scénario de Fleck et j'ai demandé à Jennifer de vérifier auprès de l'Association des auteurs. Il l'a déposé dans les formes. Tout me semble parfaitement réglo.

— Et ça ressemble à quoi ?

— Je n'en sais rien. Je l'ai reçu juste avant de partir du bureau.

— Eh bien, si on s'en va vendredi, tu as intérêt à trouver le temps de prendre des notes dessus, et sérieusement. C'est ta sérénade qui va nous payer le gîte et le couvert, après tout.

— Donc tu viens ?

— Une semaine dans l'Eden de Phil Fleck, tous frais payés ? Un peu, oui ! En plus, ça me garantit des invitations à dîner pour plusieurs mois, ce petit voyage.

— Et si ça tourne au ridicule absolu ?

— Ça restera une histoire que tout le monde voudra entendre, non ?

Bien plus tard, quand l'insomnie m'a tiré du lit à deux heures du matin, je suis allé dans le salon et j'ai ouvert le manuscrit de Fleck. *Une bonne blague*, c'était le titre. J'ai commencé la première scène :

Intérieur magasin porno, nuit

Buddy Miles, cinquante-cinq ans, le visage usé, une éternelle cigarette vissée à la bouche, est assis derrière le comptoir d'un sex-shop particulièrement cradingue. Même si les murs autour de lui sont couverts de photos de filles nues et de couvertures de revues plus qu'explicites, nous remarquons vite le titre du livre dans lequel il est plongé, l'*Ulysse* de Joyce. Le radio-CD installé près de la caisse diffuse l'ouverture de la *Première Symphonie* de Gustav Mahler. Miles prend sa tasse de café, y plonge les lèvres, fait la grimace et se baisse sous le comptoir pour en exhumer une bouteille de bourbon Hiram Walker, dont il verse une rasade dans le café avant de la remettre à sa place. Il goûte encore, et cette fois ça passe. En relevant les yeux, il découvre un homme planté devant lui, engoncé dans une grosse parka. Une cagoule de ski dissimule son visage. Buddy note aussitôt que cette apparition braque un revolver sur lui. La cagoule finit par parler.

LEON

C'est Mahler, ce que tu passes ?

BUDDY
(*un regard perplexe sur l'arme*)
Ah, je suis bluffé, bluffé. Dix dollars que tu peux pas dire quelle symphonie.

LEON

Tope-là. C'est la *Symphonie numéro un*.

BUDDY

Double ou rien que tu sais pas qui dirige.

LEON

Triple.

BUDDY

C'est un peu risqué, là...

LEON

Ouais, mais c'est moi qui tiens le flingue.

Faut admettre. Okay, triple ou rien. Qui c'est qui tient la baguette ?

(Leon se fige un instant. Il écoute l'enregistrement, très concentré.)

LEON

Bernstein.

BUDDY

Perdu. Georg Solti et le Symphonique de Chicago.

LEON

Tu déconnes ?

BUDDY

Vérifie par toi-même.

(Son arme toujours pointée sur Buddy, Leon soulève le capot de l'appareil, saisit le disque et l'examine d'un regard dégoûté avant de l'envoyer au diable.)

LEON

Merde. Comment ils sonnent, à Chicago, je reconnais jamais.

BUDDY

Ouais, il faut un moment pour que l'oreille s'y fasse. Surtout avec ces vaches de cuivres qu'ils ont. Bon, est-ce qu'on en vient à ce qui t'amène ici ?

LEON

Tu lis dans mes putains de pensées, mec. (*Il se rapproche encore de Buddy*). Alors vas-y, ouvre la caisse et rends-moi heureux.

BUDDY

Pas de problème.

(*Buddy s'exécute, Leon se penche en avant et tend sa main libre pour attraper les billets. Aussitôt, Buddy repousse le tiroir d'un coup sec tout en exhibant une arme cachée sous le comptoir. Avant que Leon ait eu le temps de souffler, il a un fusil à canon scié contre sa tempe et sa main prisonnière de la caisse enregistreuse. Il pousse un gémissement de douleur.*)

BUDDY

J'pense que tu devrais lâcher le flingue, non ?

(*Leon obéit et Buddy laisse le tiroir se rouvrir mais il garde le canon scié près de la tête de Leon. Il lui retire sa cagoule de ski. Apparaît un Noir américain du même âge que lui, que Buddy fixe intensément, les yeux exorbités.*)

BUDDY

Leon ? Leon Wachtell ?

(*C'est à Leon d'avoir l'air ébahi, maintenant, et puis il finit par piger, lui aussi.*)

Buddy Miles ?

(*Buddy abaisse son arme.*)

BUDDY

« Sergent » Buddy Miles, connard.

LEON

Je... je peux pas y croire.

BUDDY

Et moi, je peux pas croire que tu m'aies pas reconnu.

LEON

Ah, il s'en est passé, du temps, depuis les Viets...

SCÈNE SUIVANTE

Je me suis arrêté là. À la seconde où j'ai reposé le manuscrit, j'étais debout et je me ruais vers le grand placard dans l'entrée de notre loft. Il m'a fallu fouiller dans plusieurs cartons avant de trouver ce que je cherchais. Une cassette bourrée de vieux scénarios, vestige de mes années de galère. Je l'ai ouverte, je me suis plongé dans ce tas de scripts morts-nés et de pilotes laissés sans lendemain où il y avait aussi trois pièces de théâtre complètes mais jamais montées. J'ai finalement déterré *Duo de dingues*, l'un des scripts que j'avais écrits juste après le début de ma collaboration avec Alison. Je suis revenu au canapé, je l'ai ouvert à la première page.

Intérieur magasin porno, nuit

Buddy Miles, cinquante-cinq ans, le visage usé, une éternelle cigarette vissée à la bouche, est assis derrière le comptoir d'un sex-shop particulièrement cradingue. Même si les murs autour de lui sont couverts de photos de filles nues et de couvertures de revues plus qu'explicites, nous remarquons vite le titre du livre dans lequel il est plongé, l'*Ulysse* de Joyce. Le radio-CD installé près de la caisse diffuse l'ouverture de la *Première Symphonie* de Gustav Mahler. Miles prend sa tasse de café, y plonge les lèvres, fait la grimace et se baisse sous le comptoir pour en exhumer une bouteille de bourbon Hiram Walker, dont il verse une rasade dans le café avant de la remettre à sa place. Il goûte encore et cette fois ça passe. En relevant les yeux, il découvre un homme planté devant lui, engoncé dans une grosse parka. Une cagoule de ski dissimule son visage. Buddy note aussitôt que cette apparition braque un revolver sur lui. La cagoule finit par parler.

LEON

C'est Mahler, ce que tu passes ?

BUDDY
(*un regard perplexe sur l'arme*)
Ah, je suis bluffé, bluffé. Dix dollars que tu peux pas dire quelle symphonie.

Et la scène continuait, exactement comme dans le manuscrit de Fleck, que j'ai repris et posé sur un genou tout en tenant le mien sur l'autre pour une comparaison page par page. Il avait copié intégralement le scénario que j'avais écrit huit années avant qu'il ne le dépose à l'Association des auteurs de la télévision et du cinéma sous son nom. Ce n'était pas du plagiat, c'était du vol, mot pour mot, virgule pour virgule ! Les deux textes avaient la même typographie, en plus : à tous les coups, il avait simplement chargé l'un de ses esclaves de taper une nouvelle page de garde, avec un titre de son cru, avant d'en réclamer la paternité.

C'était... inimaginable. Plus que répugnant : totalement scandaleux, à tel point qu'avec le soutien de l'Association je pouvais facilement dénoncer à la face du monde ce pillage délibéré. Un vol pur et simple, oui. Et chatouilleux comme il l'était sur sa vie privée, il comprendrait que la presse ne demanderait qu'à le clouer au pilori pour un plagiat aussi grossier. Mais il savait aussi qu'en m'envoyant ce texte il ne pourrait que provoquer mon indignation, au minimum. Alors à quel jeu stupide s'adonnait-il, ce salaud ?

Deux heures quarante et une à ma montre. Brusquement, une formule que Bobby m'avait sortie une fois m'est revenue en mémoire : « Si tu as besoin de moi, il n'y a pas d'heure. » Je savais aussi qu'il ne dormait pratiquement jamais et qu'il s'effondrait rarement sur son lit avant le petit matin. J'ai attrapé le téléphone et je l'ai appelé sur son portable. Il m'a répondu à la troisième sonnerie, avec en bruit de fond un rugissement de musique techno et de moteur emballé. Il m'a paru à côté de ses pompes : de la blanche, peut-être, ou quelque trouvaille de l'école de pharmacologie Amphètes et Dérivés.

— Dave, mon vieux. T'es debout tard.

— Quelle perspicacité !

— Ne décèlerais-je pas une certaine tension dans votre voix, très cher ?

— Deuxième déduction sidérante. Bon, on peut parler, là ?

— Si je te dis que je suis à 180 sur la 10 avec une beauté hawaiienne répondant au doux nom de Heather Fong et qui refuse de me rendre mon joint à l'instant où je te cause, tu me crois ?

— Non.

— Et tu as raison. Je rentre chez moi après une soirée qui n'en finissait pas à parler Nasdaq avec deux Vénézuéliens à qui on ne la fait pas, et…

— Et moi j'ai donné dans la « lecture amicale ». Où il pense aller en me piquant mon scénario, ce… cette sous-merde ?

— Ah, tu as repéré le truc, donc ?

— Un peu, oui. Et ton M. Fleck est dans de sales draps, crois-moi. Pour commencer, je peux demander à Alison dès demain de porter plainte pour…

— Hé, je sais qu'il est pas vraiment tôt mais ton humour, tu l'as mis où ? C'est un hommage qu'il te rendait, Fleck ! Tu comprends, tête de nœud ? Un hommage comme il y en a pas deux. Il veut tourner ton scénar, vieux ! C'est son prochain grand truc. Et il va te refiler un pactole, pour ça.

— Et il va aussi s'annexer *mon* idée ?

86

— Dave ? Ce zigue pèse vingt milliards et des brouettes. En d'autres termes, rien à voir avec l'ahuri moyen. Et il sait très bien que ton script est à toi. Tout ce qu'il voulait te manifester, d'une manière un peu bizarre, je l'admets, c'est que ce projet le botte vraiment et que...

— Et que sa blague est plutôt douteuse, pour rester poli. Ça n'aurait pas été plus facile de m'appeler pour me dire qu'il aimait mon scénar ? Ou de demander à ses gens de prendre contact avec moi ?

— Qu'est-ce que je peux répondre ? Phil prend tout le monde comme ça, par surprise. Moi, si j'étais toi je ne me plaindrais pas trop. Surtout maintenant que tu sais que ton Alison va pouvoir lui soutirer une masse de fric pour ce texte.

— Il faut que j'y réfléchisse. Posément.

— Conneries ! Bon, écoute : va te prendre un comprimé de sens de l'humour et mets-toi au lit. Tu verras que tout ça te paraîtra assez poilant, demain matin.

J'ai raccroché et la fatigue m'a assailli brusquement. Je n'avais plus l'envie ni la force de méditer sur le petit jeu que Philip Fleck prétendait jouer. Avant de m'écrouler, pourtant, j'ai déposé les deux manuscrits sur le plan de travail de la cuisine, ouverts à la première page, avec un mot pour Sally à côté : « Ton avis sur ce drôle de cas de dédoublement ? Je t'aime, D. » Puis je suis revenu à pas de loup dans notre chambre, je me suis glissé dans le lit et j'ai sombré.

Quand j'ai ouvert les yeux cinq heures plus tard, Sally était assise au bord du matelas et me tendait un cappuccino. J'ai bredouillé les remerciements du matin, aussi incohérents que d'habitude, auxquels elle a répondu par un sourire. J'ai remarqué qu'elle était déjà douchée, habillée et chaussée. Et elle avait les deux manuscrits coincés sous le bras.

— Alors, tu veux vraiment savoir ce que j'en pense ?

J'ai pris une gorgée de café avant de hocher la tête.

— Pour être honnête, c'est un peu « tendance », non ? Un de ces films d'action débiles des années soixante-dix, revu et corrigé par Tarantino.

— Merci infiniment.

— Tu m'as demandé mon avis, je te le donne. De toute façon, c'est une œuvre de jeunesse, non ? Et tu dois admettre que la scène d'ouverture est beaucoup trop recherchée. Peut-être que les références à Mahler t'amusent, toi, mais ça passerait bien au-dessus de la tête du public moyen.

J'ai pris une autre gorgée de café.

— Aïe...

— Attends, je n'ai pas dit que c'était nul. Au contraire, il y a tous les éléments qui ont fait de ta série un tel succès. Mais entre les deux, tu as parcouru un sacré bout de chemin.

— C'est sûr, ai-je admis, froissé.

— Seigneur ! Tu ne voudrais pas que j'applaudisse à quelque chose qui n'est pas bon, si ?

— Bien sûr que si, je veux !

— Ce ne serait pas honnête.

— Parce que l'honnêteté a un sens, ici ? Par ailleurs, je te demandais seulement ton avis sur cette tentative de plagiat que Fleck a...

— Plagiat ? Non, mais écoutez ça ! Tu es comme tous les auteurs que j'ai rencontrés : dès qu'il s'agit de leur travail, plus un gramme d'humour. Et s'il avait simplement voulu te titiller un peu, voir comment tu réagirais à ce pillage absolu ? Tu ne piges pas ? Tu ne saisis pas ce qu'il essaie de te dire ?

— Évidemment que si ! Il veut cosigner mon scénario.

— Oui, bon... Et alors ? C'est le prix que tu auras à payer si tu le laisses faire le film. Et tu devras partager la paternité avec lui, en effet.

— Pourquoi ?

— Tu sais parfaitement pourquoi ! Parce que c'est la règle du jeu. De plus, s'il faut être vraiment sincère, ce n'est pas le meilleur scénario de tous les temps... Raison de plus pour faire moitié-moitié avec lui.

Je me suis contenté de me taire, de siroter mon café et de prendre un air pensif. Elle s'est levée et m'a déposé un baiser sur le crâne.

— Ne va pas bouder, maintenant. Simplement, je ne veux pas te raconter d'histoires : ce machin est un produit périmé, et si l'une des huit plus grosses fortunes d'Amérique veut te l'acheter, tu encaisses et c'est tout. Même si le nabab en question devient ton coscénariste. Je te parie qu'Alison sera d'accord avec moi.

Et elle ne s'était pas trompée là-dessus, bon sang ! Lorsque j'ai téléphoné à mon agente plus tard dans la matinée pour lui expliquer la mauvaise blague de Fleck, sa réaction a été :

— Eh bien, il faut au moins avouer que sa façon d'attirer ton attention est aussi originale que perverse.

— C'était aussi une façon de dire qu'il exige une cosignature.

— Bah… C'est Hollywood, ça. Même le gars qui te gare ta voiture est persuadé qu'il mérite d'apparaître dans le générique. Enfin, je sais, tu sais, nous savons qu'il ne s'agit pas de ton œuvre la plus incontournable, n'est-ce pas. – Je me suis tu. – Ah, un silence « blessé » ! Notre écrivain serait-il un peu chatouilleux, ce matin ?

— Oui, un peu.

— La FRT t'a trop gâté, David. Tu te prends pour le roi des créatifs. Mais n'oublie pas que si ce script est pris, on parle du grand écran, là. Et qui dit grand écran dit grands compromis. À moins que Fleck ne décide de faire de ton idée une horreur pour salles d'art et d'essai…

— Ça ? C'est une comédie, Alison !

— Oui. Mais devant la caméra de Fleck ça peut parfaitement devenir un drame existentiel… *La Dernière Chance*, tu l'as vue ?

— Pas encore.

— Va te le louer, histoire de rigoler un peu. C'est un monument de comique involontaire, ce film.

Peu après, je suis descendu chercher la cassette au Blockbuster le plus proche et je me suis installé pour la regarder avant que Sally rentre. Une bière à la main, je voulais « rigoler un peu », oui, et je n'ai pas eu à attendre longtemps. Le film s'ouvrait sur un gros plan d'une certaine Prudence, une fille éthérée vêtue d'une longue cape. Au bout d'un moment, la caméra prend du champ et nous découvrons qu'elle se tient sur un promontoire rocheux de quelque îlot désolé. Elle observe le champignon atomique qui s'élève du continent, au loin, et tandis que ses yeux s'agrandissent devant l'ampleur de l'holocauste nucléaire, elle annonce, en voix off : « C'était la fin du monde… et je la regardais. » Sacré début, non ?

Quelques minutes plus tard, nous faisons la connaissance de sa compagne sur l'île, Helene, autre poupée éthérée – mais affublée de lunettes en écaille, elle – dont le mari, Herman, est un artiste maudit qui peint d'immenses toiles abstraites représentant invariablement des scènes d'apocalypse et de carnages urbains.

— Je suis venu ici pour échapper aux contraintes matérielles de la société, annonce-t-il à Helene, mais celle-ci n'existe plus. Notre rêve s'est enfin réalisé, donc.

— Oui, mon amour. Oui, nous l'avons, notre rêve. Il n'y a qu'un seul problème : nous allons mourir.

Le quatrième membre de ce joyeux quatuor est un ermite helvétique répondant au nom de Helgor, qui se prend à la fois pour Walden Pond et H. D. Thoreau dans un cottage perdu sur l'île. Helene a le béguin pour lui mais il a juré de renoncer au sexe ainsi qu'à l'électricité, au son artificiel, aux chasses d'eau et à tout ce qui ne pousse pas dans un sol certifié organique. En apprenant que la fin du monde est arrivée, pourtant, il décide de renoncer à sa fixette antifornication et de se laisser séduire par Helene. Alors qu'ils s'allongent sur le sol en pierre de sa cambuse, il lui annonce : « Je veux me repaître de ton corps, m'enivrer de ta force vitale. »

Évidemment, il appert que Herman le Tourmenté saute Prudence, pour sa part, et que cette dernière est enceinte de ses œuvres. Dans un moment de remarquable perspicacité, elle lui confie : « Je sens une vie grandir en moi tandis que la mort s'étend partout. » Helene découvre leurs relations adultérines, Helgor crache le morceau à propos de ses parties de jambes en l'air avec l'épouse de Herman. Des coups de poing sont échangés entre les garçons, suivis d'une demi-heure de silence offensé puis d'une réconciliation qui donne lieu à un interminable débat sur la condition humaine, cette scène étant tournée sur une grande terrasse aux carreaux noirs et blancs sur lesquels les personnages se déplacent – horreur ! – telles des pièces d'un jeu d'échecs. Tandis que les incendies postatomiques se déchaînent sur le continent et que les nuages toxiques commencent à atteindre l'île, le quatuor décide d'aller bravement au-devant du destin. « Nous ne devons pas finir étouffés, énonce Herman, mais ouvrir les bras aux flammes. » Sur ces mots, ils s'entassent dans un petit bateau et font cap droit vers l'enfer avec, étonnamment, les lamentations du *Voyage de Siegfried* pour fond sonore à leur *Crépuscule des dieux* collectif. Fondu au noir. Générique.

Pendant de longues minutes, ensuite, je suis resté dans mon fauteuil, halluciné. J'ai fini par reprendre le téléphone pour appeler Alison, que j'ai assaillie d'une diatribe en règle contre cet immonde navet. Elle m'a laissé me défouler, puis :

— Oui, c'est assez spécial, n'est-ce pas ?

— Il est hors de question que je travaille avec ce mec. J'annule le voyage.

— Minute, minute... Il n'y a aucune raison de ne pas le rencontrer, au contraire. Après tout, un peu de soleil, ça ne te fera pas de mal, surtout ce soleil-là... Et puis, pourquoi ne pas lui vendre *Duo de dingues*, ou *La Bonne Blague*, ou comme ça lui prendra de l'appeler ? Si tu ne peux pas supporter ce qu'il en fera, on enlèvera ton nom du générique, voilà tout. En attendant, je sais que je peux lui soutirer plein de blé. Je vais y aller carrément, Dave. Un million. Et je te garantis qu'il va casquer. Nous savons toi et moi que déposer ton texte sous son nom n'était qu'une aimable petite farce, mais n'empêche, il ne voudrait pas que ça s'ébruite. Sans qu'on lui demande rien, il va ouvrir son portefeuille pour éviter les vagues.

— Tu as vraiment une piètre opinion de l'humanité, Alison.

— Tu oublies le métier que je fais ?

Après avoir raccroché, j'ai téléphoné à Sally. Sa secrétaire m'a mis en attente un long moment. Quand elle a repris la ligne, elle m'a annoncé d'une voix tendue qu'il y avait un « imprévu » et que Sally allait me rappeler dans dix minutes. Il s'est écoulé près d'une heure avant que ce soit le cas et, dès que je l'ai entendue, j'ai compris qu'il se passait quelque chose de grave.

— Bill Levy… Il vient d'avoir une attaque.

— Merde…

C'était son patron, et plus encore : celui qui l'avait fait entrer à la Fox et l'avait guidée dans la jungle des luttes de pouvoir internes à la chaîne. Un père professionnel, à ses yeux, et l'une des rares personnes qu'elle jugeait entièrement fiables au bureau.

— C'est grave à quel point ?

— C'est grave. Il s'est effondré en pleine réunion de planning. Heureusement, il y avait une infirmière de la boîte dans le coin. Elle lui a fait un massage cardiaque avant l'arrivée de l'ambulance.

— Il est où, maintenant ?

93

— À l'hôpital universitaire. En soins intensifs. Écoute, depuis tout à l'heure c'est la panique, ici. Je vais rentrer tard.

— Bien, bien… Si je peux faire quoi que ce soit…

Mais elle s'est bornée à un « Il faut que j'y aille » et elle a raccroché.

Lorsqu'elle est arrivée à minuit passé, elle avait l'air épuisée et sur les nerfs. Je l'ai prise dans mes bras, elle s'est dégagée doucement pour se laisser tomber sur le canapé.

— Il s'en est tiré… d'un cheveu. Mais il est toujours dans le coma et ils craignent des lésions cérébrales.

— Désolé.

Je lui ai proposé quelque chose de fort et d'alcoolisé, mais elle ne voulait que du Perrier.

— Ce qui rend la situation encore plus merdique, a-t-elle constaté après un silence, c'est que Stu Barker a été chargé de remplacer Bill, pour l'instant.

Mauvaise nouvelle, là. Barker était un connard arriviste qui depuis un an faisait feu de tout bois pour arracher sa place à Bill Levy. Et il n'appréciait guère Sally, évidemment, puisqu'elle était une telle fan de son patron…

— Qu'est-ce que tu vas faire, alors ?

— Que veux-tu que je fasse, dans un contexte pareil ? Regrouper mes forces et partir à l'attaque pour empêcher cette ordure de Barker de bousiller tout ce que j'ai construit à la Fox. Et ça signifie aussi, j'en ai peur, que la petite semaine au six-étoiles de Fleck est exclue pour moi.

— Je m'en doutais. Je vais appeler tout de suite Bobby pour lui dire qu'on ne peut pas venir.

— Mais toi, tu devrais y aller.

— Alors que tu te retrouves dans une crise de cette ampleur au boulot ? Jamais de la vie !

— Écoute. La semaine prochaine, je vais bosser comme une dingue. Avec Barker à la tête de la division, ma seule chance de faire tourner la baraque, c'est de passer quinze heures par jour au bureau.

— Compris. Mais au moins je serai là le soir pour t'accueillir avec ma sympathie et un martini.

Elle s'est redressée pour me donner une caresse sur la main.

— C'est très gentil. Mais je veux que tu y ailles, toi.

— Sally…

— Écoute-moi. Je préfère vraiment être seule, dans ces circonstances. S'il n'y a rien pour me distraire, je pourrai me concentrer sur mon objectif, en l'occurrence sauver ma peau au travail. En plus, tu ne peux laisser passer cette occasion. Au pire, tu auras eu une expérience comique… en nageant dans le luxe, ce qui ne gâte rien. Au mieux, tu obtiendras qu'un scénario que tu avais totalement oublié soit produit, avec un chèque mirobolant à la clé. Quand on sait que Barker rêve de me faire partir de la Fox, cet argent pourrait nous être utile bientôt, non ?

Je savais qu'elle disait n'importe quoi, là. Non seulement tout le petit monde de la télévision se l'arracherait si elle claquait la porte, mais son récent contrat avec la Fox lui donnait un parachute plus que doré au cas où on ne la laisserait pas le terminer à la direction des programmes de divertissement, pas moins de cinq cent mille dollars de dédommagements. Pourtant, malgré toutes mes tentatives, elle est restée intraitable sur son désir de me voir disparaître une semaine.

— Ne le prends pas mal, surtout.

— Mais non ! ai-je répondu avec un entrain forcé. Puisque tu veux que je parte sur la planète Fleck, je pars.

— Merci… – Elle m'a donné un rapide baiser sur les lèvres. – Bien, je te demande pardon mais j'ai décidé avec Lois et Peter qu'on ferait le point au téléphone.

Deux de ses plus proches collaborateurs à la Fox.

— Pas de problème, ai-je assuré en me levant. Je t'attends dans la chambre.

— Ça ne devrait pas être long.

Quand je me suis finalement endormi, environ deux heures plus tard, elle n'était toujours pas dans le lit. Et le lendemain, à mon réveil, elle était déjà partie en me laissant un mot sur l'oreiller : « Réunion stratégique avec mon équipe. J'appelle plus tard. » Rien de plus. Pas une formule affectueuse. Et seulement son initiale griffonnée au bas du papier.

Une heure plus tard, Bobby Barra m'a téléphoné pour me prévenir que l'un des chauffeurs de Fleck viendrait nous chercher le lendemain matin et nous conduirait à l'aéroport de Burbank, Sally et moi.

— Phil a pris le 767 pour descendre là-bas dimanche. Donc, désolé, on n'aura que le Gulfstream, vieux.

— Je m'en remettrai. Mais apparemment je viens seul.

Et je lui ai expliqué la crise que vivait Sally à la Fox.

— Hé, ça me va, moi. Je dis ça sans méchanceté, bien sûr, mais comme je ne suis pas vraiment dans ses petits papiers... Si elle doit rester, je ne vais pas pleurer dans ma piña colada, hein ?

Il m'a dit que la voiture serait à ma porte à huit heures, et avant de raccrocher il a lancé en guise de consigne :

— Bringue, bringue, bringue !

J'ai préparé un petit sac de voyage puis je suis allé au bureau, où j'ai visionné les deux premiers épisodes du nouveau volet de la série, dans leur version non éditée. Sally n'a jamais appelé. À mon retour à la maison, il n'y avait aucun message d'elle sur notre répondeur. J'ai passé la soirée à relire *Duo de dingues* en prenant des notes sur les améliorations que je pourrais apporter à la construction et au rythme narratif, ainsi que sur la manière de le rendre plus en phase avec l'époque actuelle. Sally avait vu juste lorsqu'elle avait remarqué que le scénario était trop prétentieux. Armé d'un feutre rouge, j'ai entrepris de réduire les dialogues les plus longs, de supprimer les détails inutiles. Quand on écrit pour le cinéma, moins on en dit, mieux c'est dit. Si l'on ressent le besoin de tout expliquer, c'est que l'on n'a pas la bonne démarche. Il faut prendre le parti de la brièveté, de la simplicité, laisser les images parler car c'est « pour » elles qu'on écrit. Et quand les images sont réussies, qui a besoin de mots ?

À onze heures, j'étais arrivé à la moitié du script et Sally n'avait toujours pas donné de nouvelles. J'ai failli l'appeler sur son cellulaire mais je me suis ravisé, craignant qu'elle n'y voie une forme d'indiscrétion, de dépendance ou même de paternalisme, du genre « Pourquoi tu n'es pas encore à la maison ? ». Je suis allé me coucher.

À sept heures le lendemain, quand le réveil a sonné, il y avait un autre mot sur son oreiller : « C'est la folie. Je suis rentrée très tard et j'ai un petit déjeuner avec des gens du service juridique à la Fox. Appelle à 8 h sur mon portable. Et bronze bien pour moi ! » Cette fois, il y avait un « Bises, S », ce qui m'a rasséréné, mais lorsque j'ai téléphoné à l'heure dite elle s'est montrée plutôt abrupte :

— Je ne peux pas trop parler, là... Tu prends ton portable avec toi ?

— Bien sûr.

— Alors je te fais signe.

Je me suis forcé à ne pas prendre sa brusquerie au tragique. Sally était dans la catégorie des décideurs, après tout, et c'est ainsi que ces derniers réagissent dès qu'il y a de la bagarre dans l'air.

Tout de suite après, on a sonné à la porte. Un chauffeur en livrée était debout devant une Lincoln flambant neuve.

— Comment se sent Monsieur, aujourd'hui ?

— Prêt pour le paradis.

4

Bobby et moi étions les seuls passagers à embarquer dans le Gulfstream mais l'équipage n'en était pas moins conséquent : deux pilotes et deux hôtesses. Cheryl et Nancy, l'une et l'autre blondes, la vingtaine et l'allure d'avoir été majorettes au temps du lycée, travaillaient à temps complet pour Air Fleck, ainsi que Bobby désignait la flotte de son milliardaire. Avant même le décollage, il a entrepris une offensive de charme sur Cheryl avec une grâce éléphantesque :

— Vous pensez que je pourrai avoir un massage pendant le vol ?

— Bien sûr, monsieur. D'autant que j'étudie l'ostéopathie pendant mon temps libre.

— Et si c'en est un très... localisé ? a-t-il insisté avec un air salace.

Le sourire de Cheryl s'est crispé. Elle a esquivé la provocation en se tournant vers moi :

— Désirez-vous une boisson avant notre décollage, monsieur ?

— Avec plaisir. Une eau gazeuse quelconque.

— Perrier, Badoit, Ballygowan, Poland Spring, San Pellegrino… ?

— Je supporte pas la San Pellegrino, est intervenu Bobby. Beaucoup trop lourd.

Cheryl a fait semblant de ne pas entendre.

— Va pour la San Pellegrino, donc, ai-je annoncé.

— Non ! Un voyage pareil, il faut quand même trinquer avec un peu de bulles ! En plus, sur Air Fleck, ils ont toujours du Cristal… Pas vrai, ma jolie ?

— Oui, monsieur. C'est le champagne que nous servons à bord.

— Alors deux verres de Cristal, ma belle. Et grand format, hein ?

— Entendu, monsieur. Puis-je demander à Nancy de noter votre choix de petit déjeuner avant le décollage ?

— Ça peut se faire, ouais.

Elle était à peine partie dans le galley qu'il m'a lancé :

— Mignon petit cul, si on est porté sur le genre lycéenne délurée.

— Tu es d'une classe renversante, Bobby.

— Hé, je lui ai fait un peu de plat, c'est tout !

— C'est comme ça que tu appelles demander une branlette ?

— J'ai pas « demandé » ! C'était rien que suggéré, tout en subtilité.

— Aussi subtil que cinq camionneurs. Cette façon de commander du champagne… « grand format » ? Tu n'es pas au McDo, au cas où tu n'aurais pas remarqué. Et puis, que je te rappelle la règle numéro un de l'hôte bien élevé, Bobby : ne pas essayer de sauter la servante.

— Dites, monsieur Bonnes Manières, c'est vous, l'hôte !

— Et toi, tu serais quoi, alors ?

— L'ami de la famille.

Cheryl est revenue avec deux flûtes et un plateau de petits canapés de caviar.

— Béluga ? a interrogé Bobby, un sourcil levé.

— Béluga d'Iran, monsieur.

La voix du pilote a résonné dans la cabine, nous priant de boucler notre ceinture. Nous étions installés dans de gros fauteuils en cuir bien rembourrés et entièrement pivotables. D'après Bobby, cet appareil arrivé spécialement pour nous emmener sur l'île n'était que le « petit » Gulfstream de la flotte, avec juste huit sièges à l'avant et, dans la cabine arrière, un lit double, une table de travail et un canapé, mais je ne m'en plaignais pas. J'ai savouré mon champagne tandis que nous roulions pour gagner la piste. L'avion a fait halte un instant avant de se lancer à l'assaut du tarmac. En quelques secondes, nous avions quitté terre, et la vallée de San Fernando disparaissait derrière nous.

— Alors c'est quoi, le programme ? a démarré Bobby. Un film ou deux, une petite partie de poker et un chateaubriand pour déjeuner ? Ils ont souvent des queues de langouste, aussi.

— Je vais travailler un peu, moi.

— Qu'est-ce que t'es marrant, comme type !

— Je veux avoir un scénario entièrement corrigé avant que notre amphitryon le voie. Tu penses qu'il a une secrétaire avec lui, là-bas ?

— Sur l'île, il y a tout un staff pour le business courant, mon vieux. Tu voudrais quelqu'un pour le retaper ? Pas de problème. – À Nancy, qui était venue prendre notre commande : – Vous pourriez me faire une omelette soufflée à la ciboulette, avec juste un soupçon de gruyère ?

— Bien sûr, a rétorqué l'hôtesse de l'air, imperturbable. – Puis, me gratifiant d'un sourire : – Et pour vous, monsieur ?

— Simplement un pamplemousse, des toasts et du café, merci.

— Tu t'es fait mormon depuis quand, vieux ?

— Les mormons ne boivent pas de café.

Sur ce, je me suis excusé et je suis passé dans l'autre cabine pour me mettre au travail.

J'ai posé mon manuscrit et mon feutre rouge sur la table, et je me suis assis. De l'autre côté, Bobby était en train de réclamer un écran individuel Sony et la liste des films pour adultes disponibles sur ce vol. « Z'auriez pas *Les Biches en folie*, ma poule ? l'ai-je entendu claironner. Sans ça je me rabattrai sur *Bambi…* » Avec un soupir, je me suis dit que je n'étais plus très loin du bilan critique que Sally avait tiré de lui : il pouvait se montrer un abruti de la pire espèce, parfois. J'ai décidé d'oublier ce flot continu d'inanités en me plongeant dans mon labeur.

J'ai relu la première partie, satisfait par les changements que j'y avais apportés. Ce qui me frappait surtout dans l'original de 1995, c'était la manie que j'avais d'enfoncer le clou, plus, de taper dessus comme un sourd. Certains dialogues passaient bien mais, Seigneur, quel étalage de brio, quelle complaisance ! Fondamentalement, l'histoire était sans prétention – deux types qui braquent une banque – et pourtant j'avais essayé de m'éloigner du genre par une avalanche de bons mots qui, je le voyais bien maintenant, n'avait pour résultat que de détourner l'attention. Tout cela empestait l'affectation. J'ai donc poursuivi le travail que j'avais entrepris en coupant dans le tas, en sabrant les reparties redondantes et les rebondissements inutiles jusqu'à parvenir à quelque chose de plus nerveux, de plus sarcastique et, sans aucun doute, de beaucoup plus crédible.

Je n'ai pratiquement pas relevé la tête pendant quatre heures, seulement distrait par l'arrivée de mon petit déjeuner et, de temps à autre, le verbiage de Bobby lorsqu'il prenait une voix sucrée à la Hugh Heffner pour exprimer un autre de ses grotesques caprices – « Je sais que j'abuse, ma jolie, mais vous pourriez me préparer un daïquiri à la banane ? » – ou qu'il hurlait des ordres à l'un de ses subalternes à L.A. dans le téléphone de bord. Cheryl est venue me proposer plus de café et me demander si je n'avais besoin de rien.

— Euh… Vous pourriez arriver à bâillonner mon ami là-bas, vous croyez ?

— Avec plaisir, a-t-elle répondu en souriant.

À cet instant précis, Bobby s'est mis à vociférer de plus belle :

— Écoute-moi bien, espèce de spaghetti à la con ! Si tu règles pas ce petit truc pronto, c'est pas seulement ta sœur que je tringle, c'est ta mère aussi !

Cheryl a réprimé une grimace.

— Ce n'est pas vraiment mon ami, vous savez. Juste mon courtier.

— Je suis sûre qu'il vous fait gagner beaucoup d'argent, monsieur. Vous désirez quelque chose, puisque je suis là ?

— J'aimerais seulement passer un coup de fil, quand il aura fini.

— Pas besoin d'attendre, monsieur. Nous avons deux lignes. – Elle a décroché le combiné qui se trouvait sur le bureau, tapé un code d'accès et me l'a tendu. – Voilà. L'indicatif régional et votre numéro, simplement.

Je l'ai remerciée. Dès qu'elle est partie, j'ai appelé le portable de Sally. Le répondeur s'est mis en marche à la deuxième sonnerie. J'ai tenté de masquer ma déception derrière un ton enjoué :

— Salut, c'est moi à onze mille mètres. Je sais ce qu'on devrait se payer pour Noël, maintenant : un Gulfstream. Il n'y a que ça, pour voyager… de préférence sans Bobby Barra, parce que là il concourt pour l'oscar du Meilleur Débile Macho. Enfin, j'appelais surtout pour savoir comment tout se passe à Fort Fox, et aussi parce que j'aurais sacrément envie que tu sois dans le siège en face de moi, maintenant. Je t'aime, chérie. Dès que tu sortiras une minute des tranchées, téléphone-moi sur le portable, d'accord ? À plus, mon amour.

J'ai raccroché avec cette sensation de vide qu'on éprouve chaque fois que l'on parle à un répondeur. Et j'ai repris mon texte.

Deux heures plus tard, alors que nous commencions notre descente vers Antigua, j'avais terminé ma révision du scénario. J'ai relu certaines corrections au hasard, globalement satisfait par une narration plus maîtrisée, des dialogues plus musclés. Mais je savais aussi qu'il suffirait que j'aie le tout dactylographié devant moi pour vouloir apporter encore d'autres améliorations. Et si Philip Fleck se décidait vraiment à le faire, il allait certainement exiger une nouvelle version qui servirait de base à une deuxième, puis à un fignolage, puis à une troisième suivie d'une autre mise au point, puis à l'intervention d'un scénariste-conseil qui produirait sa propre mouture, après quoi un troisième rédacteur serait chargé de doper l'intrigue, puis un quatrième de travailler sur les enchaînements, puis Fleck déciderait peut-être de basculer toute l'histoire de Chicago au Nicaragua et d'en faire un film musical sur la révolution sandiniste, avec chœurs de guérilleros et ainsi de suite...

Et on attendrait de moi que, comme tous ceux qui écrivent pour le grand écran, je me plie de bonne grâce à ce saucissonnage en règle. Là, je ne serais plus sur le terrain facile de la télé câblée, où l'on peut cultiver son amour-propre d'auteur sans avoir à lécher trop de popotins. Je passerais au monde de la « pellicule », dans lequel le réalisateur est Dieu le père et le scénariste une pièce rapportée, aisément remplaçable par une douzaine de pisse-copie payés à la tâche, si besoin. Parce que, à Hollywood, les auteurs, c'est comme les lapins : on peut en bousiller des centaines, il en resurgit toujours plus pour se précipiter sur la moindre commande et l'espoir de « percer ». Dans mon cas, certes, j'aurais au moins la consolation d'encaisser un gros chèque...

— Hé, voilà la diva qui rapplique ! a sifflé Bobby quand j'ai enfin regagné mon siège à l'avant. J'espère ne jamais refaire la connerie de voyager avec toi.

— Le travail, c'est sacré, non ? Et demain, Fleck aura quelque chose de nouveau à lire. D'ailleurs tu étais occupé, toi aussi, d'après ce que j'ai pu entendre. C'était un collègue à toi que tu terrorisais de la sorte, tout à l'heure ?

— Oh, juste un mec qui a merdé un coup que je lui avais confié.

— J'espère ne jamais faire la bêtise de t'avoir à dos.

— Attends ! Je ne baise pas mes clients, moi. Et je dis ça aux deux sens du terme. Propre et figuré. – Il m'a lancé un sourire fielleux. – À moins que ce soit eux qui me niquent. Mais pourquoi ils le feraient, hein ?

Je lui ai rendu son sourire.

— Pourquoi, en effet ?

À nouveau la voix du pilote, annonçant cette fois l'imminence de l'atterrissage. Dans mon hublot, tout était bleu en contrebas, et puis nous avons viré sur une aile et la mer a cédé la place à un paysage de bidonvilles, des dizaines de petites habitations cubiques et mornes jetées en tous sens comme des dés rongés par le temps. Elles ont disparu à leur tour tandis que nous rasions une forêt de palmiers et qu'une piste pleine d'ornières arrivait à toute allure sous un soleil déclinant mais encore implacable.

Nous nous sommes arrêtés à bonne distance du modeste aéroport. Dès que Cheryl a ouvert la porte et déclenché le déploiement de la passerelle rétractable, la cabine a été envahie par une bouffée de chaleur moite. J'ai vu que deux hommes nous attendaient sur la piste, l'un blond, très bronzé et vêtu d'un uniforme de pilote, l'autre, un policier d'Antigua de toute évidence, qui tenait un cachet et un tampon à encre dans une main. Le premier s'est avancé vers nous :

— Monsieur Barra, monsieur Armitage, bienvenue à Antigua. Mon nom est Spencer Bishop et c'est moi qui vais vous conduire à Saffron Island. Mais tout d'abord vous devez être en règle avec les services de l'immigration. Auriez-vous l'obligeance de présenter vos passeports à ce gentleman ?

Nous les avons tendus au policier, qui s'est contenté de chercher la première page vierge pour y apposer son cachet, sans même jeter un coup d'œil à la photographie d'identité ni à la date de validité. Le pilote l'a remercié et lui a serré la main rapidement, pas assez cependant pour que je ne remarque pas le billet vert plié dans sa paume. Aussitôt après, Bishop a attiré mon attention sur un petit hélicoptère stationné à une centaine de mètres de l'avion.

— Allez, je vous embarque.

Quelques minutes plus tard, nous étions bouclés sur nos sièges, avec un micro et des écouteurs pour communiquer entre nous par-dessus le violent battement de l'hélice ; l'aéroport avait disparu et l'horizon n'a plus été que bleu, de nouveau. Je suis resté fasciné par la pureté de la couleur, l'immensité. Au milieu de ce splendide néant, brusquement, une minuscule tache de vert s'est précisée au fur et à mesure que nous nous rapprochions. C'était une île d'environ un kilomètre de circonférence, couronnée de palmiers, avec en plein milieu une construction basse, tout en bois, qui s'étendait sur plusieurs ailes. J'ai repéré un long ponton d'amarrage avec quelques bateaux, simple ponctuation sur la ligne de sable blanc. Puis un cercle de bitume a grandi en contrebas, avec un grand X au centre. Le pilote a pris un moment pour s'aligner exactement dessus et toucher terre.

Là encore, deux fonctionnaires nous attendaient, une femme et un homme cette fois, une vingtaine d'années chacun, blonds et furieusement bronzés, revêtus d'une tenue tropicale identique : short kaki, polo bleu clair avec les mots « Saffron Island » discrètement brodés sur la poche, chaussures et chaussettes de sport. Debout à côté d'une Land Rover Discovery bleu marine, on aurait dit des animateurs d'un camp de vacances pour rupins. Et ils avaient le sourire Colgate, bien sûr.

« Bonjour, monsieur Armitage ! s'est exclamé le garçon. Bienvenue à Saffron Island.

— Et à nouveau bienvenue, monsieur Barra, a ajouté sa réplique féminine.

— Pareil pour vous, a répondu Bobby. C'est Megan, votre prénom, hein ?

— Quelle mémoire !

— Une belle fille, je m'en souviens toujours.

J'ai levé les yeux au ciel mais je me suis tu.

— Moi, c'est Gary. Et ainsi que M. Barra vient de le dire, voici Megan…

— Mais vous pouvez m'appeler Meg…

— Et c'est nous qui allons nous occuper de vous durant votre séjour. Tout ce que vous désirez, tout ce dont vous avez besoin, il suffit de nous le dire.

— Qui se charge de qui, exactement ? s'est informé Bobby.

— Eh bien… Comme Meg s'est occupée de vous lors de votre passage précédent, monsieur Barra, nous avons pensé la laisser prendre soin de M. Armitage.

Je les ai observés. Leur sourire permanent ne laissait rien transparaître. Bobby a fait une moue désappointée.

— Bon, peu importe.

— Nous allons mettre vos bagages dans la voiture, a annoncé Gary en se dirigeant déjà vers l'hélico.

— Combien de sacs avez-vous, monsieur Armitage ? m'a demandé Megan.

— Un seul. Et ce sera David, si vous voulez bien.

Pendant qu'ils s'affairaient, nous sommes montés dans la Land Rover, dont ils avaient laissé le moteur tourner. La climatisation était à fond.

— Attends que je devine, ai-je soufflé à Bobby. Tu as « fait du plat » à Meg la dernière fois que tu étais ici.

Il a haussé les épaules.

— Eh bien, c'est ce qui arrive quand on a quelque chose entre les jambes, non ?

— On dirait le genre muscu et tout, Meg. Est-ce qu'elle t'a envoyé au tapis quand tu as essayé de lui toucher les fesses ?

— C'est pas allé aussi loin. Et puis on peut changer de sujet, vieux ?

— Mais je me passionne pour tes exploits amoureux, moi ! Ils sont tellement attendrissants.

— Disons-le comme ça : si j'étais toi, je ne ferais pas le mariole avec elle. Surtout que tu as bien calculé, oui : elle a des biceps de G.I.

— Pourquoi je le ferais, alors que j'ai Sally qui m'attend à L.A. ?

— Ah, voilà le champion de la monogamie qui rapplique. Monsieur le Mari Idéal et Père Modèle.

— Ferme-la.

— Hé, je blaguais !

— Pas du tout.

— Oh, qu'il est chatouilleux !

— Tu as pris des cours de crétinerie ou bien ça te vient naturellement ?

— OK, pardon d'avoir touché un point sensible.

— Je n'ai aucun problème avec le fait...

— ... d'avoir abandonné femme et enfant ? m'a-t-il coupé.

— Tu n'as que de la merde dans la tête.

— Ce sera tout, Votre Honneur.

Meg a ouvert la portière avant, côté passager.

— Comment ça se passe, les amis ?

— On a eu notre première dispute, a déclaré Bobby.

Gary s'est glissé derrière le volant et nous sommes partis sur une piste environnée d'arbres. Quand je me suis retourné au bout d'une minute à peine, le petit terrain d'atterrissage avait disparu. Il n'y avait plus que la jungle autour de nous.

— Vous savez ce que j'ai pensé la première fois que je suis arrivé ici ? a remarqué Bobby sans s'adresser à quiconque en particulier. Que ça ressemble exactement à la Guyane, version Jonestown.

— En un peu plus confortable, je pense, a relevé Gary.

— Ouais, mais question meufs c'était un plan génial, Jonestown. Je vous le dis, moi, si jamais j'arrête la Bourse un jour, je pars fonder une secte.

— J'espère ne pas faire la bêtise d'y adhérer.

— Qu'est-ce que tu as aujourd'hui, Dave ?

— J'ai toi, toi et tes inepties qui n'en finissent pas.

— Je voulais vous dire, messieurs, s'est hâté de reprendre Gary, que M. Fleck est enchanté de votre visite et qu'il tient à ce que vous passiez le meilleur séjour possible. Il a malheureusement dû s'absenter pour quelques jours mais…

— Pardon ? ai-je articulé, pensant avoir mal entendu.

— M. Fleck a quitté l'île hier pour un court voyage.

— Vous devez plaisanter, là ! s'est insurgé Bobby.

— Non, monsieur Barra. Je ne plaisante pas du tout.

— Mais il savait qu'on venait !

— Bien sûr. Et il regrette d'avoir eu à partir si précipitamment.

— C'est pour les affaires ? Un gros coup ?

— Pas exactement, non, a répondu Gary avec un petit rire. Mais vous savez combien il adore la pêche. Alors, quand nous avons appris que le marlin commençait à mordre au large de Saint-Vincent…

— Saint-Vincent ? Mais c'est à deux jours de mer d'ici, facile !

— Trente-six heures, je dirais plutôt.

— Fantastique. Donc s'il arrive là-bas cette nuit et qu'il pêche tout demain, il ne sera pas ici avant trois jours.

— C'est à peu près cela, je le crains. En attendant, M. Fleck tient à ce que vous vous détendiez et que vous goûtiez à tout ce que Saffron Island peut vous offrir.

— Mais nous sommes venus sur sa demande, bon sang ! Pour le voir, lui !

— Et vous le verrez, monsieur Barra. Dès son retour.

Bobby m'a envoyé un coup de coude.

— Qu'est-ce que tu dis de ça, toi ?

Ce que j'aurais voulu dire, c'était : « Je croyais que tu étais son grand pote, non ? » Mais j'avais eu assez d'escarmouches verbales avec Bobby pour la journée et je me suis donc borné à remarquer :

— Eh bien, si j'avais à choisir entre un écrivain et un marlin, je choisirais le poisson sans hésiter.

— Ouais, mais la poiscaille, elle a pas à s'inquiéter de ses comptes clients et de la sale gueule que fait le Nasdaq actuellement...

— Oh, monsieur Barra, vous savez que notre centre logistique peut vous permettre de suivre n'importe quel marché boursier d'ici. Et nous sommes en mesure de vous réserver une ligne ouverte pour vous et vos clients vingt-quatre heures sur vingt-quatre, sept jours sur sept, si vous en désirez une. Alors, il n'y a aucun souci à se faire, franchement.

— Quant au bulletin météo pour la semaine à venir, il est idéal, a complété Meg. Pas une goutte de pluie en vue, petite brise du sud, et thermomètre dans les trente-cinq degrés.

— Donc vous pouvez à la fois suivre la Bourse et bronzer tranquille, a noté plaisamment Gary.

Bobby m'a jeté un coup d'œil.

— Tu as les boules ?

Et comment, je les avais. Mais là encore j'ai préféré la jouer douceur et pondération. Alors j'ai pris un air dégagé :

— Un peu de soleil ne me fera pas de mal.

La Land Rover a continué à cahoter sur la piste avant de déboucher dans une clairière. Nous nous sommes arrêtés à côté d'un auvent sous lequel trois autres 4 × 4 et un long minibus blanc étaient garés. J'ai eu envie de demander à quoi tous ces véhicules pouvaient servir sur un îlot aussi petit, mais j'ai ravalé ma question et suivi Meg dans une étroite allée pavée de galets. Dix mètres plus loin, nous avons traversé un joli pont au-dessus d'un étang paysager où diverses espèces de poissons tropicaux se croisaient dans l'eau limpide. En relevant les yeux, j'ai retenu une exclamation de surprise : la demeure de Fleck se dressait devant nous, majestueuse.

Ce qui vu du ciel paraissait une construction en bois se révélait une spectaculaire prouesse d'architecture contemporaine, tout en verre et teck laqué. Le corps principal était flanqué à droite et à gauche de deux tours entièrement vitrées, comme des cathédrales transparentes, qui encadraient une série d'avancées en V, chacune dotée d'une immense porte-fenêtre. Lorsque nous avons contourné le bâtiment pour arriver à la façade principale, j'ai eu un nouveau choc : une gigantesque piscine naturelle avait été creusée dans la roche, juste devant la maison, et au-delà c'était le bleu infini, une vue à couper le souffle sur la mer des Caraïbes avant la tombée de la nuit.

— Impressionnant, ai-je murmuré.

— Ouais, a reconnu Bobby. C'est pas de la blague.

Son téléphone portable s'est mis à sonner. Un vague bonjour et il s'est lancé dans une discussion ultra-technique : ... Ouais, mais l'an dernier à la même époque ils s'échangeaient à 29... Bien sûr que j'ai regardé ce que faisait Netscape... Vous croyez que je vais partir sur un mauvais cheval ? ... Même en 1997, le 14 février, quand l'histoire de Monica a fait trembler le marché, combien de temps ça a duré ? Soixante-douze heures... Mais après, les conséquences à long terme...

Je n'ai pu m'empêcher d'écouter, fasciné par son aisance, son professionnalisme et sa douceur vis-à-vis des clients, surtout comparée à sa brutalité envers ses subalternes. Remarquant que Gary et Meg avaient eux aussi tendu l'oreille, je me suis demandé s'ils se posaient la même question que moi : comment un tel expert de la finance pouvait-il se muer en clown pathétique dès qu'il était confronté à la véritable richesse, et en homme de Neandertal quand une femme était en vue ? Mais l'argent et le sexe ne nous rendent-il pas fous, nous tous ? Bobby s'était peut-être convaincu qu'il ne servait à rien de cacher aux autres la bêtise crasse dans laquelle il sombrait à partir du moment où ces deux obsessions le tenaillaient.

Quand il a refermé son cellulaire d'un coup sec, ses épaules se sont affaissées d'un coup :

— Un dermato, faut jamais avoir ça comme client. Dès que le marché a un léger frémissement, c'est un mélanome, pour eux. Mais bon, mon vieux… – Il a décoché un coup de coude à Gary. – Vous avez entendu que je lui ai promis une réponse dans les dix minutes, donc…

L'intéressé avait déjà saisi le talkie-walkie qu'il portait à la ceinture.

— Julie ? J'ai M. Barra qui arrive à l'instant. Il a besoin de tout le Nasdaq sur l'écran le temps qu'il soit chez vous, c'est-à-dire dans… trois minutes. Bien reçu ?

— C'est comme si c'était fait, a grésillé une voix dans l'appareil.

— OK, montrez le chemin, a dit Bobby à notre guide avant de me lancer un regard de côté : Je te rejoins plus tard, si tu daignes encore causer à un minable comme moi.

Dès qu'ils se furent éloignés, Meg m'a demandé :

— Je vous montre votre chambre maintenant ?

— Si vous voulez.

Nous sommes entrés dans un grand hall aux murs blancs et au plancher en bois délavé. Aussitôt, je me suis retrouvé en face de l'un des chefs-d'œuvre de l'art abstrait du XXᵉ siècle, une toile composée d'équations mathématiques sur un fond gris d'une densité miroitante.

— Ah… Vous connaissez, bien sûr ? ai-je demandé à Meg.

— Non, ce n'est pas trop mon fort, la peinture. C'est célèbre ?

— Très. *Champ universel*, de Mark Tobey. Composé juste après la guerre, en pleine paranoïa atomique. D'où ce petit côté axiome de physique. C'est une œuvre essentielle, un Pollock modèle réduit mais avec nettement plus de maîtrise stylistique.

— Je ne demande qu'à vous croire.

— Pardon. Je m'écoute parler, là.

— Non, c'est passionnant. Mais si vous êtes à ce point amateur, vous devez absolument jeter un coup d'œil à ce que nous appelons le Grand Salon, ici.

— On aurait le temps, tout de suite ?

— Vous êtes à Saffron Island, monsieur Armitage. Vous avez tout le temps que vous voulez.

Nous avons pris le couloir de gauche, où s'égrenait toute une collection de classiques de Diane Arbus, tirages originaux encadrés. Quant au Grand Salon, c'était tout simplement l'une des deux ailes en forme de cathédrale vitrée, avec un plafond planant à douze mètres de haut et un énorme palmier qui jaillissait du sol. Ici comme ailleurs, le bon goût chic et cher triomphait avec un Steinway dans un coin, d'immenses canapés et des fauteuils dans des tons crème, un aquarium creusé dans l'un des murs en pierre apparente, un éclairage indirect qui mettait savamment en valeur des toiles… Des toiles que l'on se serait attendu à voir au MOMA, ou au Paul Getty, ou à l'Art Institute de Chicago. Et c'est comme un visiteur de musée bouche bée devant un tel déploiement que je me suis mis à arpenter la pièce. Denis Hopper, Ben Shahn, deux Philip Guston de la période intermédiaire, Man Ray, Thomas Hart Baker, Claus Oldenberg, George L. K. Morris… Sans oublier une série renversante de photographies d'Edward Steichen pour *Vanity Fair*, datant des années trente. Il devait y avoir au moins quarante pièces maîtresses réunies ici. La somme colossale qu'il avait fallu dépenser pour constituer cette collection dépassait tout simplement l'imagination.

— Tout ça… Tout ça appartient à M. Fleck ? ai-je demandé à Meg quand j'ai retrouvé l'usage de la parole.

— Mais oui ! Il y a pas mal de choses intéressantes, non ?

— Vous pouvez le dire, oui. C'est incroyable !

— Et il faut voir encore ce qu'il a dans ses cinq autres résidences…, a lancé quelqu'un derrière moi.

Je me suis retourné. C'était un petit type trapu, la quarantaine, avec des cheveux longs et gras réunis en queue de cheval, un short en jean élimé, des sandales Birkenstock et un tee-shirt tendu par sa bedaine, avec le visage de Jean-Luc Godard imprimé dessus et une citation : « Le cinéma, c'est la vérité en 24 poses/seconde. »

— Vous devez être Dave Armitage, non ?

— Lui-même.

— Chuck Karlson, a-t-il annoncé en me tendant une main moite. Un de vos grands admirateurs.

— C'est gentil.

— Ouais. Votre série, pour moi, c'est ce qui se fait de mieux à la télé. Et Phil pense pareil.

— Vous êtes un ami à lui ?

— Un collaborateur, disons. Je suis son Monsieur Cinéma.

— Et ça consiste en quoi ?

— Je m'occupe de ses archives, principalement.

— C'est quoi ? Une vraie cinémathèque ?

— Exact. Environ sept mille titres sur pellicule, quinze mille en VHS et DVD. Mis à part l'American Film Institute, c'est le plus grand fonds du pays.

— … Et des Caraïbes, je présume.

— Oh, il ne garde qu'environ deux mille films, ici.

— Oui. Ça doit manquer de salles, dans le coin.

— Ouais. Et en plus, Blockbuster n'envoie pas vraiment de cassettes de Pasolini dans son magasin d'Antigua.

— Vous aimez Pasolini ?

— C'est mon dieu.

— Et M. Fleck, il en pense quoi ?

— Dieu le Père, pour lui. D'ailleurs, nous en avons douze films ici, donc si l'envie vous en prend la salle de projection est à vous.

— Merci, ai-je répondu sobrement tout en me disant que *L'Évangile selon saint Matthieu*, le seul

Pasolini que j'aie jamais vu, n'était pas vraiment ma tasse de thé pendant une escapade sous les tropiques.

— À propos, je sais que Phil attend avec impatience de commencer à travailler le scénario avec vous.

— C'est gentil à lui.

— Si vous me permettez de donner mon avis, c'est un excellent script.

— Lequel ? Le mien ou le sien ?

Un autre grand sourire entendu.

— Ils se valent.

Très diplomatique réponse, ai-je commenté pardevers moi, quand on sait qu'il s'agit exactement du même texte…

— Puisqu'on en parle, il se trouve que je l'ai un peu repris, ces derniers jours, et je me demandais si quelqu'un pourrait taper la version corrigée.

— Aucun problème. Je vais dire à Joan de passer le prendre à votre chambre d'ici un moment. À bientôt devant le grand écran, Dave.

Pendant que Meg me pilotait vers mes quartiers, je l'ai un peu interrogée sur sa vie. Originaire de Floride, elle faisait partie de l'« équipage de Saffron Island » depuis deux ans. Elle avait travaillé sur un paquebot de croisière au départ de Nassau mais c'était beaucoup plus agréable ici. Et plus facile, car l'« équipage » avait toute l'île pour lui.

— Vous voulez dire que M. Fleck ne vient pas souvent ici ?

— Trois ou quatre semaines par an, au plus.

— Et le reste du temps ?

— C'est vide. De temps en temps il prête l'île à un ami, mais ce n'est jamais pour longtemps. Donc, on est entre nous, en général.

— « Nous », c'est-à-dire… ?

— Nous sommes quatorze permanents, ici.

Je n'ai pu retenir un sifflement en pensant à ce que la masse salariale annuelle devait représenter, surtout pour un endroit qui était utilisé moins de deux mois sur douze.

— Oh, M. Fleck n'a pas de problèmes d'argent, a-t-elle remarqué modestement.

Ma chambre, dans l'une des avancées en V qui formaient le bâtiment principal, avait les dimensions et le style d'un loft luxueux avec ses murs blancs, son parquet, ses baies immenses qui ouvraient sur l'horizon marin, son énorme lit à baldaquin et son coin salon qui offrait deux vastes canapés ainsi qu'un bar au stock impressionnant – un Macallan trente ans d'âge, entre autres. Dans un autre coin, il y avait une baignoire-piscine, un sauna et une cabine de douche multijets. La mezzanine, desservie par un escalier circulaire en acier brossé, était un bureau complet avec télécopie, imprimante, trois lignes de téléphone et je ne sais quelle connexion par fibre optique qui, d'après Meg, me permettrait d'accéder au Net en un millième de seconde. L'éclairage, les rideaux et l'air condi-tionné étaient réglables et adaptables à chaque endroit. Mais le top, dans ce déploiement de gadgets, était constitué par les trois écrans plats installés sur la mezzanine, sur une table basse du salon et près du lit, trois terminaux interactifs qui s'allumaient sur une simple pression du doigt et vous informaient que vous veniez d'accéder aux ressources musicales et cinéma-tographiques à votre disposition. Quand j'ai appuyé sur la case « Vidéothèque », puis choisi la lettre A dans l'alphabet qui s'était affiché, une liste d'une bonne trentaine de films est apparue, depuis *Alpha-ville* de Godard jusqu'à *All about Eve* de Mankie-wicz. J'avais à peine posé le doigt sur ce premier titre que l'écran Panasonic à cristaux liquides fixé à un mur s'est animé de ce classique futuriste. Revenu en arrière, j'ai tenté *Citizen Kane* et en quelques secondes les remparts de la demeure d'un potentat reclus, ces images passées dans l'histoire du cinéma, défilaient devant moi. Mais Charles Foster Kane, lui, n'avait jamais disposé d'une installation aussi sophistiquée.

On a frappé à la porte. Meg était revenue avec mon sac.

— Vous voulez que je range vos affaires maintenant ?

— Merci, mais je peux m'en charger tout seul.

— C'est inclus dans le service. Je suis votre major-dome personnel, m'a-t-elle rappelé avec une ébauche de sourire dans lequel une certaine ironie était discer-nable sous ses manières toutes professionnelles. Ah, je vois que vous avez déjà découvert notre système vidéo. Assez ingénieux, non ?

— Assez, oui.

— Vous devriez essayer la musique, aussi. Dans la base de données, il y a près de dix mille disques disponibles.

— Vous blaguez ?

— Essayez par vous-même.

Je suis donc passé à l'entrée « Audiothèque », j'ai tapé S au jugé et choisi *Un survivant de Varsovie* dans la liste des œuvres de Schoenberg qui étaient proposées. L'écran s'est éteint. Des quatre coins de la chambre, cette musique sans concession, ce cri de douleur atonal s'est élevé des mini-enceintes Bose intégrées aux murs, aussi discrètes que puissantes. Meg a tressailli à ce coup de poing spectral, puis elle m'a adressé l'un de ses demi-sourires en élevant la voix par-dessus l'explosion dodécaphonique :

— Plus entraînant, il n'y a pas.

J'ai appuyé sur la touche d'arrêt.

— Je l'admets, oui. Mais je n'arrivais pas à croire qu'il ait un disque pareil dans sa collection.

— Il a tout, M. Fleck.

Elle est partie avec mon sac dans le dressing-room et je suis allé sur la mezzanine, où j'ai installé mon ordinateur portable. Comme Meg l'avait promis, la vitesse de connexion était impressionnante : en moins de deux secondes, j'avais récupéré mes e-mails et notamment, parmi les messages de Brad Bruce et d'Alison, celui que j'attendais :

Chéri,
Ici c'est la folie. Dans le genre Reichstag en 1929.
Je tiens le coup et tu me manques.

S.

Première réaction : « Elle s'est manifestée, au moins. » Deuxième : « Elle dit que je lui manque, au moins. » Troisième : « Pourquoi ne pas finir sur un "Je t'aime", à défaut de "Gros bisoux baveux" ? » Mais mon côté rationnel a repris le dessus et je me suis rappelé qu'elle était en plein *Sturm und Drang* version Hollywood, confrontée à l'une de ces crises professionnelles qui, à Los Angeles, prennent vite des proportions dantesques. Bref, j'avais tort de m'inquiéter de ses sentiments à mon égard. Elle avait des soucis, voilà tout.

On a frappé à la porte. Une femme d'une trentaine d'années, très bronzée, cheveux noirs coupés court, vêtue des short et tee-shirt réglementaires ici, est apparue. Elle avait le même style que Meg, cette apparence propre et lisse d'une ancienne élève de grande école dont le petit ami jouait sans doute dans l'équipe de football de la fac et répondait au nom de Bud.

— Bonjour, monsieur Armitage. Je m'appelle Joan et j'appartiens à l'équipe technique. Vous êtes bien installé ?

— Parfait.

— On m'a dit que vous aviez un texte à taper.

— En effet. – J'ai pris le manuscrit dans ma sacoche et je suis descendu la rejoindre. – Je n'ai pas la disquette originale, malheureusement…

— Pas de problème. On va saisir l'ensemble.

— Ça ne sera pas trop de travail ?

— Oh, nous n'avons pas été vraiment débordés, ces derniers temps. Un peu d'occupation ne me fera pas de mal.

— Et vous arriverez aussi à déchiffrer mes gribouillis ? lui ai-je demandé en lui montrant la troisième page avec ses coupures et ses flèches.

— J'ai vu pire. De toute façon vous êtes là pour quelques jours, non ?

— C'est ce qu'on m'a dit.

— Eh bien je vous appellerai si j'ai une difficulté, d'accord ?

Elle venait de repartir quand Meg est sortie du dressing avec deux de mes pantalons.

— Ils ont été un peu froissés dans votre sac, ceux-là. Je vais les donner à repasser. Et maintenant, vous aimeriez dîner ou juste une petite collation ?

Neuf heures à ma montre, mais mon organisme était toujours dans le fuseau horaire de Los Angeles, soit quatre de moins.

— Toute petite, si possible.

— Monsieur Armitage…

— David, s'il vous plaît.

— M. Fleck tient à ce que nous utilisions le nom de famille de nos hôtes. Donc, monsieur Armitage, je vous rappelle que nous sommes là pour satisfaire tous vos souhaits. Si une douzaine d'huîtres peut vous faire plaisir, avec une bouteille de…

— Gewurztraminer. Mais seulement un verre.

— Je vais prévenir le sommelier.

— Parce qu'il y a aussi un sommelier ?

— Il devrait y en avoir dans toute île qui se respecte. – Encore un petit sourire. – Bien, les huîtres arrivent. À tout à l'heure, monsieur Armitage.

Peu après, le maître caviste a téléphoné. Il s'appelait Claude et bien entendu il avait un accent français très prononcé. Comme il me proposait de choisir parmi la douzaine de gewurz qu'il avait en réserve et que je lui demandais son avis, il m'a déclaré porter sa préférence sur un gisselbrecht 1986, avec un équilibre de fruité et d'acidité « very exceptionnel ».

— Je ne prendrai qu'un verre, ai-je tenu à rappeler.

— Nous vous envoyons la bouteille.

Dès que j'ai raccroché, j'ai reconnecté mon laptop, cherché un site de vins fins, tapé *gisselbrecht gewurztraminer 1986*. Une photo de bouteille s'est affichée sur l'écran, accompagnée d'un commentaire élogieux le classant parmi les tout premiers crus de ce vignoble et m'informant que je pouvais le commander pour la modique somme de deux cent soixante-quinze dollars l'unité, « prix spécial découverte »… J'en suis resté interdit. On allait m'apporter une bouteille à près de trois cents dollars alors que je ne désirais qu'un verre. Je commençais à découvrir que dans la retraite tropicale de Fleck le principe du « dépenser sans compter » était la règle d'or.

Je me suis ébroué et j'ai rédigé un e-mail pour Sally dans lequel je narrais brièvement mon arrivée au « pays de cocagne nouveau riche », l'informais que Fleck était parti jouer les Hemingway quelque part et l'assurais de mon amour éperdu, en lui donnant aussi le numéro de ma ligne directe. Après l'avoir envoyé, j'ai appelé ma fille à Sausalito. C'est Lucy qui a répondu, toujours aussi amicale.

— Ah, c'est toi.

— Oui, c'est moi. Comment ça va ?

— Qu'est-ce que ça peut te faire ?

— Écoute, Lucy, je ne peux pas te reprocher d'être encore fâchée contre moi, mais il y a un moment où ça devrait s'arrêter, tu ne crois pas ?

— Non. Avec les salauds, je ne fais pas de concession.

— Très bien, comme tu veux. Le sujet est clos. Je peux parler à ma fille ?

— Non.

— Hein ? Et pourquoi ?

— Parce qu'on est mercredi. Et si tu étais un père responsable, tu te rappellerais qu'elle a cours de danse le mercredi après-midi.

— Je suis un père responsable !

— Je ne veux même pas entendre ça.

— Parfait. Bon, je vais te donner le numéro où je suis en ce moment, c'est aux Caraïbes et…

— Ah, je vois que tu la gâtes, cette traînée de Princeton.

Ma main s'est crispée sur le combiné.

— Je ne vais pas honorer d'une réponse une remarque aussi déplacée, mais si tu veux tout savoir je...

— Pas particulièrement, non.

— Alors note ce numéro et dis à Caitlin de me rappeler, s'il te plaît.

— Pourquoi doit-elle te rappeler puisque tu vas la voir après-demain ?

Ma nervosité, déjà exacerbée par un accueil aussi courtois, est montée d'un cran.

— Qu'est-ce que tu racontes ? Ma prochaine visite, c'est le week-end en quinze !

— Ah non ! Ne me dis pas que tu as oublié !

— Oublié quoi ?

— Oublié que tu prends Caitlin cette fin de semaine parce que j'ai un séminaire. C'est le programme que nous avions établi d'un commun accord.

Merde et merde ! Ça m'était complètement sorti de la tête, en effet. Et je voyais déjà ce qui allait suivre.

— Attends ! Quand est-ce qu'on en a parlé, de ça ? Il y a un mois et demi ? Deux ?

— N'essaie pas de jouer la carte de l'amnésie avec moi.

— Mais c'est vrai.

— Arrête tes stupidités !

— Qu'est-ce que je peux dire ? Pardon et encore pardon !

— Refusé. Et de toute façon ce qui est décidé est décidé. Tu as trente-six heures pour revenir.

— Désolé. Je ne peux pas.

— David. Tu fais comme convenu.

— Encore une fois, c'est impossible. Je suis à près de dix mille kilomètres. J'ai des affaires à régler. Je ne peux pas.

— Si tu t'avises de faire ça...

— Je suis sûr que tu peux demander à ta sœur de venir de Portland. Ou prendre une nounou pour le week-end. Dans les deux cas, c'est moi qui paie.

— Ton égoïsme dépasse vraiment l'imagination. C'est à gerber.

— Tu as le droit de penser ce que tu veux, Lucy. Si tu veux bien noter ce numéro...

— On n'en a pas besoin ! Je ne pense pas que Caitlin voudra te parler.

— C'est à elle de décider.

— Tu as démoli tous ses repères le jour où tu es parti. Et elle finira par te détester pour ça, crois-moi.

Je suis resté sans voix.

— Tu ne t'en tireras pas comme ça, tu sais.

Elle a raccroché et, après avoir fait de même, je me suis pris la tête entre les mains. Je ne pouvais que lui donner raison. J'avais détruit notre foyer, son équilibre et celui de Caitlin. Et j'allais devoir vivre jusqu'au bout avec cette terrible culpabilité... Mais je n'allais pas non plus retraverser tout le continent sous prétexte que Lucy avait un jour et demi de séminaire. D'accord, cet arrangement m'était sorti de l'esprit, près de deux mois s'étaient écoulés depuis qu'elle en avait parlé ! Et j'avais été là à chacun des week-ends que notre fille pouvait avoir en ma compagnie. Plus encore, Caitlin avait exprimé le souhait de passer plus de temps à L.A. avec Sally et moi, alors cette idée qu'elle ne voudrait pas me parler... La rancœur de Lucy était sans fin. Pour elle, j'avais et je garderais tous les torts. Si je reconnaissais avoir surtout pensé à moi en renonçant à notre vie conjugale elle n'assumait jamais, elle, ses propres responsabilités dans l'échec de notre couple. C'était en tout cas le diagnostic du psychothérapeute que j'avais consulté pendant le divorce.

On a encore frappé à la porte et cette fois j'ai hurlé « Entrez ! » depuis mon perchoir. Meg poussait devant elle une élégante table roulante en acier. Je suis descendu. Une douzaine d'huîtres, trois sauces différentes, un panier de pain de seigle et une salade verte flanquaient la bouteille de gewurztraminer dans un rafraîchissoir en cristal.

— Et si je vous installais sur la terrasse, vous ne préféreriez pas ?

— Très bien.

Elle a ouvert les portes vitrées du living et je n'ai pu m'empêcher d'admirer la mer scintillant sous la lune. M'affalant sur le premier fauteuil dehors, je me suis plongé dans la contemplation en essayant de surmonter le flot d'émotions contradictoires qu'avait provoquées cet échange venimeux avec Lucy. Mon anxiété devait être palpable car, après avoir dressé le couvert, Meg a observé :

— Un remontant serait le bienvenu, on dirait.

— Oh oui…

Pendant qu'elle débouchait la bouteille, je lui ai demandé :

— Et M. Barra, à quoi il s'occupe ?

— Il n'a pas lâché le téléphone depuis son arrivée. Et il n'a cessé de crier dedans.

— Vous pourriez lui dire que je dois me coucher tôt ce soir ?

Je ne me sentais pas la force d'en supporter davantage de Bobby ce jour-là.

— Comptez sur moi. – Elle a versé un peu de vin dans un verre avant de lancer gaiement : – Et voilà !

J'ai goûté le vin dans les règles de l'art. Ce que j'ai ressenti a été de l'ordre de la décharge électrique. Ce n'était pas seulement un nectar, une quasi-perfection liquide : c'était sacrément bon, aussi.

— Pour un remontant, c'en est un, ai-je commenté en ajoutant en moi-même : « À ce prix, ça peut. »

— Tant mieux, a répondu Meg en me resservant. Vous n'avez besoin de rien d'autre ?

— Rien, non. Mais merci pour tout.

— Avec plaisir. N'hésitez pas à appeler si vous désirez quoi que ce soit.

— Vous me choyez.

— Cela fait partie du service.

J'ai porté le verre à mes lèvres, pris une bouffée d'air chargée d'un arôme d'eucalyptus et de frangipane, l'odeur même de la vie sous les tropiques, et j'ai bu cette folie, cette merveille, puis j'ai déclaré à l'obscurité :

— Je crois que je pourrais vraiment m'habituer à tout ça, tu sais.

5

J'ai dormi comme une souche, sans aucune de mes angoisses nocturnes, aucun de mes rêves torturés, et je me suis réveillé dans cette étrange euphorie qui suit immanquablement neuf heures de sommeil. Le dos calé sur les coussins, j'ai pris conscience de l'état de tension extrême qui ne m'avait pas quitté depuis ma prétendue « sortie du désert » et les cataclysmes afférents. Alors qu'elle est censée simplifier la vie, la réussite ne fait que la compliquer. Parce que nous avons besoin de nouvelles difficultés, de nouveaux défis, de nouvelles aspirations à un plus grand succès encore. Chaque fois que nous obtenons ce que nous voulions, nous découvrons « quelque chose qui manque ». Et nous partons à sa conquête dans l'espoir de parvenir enfin à la satisfaction totale, quand bien même cela suppose de mettre sens dessus dessous tout ce que nous avions construit jusque-là. Mais en arrivant à cet autre stade d'accomplissement, ou en découvrant un matin que quelqu'un d'autre est dans notre lit, dans notre « vie », nous sommes assaillis par d'autres questions : est-ce que nous allons pouvoir garder tout cela ?

Est-ce que cela ne risque pas de nous échapper ? Ou, pire encore, est-ce que nous n'allons pas nous lasser, conclure que ce que nous possédions auparavant était en réalité ce que nous désirions ? Nous l'avons perdu et du coup c'est devenu notre objectif suivant, tout aussi illusoire, la chimère pour laquelle nous allons nous battre, jusqu'à l'obtenir. Et à ce point...

Assez !

Je me suis sorti de ces pensées mélancoliques en me rappelant une fois encore, pour citer Marc Aurèle, cet expert bien connu des mœurs hollywoodiennes, que le changement est le grand plaisir de la nature. En me disant aussi que la plupart des types que je connaissais, notamment des auteurs, seraient prêts à vendre leur mère pour être à ma place. Surtout quand je pouvais appuyer sur un bouton pour relever les stores et découvrir le bleu azuréen d'un matin tropical. Ou décrocher mon téléphone et non seulement me faire servir tout ce qui me passerait par la tête mais m'entendre proposer une flûte du meilleur champagne. Ou apprendre que Bobby Barra avait dû brusquement prendre ses cliques et ses claques...

Cette intéressante information m'est parvenue lorsque, enfin levé, j'ai remarqué une enveloppe qui avait été glissée sous ma porte :

Trouduc,

J'allais t'appeler hier quand Meg m'a dit que tu étais déjà au dodo avec ton nounours et un bol de lait chaud. Enfin, le principal, c'est que cinq minutes après notre arrivée j'ai appris que le patron d'une toute nouvelle boîte d'e-business qui devait entrer en Bourse la semaine prochaine vient d'être inculpé de toute une série de crimes atroces, corruption, fraude, actes contre nature sur fox-terrier et j'en passe. Avec mon pot habituel, mes associés et moi avons dans les trente millions en jeu sur cette IPO. Résultat, je file à New York et je joue les pompiers avant que toute cette foutue opération soit partie en fumée. Ce qui signifie aussi que tu vas être privé de ma compagnie pendant quelques jours. Je suis sûr que tu en es tout accablé et que tu vas t'empresser de déboucher le champagne. On dirait qu'on s'est pas mal cherché réciproquement des poux, hier. On avait tort tous les deux, bien entendu. Et bien entendu j'espère qu'on reste des amis. Amuse-toi bien. Il faudrait être complètement taré pour ne pas y arriver, ici. J'essaie de revenir au plus vite. D'ici là, notre cher hôte devrait avoir rappliqué avec tous les goujons qu'il a chopés. Prends le soleil. T'en as besoin, avec la tête que tu as.

Bobby.

Je n'ai pu m'empêcher de sourire, ni de penser qu'il était assez finaud pour comprendre comment rattraper ses « amis » juste au moment où ceux-ci s'apprêtaient à l'envoyer au diable.

Mon petit déjeuner a été servi, complété par une bouteille de Cristal 1991. À nouveau, j'ai dit à Meg que je ne prendrais qu'un verre, à quoi elle a répliqué : « Buvez autant ou aussi peu que vous le voulez. » Installé sur la terrasse, j'en ai eu deux, finalement, ainsi que plusieurs tasses de café, tout en nettoyant l'assiette de fruits exotiques que j'avais commandée et en goûtant aux muffins tropicaux qui m'étaient proposés. Comme j'avais découvert des haut-parleurs dissimulés dans le mur extérieur, j'ai écouté les *Pièces lyriques pour piano* de Grieg en me restaurant. Le soleil était déjà brûlant. Un rapide coup d'œil à ma messagerie électronique m'apprendrait qu'il n'y avait rien d'autre au programme de la journée que de bronzer. Sauf que… Sauf que j'ai aussitôt regretté l'idée d'aller me connecter, les communiqués en provenance du cyberespace se révélant des plus décourageants.

Il y avait tout d'abord une missive foudroyante de Sally :

David,

J'ai été à la fois surprise et plus que froissée par ta façon de réduire mes difficultés actuelles à une petite crise sans conséquence. Je me bats pour ma survie professionnelle, en ce moment, et j'avais par-dessus tout besoin de ton soutien, non de tes airs hautains. La déception a été d'autant plus dure que j'attendais ta confiance et ton amour.

Je dois aller à New York ce matin. N'essaie pas de m'appeler, je serai dans l'avion. Mais écris-moi, oui. Je ne demande qu'à croire que c'était simplement un faux pas de ta part.

Sally.

J'ai dû relire son texte à deux reprises, sidéré par cette attaque au point de rappeler mon propre e-mail et de l'étudier en essayant de comprendre ce qui avait pu la choquer à ce point. Qu'est-ce que j'avais donc écrit de si monstrueux, bon sang ? « Appelle-moi quand tu trouveras un moment de répit dans la bagarre. Je te connais, je suis certain que tu as déjà mis au point la tactique qui va te permettre de surmonter cette petite crise. Ce n'est pas toi qui vas te laisser impressionner. Je t'aime. Et bon, c'est le cliché des clichés, mais dommage que tu ne sois pas là. »

Ah, d'accord... J'avais eu le malheur d'employer le terme de « petite crise » à propos de ce combat du siècle. Alors que tout ce que j'avais voulu dire, c'est qu'au final, replacée dans une perspective plus générale, cette escarmouche était en effet de la petite bière. Mais si je jugeais sa réaction plus qu'exagérée, je savais que la dame attendait qu'on la prenne tout le temps au sérieux et qu'elle avait donc vu un affront dans ce qualificatif anodin, voire une scandaleuse remise en cause de son essence même. Bon Dieu, plus chatouilleux que ça... Pourtant, c'était moi qui étais devant le mur, là. Jusque-là, Sally et moi avions eu le rare privilège d'entretenir une relation dépourvue de malentendus et je ne voulais surtout pas que cet incident devienne le premier d'une longue série. Comme je voyais trop bien quelle serait sa réaction si je lui répondais qu'elle avait pris complètement à contrepied ce que je voulais dire – elle en aurait conclu que j'en étais arrivé à douter de sa capacité à communiquer par écrit, sans doute –, je préférais rengainer mon sabre. Si j'avais au moins tiré une leçon de onze ans de mariage, c'était celle-ci : pour détendre l'atmosphère après un accrochage, rien de tel que de reconnaître qu'on a eu tort... même si l'on est persuadé d'avoir raison.

J'ai donc cliqué sur la touche « Répondre » et je me suis fendu d'un message de capitulation totale, dans lequel je réitérais avec force mon amour et ma compréhension. Je me suis relativement mis à plat ventre, pour tout dire. Mais j'avais conscience qu'en dépit de son image de gagneuse Sally avait un ego qui demandait à être sans cesse rassuré. Pour être honnête, il y avait aussi cette certitude latente que la stabilité, à ce stade initial de notre relation, comptait plus que tout le reste, et qu'il valait mieux avaler une « petite » couleuvre, certainement, même si les proportions que ce manque de compréhension, disons, avait prises ne manquaient pas de m'inquiéter. Une fois encore, pourtant, je me suis répété la profession de ces derniers jours : « Elle est sous pression, et plus encore. Même si tu ne fais que lui demander l'heure, elle va sans doute se mettre dans tous ses états. Elle finira par se calmer quand tout rentrera dans l'ordre. »

Mon pari, quoi.

Une fois envoyé ce message contrit, je me suis penché sur le pépin suivant, en l'occurrence un coup de semonce de Lucy dans la veine : « Saloperie ambulante ! Lettre de mon avocat suit. » Après m'avoir annoncé que Caitlin avait éclaté en sanglots, elle m'informait que Marge, sa sœur, n'avait pu trouver qu'une place en classe affaires pour venir garder notre fille deux nuits durant et qu'elle avait dû placer Didon et Énée à la garderie pour chats pendant ce week-end. Coût total : 803,54 dollars, pour lesquels elle attendait un chèque aussitôt que possible. « Toute ton attitude dans cette histoire confirme ce que je pensais depuis que ton prétendu succès t'a laissé croire qu'il fallait te prostituer, poursuivait-elle : il n'y a que toi qui comptes. Mais ce que je t'ai dit plus tôt au téléphone tient toujours : tu ne t'en tireras pas comme ça. »

Dans la seconde, j'ai attrapé le téléphone en vérifiant l'heure à ma montre. Onze heures quatorze sous les tropiques, sept heures quatorze en Californie : avec un peu de chance, Caitlin ne serait pas encore partie à l'école. Et non seulement c'était vrai, mais elle a décroché avec un « Papa ! » étourdissant de bonheur.

— Hé, petite ! Tout va bien ?

— Tu sais, pour le spectacle de Pâques à l'école, je vais faire un ange !

— Tu *es* un ange.

— Non, je suis Caitlin Armitage.

— Oui… Écoute, pour ce week-end, je regrette. Parce que…

— Mais je vais rester avec tata Marge ! Et ses chats, ils vont aller dans un hôtel pour chats.

— Tu n'es pas fâchée contre moi ?

— Tu viens la semaine d'après, alors ?

— Sûr et certain, Caitlin. C'est promis.

— Et je pourrai être avec toi à ton hôtel ?

— Mais oui. Tout ce que tu voudras.

— Et tu vas m'amener un cadeau ?

— Promis. Je peux parler à maman, maintenant ?

— D'accord… Tant que vous vous disputez pas.

— Ah… On va essayer, ma chérie.

— Je voudrais te voir, papa.

— Moi aussi.

J'ai entendu qu'elle passait le combiné à Lucy, puis il y a eu un long silence qu'elle a fini par rompre.

— Alors, tu veux parler de quoi ?

— Elle a l'air complètement démolie, en effet. C'est effrayant.

— Je n'ai rien à te dire, à part…

— Parfait, parce que moi non plus. Sauf une chose : n'essaie plus jamais de me raconter n'importe quoi sur son état psychologique. Et je te préviens aussi que si tu tentes de la braquer contre moi, tu…

Elle m'a raccroché au nez mais cette fois, au moins, j'avais eu la possibilité de me laver de ses accusations, et surtout j'étais sacrément soulagé d'avoir vérifié que Caitlin n'était pas du tout effondrée. Marge et son week-end à huit cent trois dollars, c'était une autre affaire. Instructrice New Age avec plus qu'une tendance à l'embonpoint, Marge vivait toute seule dans son studio-ashram avec ses chats adorés, ses boules de cristal et ses disques de chants de chèvres népalaises. Je dois lui concéder qu'elle avait bon cœur et qu'elle chérissait son unique nièce, mais de là à payer une telle somme pour transférer sa corpulente anatomie à San Francisco, sans parler d'une pension cinq étoiles pour ses amis félidés... Qui aurait l'idée d'appeler deux sacs à puces « Didon et Énée », d'ailleurs ? Mais enfin, je savais que je devrais passer à la caisse, et je ne doutais pas que Marge la Gourou se mettrait la moitié de ces huit cents dollars dans la poche. Et je n'allais pas discuter, non, d'autant que j'avais remporté la partie, cette fois. D'avoir entendu Caitlin dire que je lui manquais m'a purgé de toute la colère accumulée depuis le matin. Je me sentais en forme, avec une île des Caraïbes à mon entière disposition, en plus.

J'ai demandé un journal sur la ligne intérieure. On m'a appris que le *New York Times* venait d'arriver par hélicoptère. En attendant, j'ai choisi un disque dans la banque audio du système, un concert en solo du formidable pianiste de jazz français Michel Petrucciani. Meg est arrivée avec le quotidien, m'a installé une chaise longue sur la terrasse avant de disparaître dans la salle de bains et de revenir avec six crèmes solaires différentes, de quoi protéger tous les types d'épiderme de la création. Elle attendrait mon appel pour le déjeuner, bien entendu.

J'ai lu mon journal tout en écoutant les brillantes improvisations de Petrucciani sur *Autumn Leaves* et *In a Sentimental Mood*, je me suis laissé doucement griller par le soleil et au bout d'une heure j'ai pensé qu'il était temps d'aller piquer une tête. Mon appel téléphonique a été pris par Gary, cette fois.

— Hello, monsieur Armitage. Tout se passe bien au paradis ?

— Pas mal du tout. Je me demandais juste s'il y avait un endroit particulier pour nager, ici. À part la piscine, évidemment.

— Nous avons une magnifique petite plage, mais bon, si vous avez plutôt envie de faire de la plongée…

Vingt minutes plus tard, j'étais à bord du *Truffaut* – comme François, oui –, une vedette de douze mètres avec un équipage de cinq personnes. Environ une demi-heure après, nous sommes arrivés à un banc de corail qui entourait un archipel d'îlots. On m'a équipé d'une combinaison, d'un masque et de palmes. L'un des membres d'équipage avait lui aussi passé une tenue de plongée.

— Voici Dennis, il va vous guider sur le banc, m'a informé Gary.

— Merci mais ce n'est vraiment pas la peine.

— Eh bien, M. Fleck tient à ce que ses invités ne plongent jamais seuls. Et puis ça fait partie du service.

Décidément incontournable à Saffron Island, cette formule. « Ça fait partie du service… » Avoir un accompagnateur personnel pour aller voir des coraux, par exemple. Et aussi quatre personnes pour veiller sur moi à bord pendant ce temps. Et encore la langouste grillée qui m'était réservée à mon retour sur le bateau, accompagnée d'un chablis tête de cuvée à la température idéale. Et quand une fois à terre j'ai eu le malheur de demander s'ils avaient le numéro du *New Yorker* de la semaine, ils ont envoyé l'hélicoptère le chercher à Antigua, malgré mes véhémentes protestations devant cette exorbitante dépense d'énergie (et d'argent !) pour un satané magazine.

Le « service », chez Fleck, c'est aussi lorsque Lawrence, le chef cuisinier de l'île, m'a appelé dans ma chambre pour me demander ce que je désirerais et, alors que je l'interrogeais sur ses suggestions, m'a répondu :

— Tout ce que vous voulez.

— Tout ?

— À peu près, oui.

— Mais... proposez quelque chose !

— Eh bien, je dois dire que ma spécialité est la cuisine du Pacifique, et comme nous ne manquons jamais du poisson le plus frais, ici...

— Je vous laisse décider.

Quelques minutes plus tard, Joan m'a contacté. Arrivée à la moitié du scénario, elle avait une dizaine d'incertitudes sur mes affreux gribouillages. Nous les avons éclaircies ensemble et elle m'a indiqué que l'ensemble de la frappe serait terminé vers midi le lendemain : M. Fleck étant attendu en fin d'après-midi, il allait sans doute vouloir lire immédiatement le texte quand il apprendrait que je l'avais remanié.

— Mais vous allez devoir travailler la moitié de la nuit dessus, ai-je objecté.

— Cela fait partie du service...

Si j'étais d'accord, elle me ferait porter une version du manuscrit avec mon petit déjeuner afin que je puisse y apporter d'éventuelles corrections avant la fin de la matinée.

Étendu sur le lit après une bonne douche, j'ai choisi l'interprétation historique des *Bagatelles* de Beethoven par Emil Gilels. Je me suis assoupi dans l'apaisante complexité de cette musique et à mon réveil une heure s'était écoulée. Une note avait été glissée sous ma porte, à nouveau.

Cher monsieur Armitage,

Nous n'avons pas voulu vous déranger mais vous trouverez sur le palier le numéro du New Yorker *que vous avez demandé, ainsi que le catalogue imprimé de la cinémathèque de l'île, au cas où vous désireriez une projection dans la soirée. Si c'est le cas, appelez-moi au poste 16. Par ailleurs, merci de contacter à votre convenance Claude, le sommelier, en rapport avec votre sélection de vins pour le dîner. Il se chargera de prévenir la cuisine de l'heure que vous avez choisie.*

C'est un vrai plaisir de vous avoir parmi nous, et comme je l'ai déjà dit hier, j'espère avoir celui de vous retrouver devant le grand écran.

Chuck.

Après avoir récupéré cette livraison dehors, je suis allé m'affaler à nouveau sur le lit en me demandant comment ils avaient pu savoir que j'avais fait un somme. Est-ce qu'il y avait des micros dans cette chambre, des caméras, ou bien était-ce une simple déduction après la journée en mer que j'avais eue ? Je devenais sans doute un peu paranoïaque à force d'être chouchouté à ce point, surtout dans cette île de conte de fées où mes moindres désirs étaient satisfaits avec un tel empressement. Une vieille anecdote m'est soudain revenue à l'esprit. Hemingway et Fitzgerald, assis dans un café parisien, voient passer un groupe de fêtards bien habillés. « Tu vois, Ernest, commente gravement Fitzgerald, ce ne sont vraiment pas des gens comme toi et moi, les riches. » À quoi Hemingway réplique d'un ton morne : « Ouais. Ils ont plus d'argent. »

Là, je découvrais ce que la richesse procure aux nantis, avant tout : la libération du quotidien le plus prosaïque. Quand on est aussi « foutrement riche » que Philip Fleck, toute la vie domestique devient un « service ». Plus besoin de changer les draps, bien sûr, ni même de ramasser une serviette tombée sur le sol de la salle de bains, ni de faire les courses, ni de descendre chercher le journal au kiosque, ni de perdre une demi-heure en voiture pour aller récupérer ses affaires chez le teinturier. Pas de facture à payer, non plus, puisqu'une escouade de comptables est là pour gérer votre argent et remplir vos chèques. Un petit voyage ? Vous avez le choix entre vos deux Gulfstream et votre 767 privé, puis il y aura une limousine à l'arrivée, ou un hélicoptère, ou une vedette, voire un véhicule blindé personnel si vous vous rendez dans une zone de guerre. La vraie richesse, c'est fondamentalement ce « cordon sanitaire » qui vous protège de toutes les petites tracasseries réservées au commun des mortels. L'argent confère aussi du pouvoir, évidemment, mais sa principale force reste de vous séparer du lot.

Vingt milliards de dollars… J'essayais toujours de me faire à ce chiffre, et à l'une des statistiques que Bobby s'était empressé de me fournir : les intérêts hebdomadaires que sa fortune rapportait à Fleck dépassaient les deux millions. Sans jamais toucher à son capital, il disposait donc d'environ cent millions annuels après impôts en… argent de poche. Quelle absurdité ! Est-ce que Fleck se rappelait seulement – ce qui était mon cas, pendant que mes années de galère étaient encore si proches – l'angoisse du loyer à payer, ou d'une note de téléphone en retard, ou de rouler dans une vieille guimbarde en priant pour que la boîte de vitesses ne vous lâche pas parce que vous n'avez pas de quoi la changer ? Ou plus simplement, est-ce qu'il était encore capable d'éprouver un souhait quelconque, dans un univers où ses moindres aspirations matérielles étaient satisfaites ? Est-ce que sa vision du monde n'était pas radicalement transformée par cet état de satiété absolue ? C'était une question théorique que je ne pouvais m'empêcher de me poser : une telle richesse permettait-elle de donner libre cours à ses besoins spirituels, de concevoir de plus vastes idées, de se consacrer à de grands projets ? Devenait-on une sorte de roi-philosophe moderne, un Médicis contemporain ? Ou même, lorsqu'on allait trop loin, un nouveau Borgia ?

En tout cas, je savais ce en quoi je me transformais après seulement une journée à Château-Fleck, moi : en enfant gâté. Et oui, j'ose le dire : ça me plaisait. Mes scrupules initiaux s'étaient émoussés et j'acceptais de mieux en mieux l'idée d'avoir tout un personnel – toute une île ! – à ma disposition. Pendant notre virée au large, Gary m'avait assuré que l'hélico serait prêt pour moi si je désirais passer une journée à Antigua, et que là-bas le Gulfstream décollerait à l'instant où je manifesterais l'intention d'aller voir plus loin, mais je lui avais répondu : « En fait, je préfère rester ici et décompresser un peu. »

Et pour décompresser… Ce soir-là, après la surprise du chef – une délicieuse bouillabaisse tropicale, accompagnée d'une non moins exquise bouteille de chardonnay Bon Climat –, j'ai eu la salle de projection rien que pour moi et je me suis offert une double séance Fritz Lang, avec *L'Invraisemblable Vérité* et *Règlements de compte*. En guise de pop-corn, Meg apparaissait de temps à autre avec un plateau de chocolat belge, un verre de bas-armagnac 1985. À la fin, Chuck m'a rejoint et nous avons eu une conversation passionnante sur les mésaventures du cinéaste allemand à Hollywood. Sa culture cinématographique était tellement impressionnante que je l'ai convaincu de prendre un armagnac avec moi et de me raconter un peu sa vie. J'ai ainsi appris qu'il avait connu Fleck au temps où ils étaient tous deux étudiants à la NYU, dans les années soixante-dix.

— C'était bien avant que Phil devienne riche. Bon, je savais que son père avait une usine d'emballage dans le Wisconsin, mais pour l'essentiel c'était un de ces gars qui rêvaient de devenir cinéastes, et en attendant il vivait dans un petit studio minable de la 11e Rue. Comme moi, il passait le plus clair de son temps libre au cinéma de Bleecker Street, ou au Thalia, ou au New Yorker, l'une ou l'autre de ces salles de Manhattan qui ont disparu depuis belle lurette. On est devenus amis à force de se rencontrer avant ou après un film, et en découvrant que nous pouvions très bien nous faire quatre séances dans la journée.

« Alors que Phil se voyait totalement dans le trip "cinéma d'auteur", mon grand rêve, c'était juste d'avoir une salle à moi et d'attirer l'attention des revues européennes dans le coup, *Sight and Sound* ou *Les Cahiers du cinéma*. Et puis son père est mort quand nous étions en seconde année, il a dû retourner à Milwaukee et nous avons perdu complètement contact, même si je continuais à avoir des nouvelles de lui par les journaux, d'abord lorsqu'il a rentré son premier million en débarquant en Bourse et puis quand il est devenu "le" Philip Fleck. Vous imaginez l'effet que ça faisait sur moi ? Mon copain de salles d'art et d'essai devenu multimilliardaire…

« Un beau jour de 1992, je décroche le téléphone et c'est lui, en personne. Il m'avait retrouvé à Austin, où j'étais, tenez-vous bien, assistant archiviste au département cinéma de l'université du Texas. Vingt-sept mille dollars à l'année mais pas désagréable, le boulot. Je n'en suis pas revenu, qu'il m'ait débusqué là-bas, mais il m'a dit : "Maintenant j'ai des gens qui peuvent me chercher tout ce que je veux." Il m'a exposé son plan d'entrée de jeu : il voulait créer la plus grande cinémathèque privée d'Amérique et il tenait à ce que je m'en charge pour lui. J'ai accepté avant même qu'il m'annonce le salaire proposé. Vous vous rendez compte, une chance pareille ? Et travailler pour un copain, en plus !

— Donc vous le suivez partout, maintenant.

— Exactement. Le dépôt central est près de chez lui, à San Francisco, mais nous avons aussi des archives dans chacune de ses résidences. J'ai la responsabilité des cinq personnes qui gèrent la collection mais je l'accompagne dans tous ses déplacements, parce qu'il veut m'avoir tout le temps sous la main. Le cinéma, c'est du sérieux, pour Phil.

En effet. Il fallait être un sacré mordu du grand écran pour avoir toute une équipe d'archivistes à ses ordres, pour payer quelqu'un à plein temps au cas où vous auriez brusquement envie de revoir un vieil Antonioni en pleine nuit, ou de discuter de l'art du montage chez Eisenstein en regardant le soleil se coucher sur les palmiers de Saffron Island.

— Ça a l'air d'être un job sympa, ai-je remarqué.

— Il n'y a pas mieux.

À nouveau, j'ai eu une nuit de sommeil impeccable, preuve indiscutable de ce que cette évasion tropicale avait de bénéfique pour moi. Comme je n'avais pas demandé à être réveillé, je me suis levé à mon gré, c'est-à-dire à onze heures, encore une fois. Un message écrit de Gary m'attendait devant la porte. Il m'informait que son patron avait fait savoir qu'il devait retarder son retour au lundi matin suivant et que l'île – le paradis – m'appartenait pendant ces trois jours supplémentaires. Mmm... Donc le marlin mordait vraiment et Philip Fleck pensait toujours que je n'étais pas plus intéressant qu'un banc de poissons. Étonnamment, j'ai très bien pris la nouvelle. Il voulait me faire attendre ? Qu'à cela ne tienne. Avec un cadre et un service pareils, j'étais prêt à me montrer un modèle de patience.

Avant de m'absorber dans des réflexions aussi complexes que le choix de mon petit déjeuner, j'ai pris mon courage à deux mains afin d'affronter ma boîte de réception d'e-mails. Cette fois, cependant, les hérauts cybernétiques ne m'apportaient pas de déception mais un message de réconciliation de Sally. Me remerciant pour mon « merveilleux e-mail », elle m'apprenait qu'elle séjournait dans un hôtel classieux de New York – The Pierre –, en tant qu'accompagnatrice de Stu Barker, venu rencontrer les gros bonnets de la Fox. Pendant tout le voyage – sur une ligne régulière, son nouveau chef n'ayant pas osé réquisitionner le jet de la société pour son premier déplacement –, Barker s'était montré des plus charmants et l'avait assurée de son désir de travailler avec elle. La grande réunion avec la direction devant débuter dans quelques heures, elle disait qu'elle essaierait de m'appeler plus tard mais qu'elle avait l'impression qu'ils reprendraient l'avion pour la Californie aussitôt la rencontre terminée. « Bronze pour nous deux », écrivait-elle avec un « Je t'aime » en conclusion.

Voilà qui était mieux, bien mieux. Certes, sa meilleure humeur s'expliquait en partie par le fait que Stu Barker ait décidé de faire le mielleux avec elle, mais enfin, rien de tel qu'une missive d'amour venue de la femme de son cœur pour commencer la journée en beauté… D'autant que ce n'était pas la seule bonne nouvelle de la matinée : alors que j'achevais de lire son mot, la fenêtre « Vous avez 1 nouveau message » s'est ouverte. C'était Alison :

Salut la Superstar !
J'espère que tu es bien installé dans un hamac et ivre de soleil pour entendre celle-ci : tu viens d'être sélectionné pour les Emmy.

145

Que Dieu nous vienne en aide, maintenant, pour supporter ton ego déjà assez développé (c'est une blague, d'accord ?).

C'est fantastique, David. Pour toi, et pour moi, parce que je ne vais pas me gêner pour faire passer ma com' à 25 % !

Comme dirait le roi Lear, bien joué, mon pote ! Est-ce que je pourrai être ta cavalière pour la cérémonie, ou tu crois que Sally prendrait ça mal ?

Bises.

Alison.

Quelques heures plus tard, le déluge de félicitations reçues m'avait plongé dans un état voisin de la béatitude. Brad Bruce m'a téléphoné pour exprimer sa joie et celle de toute l'équipe de la série… même s'ils trouvaient un peu dur que j'aie été le seul remarqué par le jury des Emmy. Le chef des projets de divertissement à la FRT, Ned Sinclair, m'a également appelé, ainsi que deux acteurs du feuilleton, et je ne parle pas de la douzaine d'e-mails envoyés par des amis ou des connaissances au sein de la prétendue « industrie du spectacle ». Mieux encore, Sally a réussi à s'échapper de son sommet new-yorkais pour me passer un coup de fil. Une secrétaire avait apporté à ses chefs la liste des sélections aux Emmy en pleine réunion et ils s'étaient évidemment rués dessus pour voir si la Fox avait glané quelque chose :

— L'un d'eux m'a regardée et il a dit : « David Armitage, ce n'est pas votre fiancé ? » Et il m'a expliqué que tu étais dedans. J'en ai presque crié de joie. Je suis tellement fière de toi ! En plus, inutile de te dire que ça a encore remonté ma cote auprès des grands chefs…

— Comment ça se passe, là-bas ?

— Je ne peux pas trop parler, tout de suite, mais en gros je pense que nous sommes en train de gagner.

« Nous » ? Fallait-il entendre qu'elle faisait maintenant équipe avec le charmant Stu Barker, celui qu'elle tenait quelques jours plus tôt pour le Heinrich Himmler de la comédie télévisée ?

— On dirait que vous avez vraiment fait amis, tous les deux.

— Je continue à me méfier de lui, m'a-t-elle affirmé dans un murmure, mais enfin c'est mieux de l'avoir de mon côté que de savoir qu'il a sa batterie de missiles tournée contre moi. Bon, je ne vais pas t'ennuyer avec des histoires de bureau…

— Tu ne m'ennuies jamais, mon amour.

— Et toi, tu es l'homme le plus adorable et le plus doué de la planète.

— Ah, je vais avoir la grosse tête pour de bon, maintenant.

— Mais oui. Tu le mérites. Si tu es d'accord, je vais voir un peu cet après-midi ce que Prada aurait pour nous habiller à la fameuse soirée.

Pourquoi pas ? Puisque Sally avait l'air si contente de baratiner les Italiens jusqu'à ce qu'ils lui prêtent quelques frusques pour la grande nuit… D'accord, elle avait déjà plusieurs robes du soir plutôt spectaculaires dans sa penderie, mais tout le truc, c'était de pouvoir dire quand tout le monde s'extasierait sur sa fabuleuse tenue que Prada nous avait priés de leur faire l'honneur de porter quelque chose d'eux à la cérémonie des Emmy. Qu'elle leur ai téléphoné elle-même resterait un secret bien gardé.

— Écoute, chérie. Le grand Fleck est toujours à chasser la baleine quelque part, il ne revient que lundi, mais il m'a donné les clés du royaume. Ce qui signifie notamment que je peux envoyer un Gulfstream te chercher à New York et te ramener ici.

— Ah, mon Dieu, j'aimerais tellement... Mais je suis obligée de rentrer à L.A. avec Stu. C'est assez crucial pour moi que la bonne entente se maintienne, tu comprends ? Et puis il veut qu'on ait une réunion de planification sérieuse au bureau, dimanche.

— Je vois..., ai-je répondu d'un ton aussi dégagé que possible.

— Ne sois pas déçu, je t'en prie. S'il n'y avait pas eu tout ce tintouin, tu sais que je t'aurais rejoint immédiatement.

— Je comprends, oui.

— Parfait, a-t-elle énoncé, pressée d'en finir avec cette pomme de discorde potentielle. Bon, je voulais juste te dire que je suis tellement contente pour toi et que je t'aime, et que... il faut vraiment que je retourne là-bas. Je te rappelle demain, dès que je suis de retour à la maison.

Sans me laisser le temps de dire au revoir, elle a raccroché. Les cinq minutes qu'elle avait eu à me consacrer dans son planning étaient terminées... Mais non, c'était de l'ingratitude, de voir les choses ainsi. Elle avait trouvé le temps de m'appeler, et donc... Donc tout allait bien. Elle était occupée à former une alliance avec son nouvel *Uberführer*, M. Barker. Mais elle était ravie par la nouvelle. Et elle avait dit qu'elle m'aimait.

D'accord ? On arrête là ? Convaincu ?

Ouais. À peu près. La vérité, c'était que j'aurais voulu qu'elle laisse tout tomber pour se précipiter ici et me répéter que j'étais ce que la vie lui avait accordé de mieux. Pas du tout par manque de confiance en moi, n'allez pas croire… Mais ces états d'âme n'allaient pas résister à une autre soirée avec tout le personnel de l'île aux petits soins, et une bouteille de morgon 1975 à se damner, et une autre double séance de mon cru – *Ace in the Hole*, de Billy Wilder, suivi d'un Kubrick, *L'Ultime Razzia* –, et le gâteau en forme d'Emmy que le chef pâtissier avait spécialement réalisé pour moi.

— Comment vous avez su ? ai-je demandé à Gary lorsqu'il m'a apporté la friandise dans la salle de projection, flanqué de cinq ou six membres de l'équipe.

— Ah, les nouvelles vont vite…

C'était un univers où l'on savait tout de vous, où vos désirs étaient satisfaits avant d'avoir été exprimés, où toutes les responsabilités quotidiennes incombaient à d'autres que vous. Où vous deveniez une sorte de rétine ambulante, qui n'enregistrait les images que pour elle-même, aveugle aux réalités extérieures. Mais jouer les touristes dans un contexte aussi raffiné n'était pas pour me déplaire, loin de là. Je me délectais de ce luxe absurde tout en sachant qu'un jour ou deux après le retour du propriétaire je serais poliment éconduit de ce périmètre d'irréalité, renvoyé au monde du « vin ordinaire »… même si c'était au service de l'industrie de l'illusion que je travaillais.

Alors que je m'étais promis de ne pas lever le petit doigt tant que je serais sur l'île, je me suis retrouvé dans le hamac de ma terrasse, stylo rouge à la main, dès que Joan m'a livré mon manuscrit tout frais imprimé. La nouvelle version, de huit pages plus courte, avait nettement plus de rythme, avec des dialogues moins « attendus », une intrigue plus nerveuse. À la seconde lecture, pourtant, je trouvai que le troisième acte – les suites de l'attaque de la banque, quand les deux complices se retournent l'un contre l'autre – paraissait désormais artificiel, convenu. Au cours du week-end, j'ai donc remanié les trente et une pages finales en trouvant une série de rebondissements et en concoctant une fin qui, à ma peu humble opinion, était diaboliquement bien vue, en ce qu'elle prendrait le public totalement à contre-pied. Les bons se révélaient être les méchants, qui eux-mêmes avaient vu clair dans le jeu des soi-disant gentils depuis le début. Cela restait dans la loi du genre, certes, mais sans prendre les spectateurs pour des imbéciles. Et ça fonctionnait parfaitement, en plus.

Une fois encore, je me suis laissé absorber entièrement. Malgré le temps toujours au beau fixe, je suis resté enfermé dans ma chambre, ne m'accordant que trois heures dehors par jour. Dimanche, en début de soirée, j'avais terminé, et peu après Joan est venue prendre la version finale de l'acte III. Après avoir fêté l'événement avec une flûte de champagne – ils ont encore insisté pour m'apporter la bouteille entière, toujours du Cristal –, j'ai passé une heure dans un bain à remous avant un dîner de crabe farci arrosé d'une demi-chablis, aussi grandiose qu'à l'accoutumée. Il était environ vingt-deux heures quand Joan est revenue avec la partie corrigée.

— Je vous rends le tout relu à minuit.

— Merci, monsieur Armitage.

Ma tâche accomplie, je suis tombé sur mon lit et j'ai dormi tard le lendemain, jusque vers onze heures. Le nouveau manuscrit, relié, est arrivé sur le plateau du petit déjeuner avec une note non signée : « Nous venons d'avoir des nouvelles de M. Fleck. Il a reçu votre texte et se propose de le lire dès que possible. Malheureusement, il a encore été retardé en mer mais il prévoit de rentrer mercredi matin et de vous voir aussitôt. »

Ma réaction initiale a été : « Va te faire mettre, mon vieux. Je ne vais pas attendre ici que tu daignes m'honorer de ta présence. » Mais quand j'ai appelé Sally sur son portable à L.A. – elle venait de terminer un petit déjeuner de travail avec Stu Barker – pour lui dire que Fleck commençait à m'agacer, elle a réagi différemment :

— À quoi tu t'attendais ? Le bonhomme peut faire tout ce qu'il veut, et il ne s'en prive pas. De toute façon, tu n'es que le scénariste, chéri, et donc…

— Ah, merci !

— Allez, tu sais comment ça marche, les petits poissons et les gros, la chaîne alimentaire… C'est peut-être un rigolo mais c'est lui qui a l'argent, donc c'est le roi.

— Et moi un serf taillable et corvéable à merci.

— Je n'en connais pas tant qui ont une île de luxe à leur disposition. Mais enfin, si tu le sens, vas-y, pique ta crise et demande qu'on te ramène à L.A… Sauf que tu ne me verras pas durant les trois nuits qui viennent. Je dois faire la tournée des popotes de nos sous-traitants à San Francisco, Portland et Seattle.

— C'est nouveau, ça, non ?

— Ça date d'hier soir. Stu a pensé qu'il fallait aller inspecter un peu nos principaux marchés sur la côte pacifique.

— Ça gaze vraiment bien, entre « Stu » et toi.

— Je crois que mes compétences l'ont convaincu, si c'est ça que tu veux dire.

Pas vraiment, non. Mais je ne voulais pas non plus insister sur le sujet et risquer de passer pour le mari grincheux dans un mauvais vaudeville. Sally, pourtant, ne s'est pas méprise :

— Est-ce que je ne décèlerais pas un soupçon de jalousie dans ta remarque ?

— Mais non.

— Tu sais pourquoi je dois passer la pommade à ce type, non ?

— Mais oui, mais oui.

— Tu comprends que j'essaie de tenir les barbares à distance ?

— Je ne cherchais pas à...

— Et tu devrais aussi savoir que je suis follement amoureuse de toi, et que je n'aurais même pas l'idée de...

— Bien sûr, bien sûr. Excuse-moi.

— Tu es excusé, a-t-elle répliqué plutôt sèchement. Il faut que je retourne à cette réunion. À plus tard.

Elle a raccroché.

Crétin, double crétin, triple crétin. Tenir un peu ma langue, c'était donc au-dessus de mes forces ? « Ça gaze vraiment bien, entre Stu et toi » : quelle finesse, quelle élégance ! Maintenant, il ne me restait plus qu'à tenter de rattraper le coup par un supplément d'attentions. J'ai repris le téléphone pour contacter Meg et lui demander de faire envoyer un bouquet de fleurs à L.A.

Avec plaisir, a-t-elle répondu sans surprise. Et sans accepter que je lui donne mon numéro de carte de crédit : « Nous serons heureux de nous en charger. Vous avez une préférence, pour les fleurs ? » Non, quelque chose de raffiné, quoi… Et le message d'accompagnement ? Il fallait se montrer apaisant et flatteur sans aller jusqu'à l'obséquiosité. J'ai opté pour la formule suivante : « Tu es ce qui m'est arrivé de mieux dans ma vie. Je t'aime. » Meg m'a affirmé que le bouquet serait livré au bureau de Sally d'ici une heure, et en effet, quatre-vingt-dix minutes après, un e-mail me parvenait de Californie :

C'est ce que j'appelle s'excuser avec style. Je t'aime aussi. Mais essaie d'arrêter de broyer du noir, d'accord ?

Sally.

J'ai tenté de suivre son conseil en appelant Gary pour convenir d'une excursion dans un petit archipel proche de Saffron Island. Quand je suis monté à bord, l'un des voiliers de Fleck était prêt au départ, avec l'équipement nécessaire pour le cas où je voudrais faire de la plongée, et la présence de l'un des chefs en second, qui m'a improvisé un succulent déjeuner. Un hamac tendu entre les mâts m'a offert une sieste d'une heure. À mon réveil, on m'a proposé un cappuccino que j'ai immédiatement accepté. Il y avait aussi, imprimé sur papier, un e-mail que venait de m'envoyer Chuck, le Monsieur Cinéma de l'empire Fleck. À la demande expresse de son seigneur et néanmoins ami, il proposait de me projeter un « film très spécial » ce soir-là. « Dites-moi quelle heure vous conviendrait et je tiendrai le pop-corn au chaud », concluait-il.

Quand j'ai demandé au steward si je pouvais contacter Chuck, il m'a immédiatement apporté le téléphone de bord.

— Alors, ce film, c'est quoi ?

— Désolé, monsieur Armitage, mais c'est une surprise.

— Pourquoi tant de mystère ?

— Ce sont les ordres de M. Fleck. Mais je puis vous dire que vous allez vous souvenir de cette soirée.

À neuf heures, j'entrais en salle de projection. Installé dans l'un des gros fauteuils en cuir, un bol de pop-corn sur les genoux, j'ai attendu que les lumières s'éteignent. Une version années quarante du vieux standard *These Foolish Things* est sortie des haut-parleurs tandis qu'apparaissait sur l'écran l'annonce du film qui allait m'être projeté : *Salo ou les Cent Vingt Journées de Sodome*, de Pier Paolo Pasolini.

Je connaissais évidemment la sulfureuse réputation de l'ultime œuvre de Pasolini, une transposition hallucinée du livre de Sade dans l'Italie fasciste. Comme la plupart des gens relativement raisonnables, je ne l'avais jamais vue : après sa présentation au milieu des années soixante-dix, le film avait été interdit à peu près partout aux États-Unis, y compris à New York. Et quand on décroche ce genre de sanction dans une ville aussi libérale, c'est en général que l'on est allé un peu trop loin. Une vingtaine de minutes m'a suffi à m'en convaincre.

Située dans la « République » de Salo, dernier sursaut mussolinien à la fin de la guerre, l'action met en scène quatre aristocrates dépravés qui sont convenus d'épouser leurs filles respectives. Loin d'arrêter là leurs turpitudes, le quatuor écume la campagne du Nord italien à la recherche d'adolescents, filles et garçons, que les gardes ont raflés pour eux. Les victimes sont conduites dans un palais où aucune loi humaine ne s'exerce plus, et soumises aux caprices orgiaques de leurs maîtres. Entre autres exactions, ils organisent un « mariage » entre une fillette et un gamin à peine pubères, et, sans laisser le temps à ce dernier de pénétrer sa « promise », se ruent sur eux pour déflorer l'un et l'autre.

Suit une scène de coprophagie particulièrement répugnante, mais alors que je pensais que le pire avait été atteint, les quatre larrons se lancent dans une orgie de tortures et de mutilations, arrachant des yeux, brûlant des seins et coupant des langues à tout va. Puis c'est à nouveau la musique évoquant ces « petites folies », sur laquelle deux gardes se lancent dans un slow langoureux. Fondu au noir. Générique de fin. Envoyez le Valium, ou le scotch, ou la morphine, n'importe quoi d'assez fort pour effacer de ma mémoire ces deux heures de monstruosité…

Quand les lumières se sont rallumées, j'étais en état de choc. Ce film n'était pas seulement « trop », il dépassait toutes les limites. Le plus dérangeant, c'était qu'il ne s'agissait pas là de quelque *snuff movie* tourné à la va-vite dans un entrepôt de la vallée de San Fernando par une bande de cinglés : Pasolini était un réalisateur aussi cérébral qu'exigeant, et il avait donné là une exploration rigoureuse de la logique totalitaire qui ne s'embarrassait pas de bon goût. Ici, dans une salle luxueuse, sur une île privée des Caraïbes, on avait voulu que je sois témoin des pires excès perpétrés par des êtres humains. Et une question se présentait à moi, incontournable : « Qu'est-ce que ce malade de Fleck a voulu te dire par là ? »

Avant d'avoir pu considérer un début de réponse, cependant, j'ai entendu une voix derrière moi :

— Je suis sûre que vous ne refuseriez pas un verre, après ça.

Je me suis retourné. Une femme d'une trentaine d'années se tenait debout, séduisante et sévère à la fois, avec ses lunettes à monture en écaille et ses longs cheveux auburn ramassés dans un chignon très Nouvelle-Angleterre.

— Je ne refuserais pas dix whiskys d'affilée, non. C'était vraiment...

— Horrible ? Effrayant ? Répugnant ? Abominable ? Ou tout simplement vulgaire ?

— Tout ça, oui.

— J'en suis désolée. Malheureusement, mon mari a un sens de la plaisanterie très particulier.

Je me suis levé d'un bond, la main tendue.

— Oh, pardon ! Je n'avais pas saisi. Je suis...

— Je sais qui vous êtes, David, m'a-t-elle coupé avec une ébauche de sourire. Martha Fleck, enchantée.

6

— Alors, quel effet cela fait-il, d'avoir du talent ?
— Pardon ?
Martha Fleck souriait pour de bon, maintenant :
— C'était simplement une question.
— Plutôt… directe.
— Ah oui ? Je la trouvais gentille, moi.
— Je ne suis pas particulièrement talentueux.
— Si vous le dites…
— Non, c'est vrai.

— La modestie est une admirable qualité. Si j'en crois mon peu d'expérience professionnelle, toutefois, les scénaristes se caractérisent généralement par un mélange d'inquiétude et d'arrogance. Avec une nette prédominance de ce dernier trait, d'habitude.

— Vous entendez par là que je suis arrogant ?

— Pas vraiment. – Elle m'a décoché un nouveau sourire. – Mais enfin, pour se réveiller chaque matin et se confronter à un écran vide, il faut avoir une très, très haute opinion de soi-même. Eh bien, ce verre ? Vous en avez besoin, non ?

ai l'impression de sortir d'un accident de
e.

— Oui ? Mon mari tient ce film pour un authentique chef-d'œuvre. Mais bon, il est aussi l'auteur de
La Dernière Chance, non ? Je suppose que vous l'avez
vu ?

— Euh, oui ! Très… intéressant.

— Quel diplomate vous faites !

— C'est bien, non ?

— Oui, mais ça tue la conversation. – Je n'ai rien
répondu. – Allez, David, jouons un peu au jeu de la
vérité. Qu'est-ce que vous avez vraiment pensé du film
de Philip ?

— Eh bien… Ce n'est pas le meilleur que j'aie vu
de ma vie.

— Allons ! Vous pouvez faire mieux que ça.

Je l'ai dévisagée, à la recherche d'un indice, mais il
n'y avait que ce sourire amusé.

— D'accord. Puisque vous voulez la vérité, j'ai
trouvé que c'était un navet prétentieux.

— Bravo. Vous avez gagné votre verre.

Elle s'est penchée pour appuyer sur une petite télécommande dissimulée dans le bras de son fauteuil.
Nous étions dans le « salon-musée » de la maison, où
elle m'avait invité à la suivre. Elle était assise sous
un Rothko de l'époque tardive, deux grands carrés
noirs en fusion, traversés par un mince pli orangé,
comme une discrète promesse d'aube dans toute cette
obscurité.

— Vous aimez Rothko, David ?

— Bien sûr.

— Philip aussi. C'est pourquoi il en possède huit.

— Ça fait beaucoup de Rothko.

— Et beaucoup d'argent. Dans les soixante-quatorze millions l'ensemble.

— C'est impressionnant.

— Non, c'est une broutille.

Elle a encore marqué une petite pause pour me regarder la regarder et tenter d'évaluer ma réaction à un autre de ses paradoxes, qu'elle lançait sur un ton invariablement dégagé, taquin presque. À ma grande surprise, je commençais à la trouver dangereusement séduisante.

Gary est arrivé.

— Content que vous soyez de retour, madame. Comment était New York ?

— Aussi nombriliste que d'habitude. Alors, David, est-ce que nous allons boire ou est-ce que nous allons « vraiment » boire ?

— Eh bien…

— La deuxième option, je présume. Quelles vodkas avons-nous ici, Gary ?

— Nous en avons de trente-cinq sortes, madame.

— Trente-cinq. N'est-ce pas comique, David ?

— Ça fait beaucoup de vodkas.

— Oui. Alors, Gary, dites-nous : de toutes ces fabuleuses vodkas, laquelle serait la plus sublime ?

— Nous avons une Stolychnaïa Carte d'Or 1953, triple distillation.

— Attendez que je devine : elle vient de la réserve personnelle de Staline.

— Je ne pourrais l'affirmer, madame. Mais ce devrait être quelque chose d'assez remarquable.

— Alors servez-nous, je vous prie. Avec un peu de béluga en accompagnement, d'accord ?

Avec un signe de déférente approbation, Gary s'est retiré.

— Vous n'étiez pas en croisière avec votre mari, madame Fleck ?

— Je m'appelle Martha. Et, comme je n'ai jamais été fascinée par Hemingway, je ne vois pas la nécessité de passer des jours en mer à la poursuite de je ne sais quel monstre marin.

— Donc New York. Voyage d'affaires ?

— Là, je suis réellement en admiration devant vos talents diplomatiques, David. Quand on a un époux qui pèse vingt milliards de dollars, les gens ne s'attendent pas à ce que vous ayez la moindre activité, d'habitude. Mais oui, c'est exact, je suis allée là-bas pour un conseil d'administration de la petite fondation que j'ai créée en faveur des scénaristes indigents.

— Ah, j'ignorais l'existence de cette espèce.

— Joli. D'après ce que j'ai pu voir, pourtant, la plupart de vos collègues ont vu tourner leur chance, sauf quand ils ont eu un coup de bol, brusquement. Comme vous.

— Oui. Et ce n'était que ça, de la chance.

— Votre extrême modestie commence à m'inquiéter, David, a-t-elle remarqué en m'effleurant la main.

— Vous avez été éditrice de scénarios, n'est-ce pas ? ai-je demandé en reculant discrètement mon avant-bras.

— On ne peut rien vous cacher. Oui, j'ai été « conseillère dramatique », ce qui, comme vous le savez, est le titre ronflant que l'on donne aux gens qui retravaillent des scripts et trouvent parfois un projet de

160

pièce intéressant dans le tas de manuscrits qu'ils reçoivent chaque jour.

— Et c'est ainsi que vous avez rencontré…

— Philip Fleck ? Oui, c'est de cette manière que je suis tombée sur mon destin conjugal. Dans cette ville intensément romantique et scintillante qui a pour nom Milwaukee, Wisconsin. Vous connaissez, David ?

— Non, hélas.

— Un endroit de rêve. La Venise du Midwest.

J'ai lâché un petit rire.

— Et que faisiez-vous là-bas ?

— Milwaukee s'enorgueillit d'un théâtre à peu près correct et ils cherchaient quelqu'un pour le travail que je viens de décrire. Moi, je cherchais un job et le salaire proposé n'était pas trop mal : vingt-huit mille annuels, plus que ce que j'avais jamais gagné ailleurs. Ils disposaient de fonds assez coquets grâce au bienfaiteur local, M. Fleck, qui mène une vraie croisade pour transformer sa ville natale en capitale des arts et des lettres : un nouveau musée, un département cinéma à l'université avec évidemment ses propres archives… Tout ce que Milwaukee attendait depuis des lustres, quoi. Et bien entendu un auditorium flambant neuf pour la troupe de théâtre du coin. Je crois que Philip a déjà dépensé autour des deux cent cinquante millions sur ces trois projets.

— C'est très généreux de sa part.

— Et très futé, également. Le tout est passé en déductions d'impôts.

Gary est réapparu derrière une table roulante sur laquelle trônait un bol à caviar en argent, entouré de glace pilée, ainsi qu'une assiette de tranches de pain de seigle, deux verres à vodka finement travaillés et bien

161

sûr la fameuse bouteille, elle aussi enchâssée dans de la glace. Il l'a présentée cérémonieusement à Martha, qui a jeté un coup d'œil à l'étiquette, apparemment très ancienne et très cyrillique.

— Vous lisez le russe, David ? Moi non plus. Mais je suis sûre que 1953 a été une grande année pour la Stoli. Versez, Gary.

Elle a trinqué avec moi et nous avons avalé nos verres d'un trait. J'ai été pris d'un agréable frisson en sentant le liquide froid et souple givrer mon palais puis me monter droit au cerveau. Martha a dû éprouver la même sensation puisqu'elle a poussé un petit soupir avant de murmurer :

— Efficace.

Gary avait déjà rempli à nouveau nos verres et nous présentait des canapés de caviar, que j'ai goûtés.

— Est-ce qu'il vous convient, David ?

— Eh bien… Ça a le goût du caviar, en effet.

Nous avons bu encore une rasade et Martha a déclaré à Gary qu'il pouvait nous laisser la bouteille. Après son départ, elle m'a reservi elle-même.

— Vous savez, avant de rencontrer Philip, je ne connaissais rien aux produits de luxe, ni la différence entre… voyons, une Samsonite et une Vuitton. Tout ça me semblait absolument sans importance.

— Et maintenant ?

— Maintenant, je suis une matérialiste de haut niveau. Je suis capable de vous dire le prix de la demi-livre de caviar iranien ou de vous confirmer que le verre que vous avez en main est un Baccarat, ou de vous indiquer que votre fauteuil est un Eames spécialement exécuté pour Philip contre la modique somme de quatre mille deux cents dollars.

— Alors qu'avant, quand vous ne connaissiez pas tout cela…

— Je gagnais dans les mille huit par mois, je vivais dans un studio étriqué, je conduisais une vieille Polo et Gap était une grande marque, pour moi.

— Ça vous embêtait de ne pas avoir d'argent ?

— Je n'y pensais même pas, en fait. Je n'étais pas dans le circuit du fric, donc je m'habillais comme une marginale, je raisonnais comme une marginale et je m'en portais très bien. Mais vous ? Est-ce que je me tromperais si je pensais que vous détestiez la vache enragée ?

— L'argent rend tout plus facile.

— Oui. Mais quand vous travailliez dans cette librairie, Book Soup, cela ne vous arrivait pas d'envier tous ces auteurs à succès qui passaient par là, avec leurs contrats à sept zéros, leur Porsche garée dehors, leurs montres Tag Heuer, leurs… ?

— Comment savez-vous que j'ai été employé là-bas ?

— J'ai lu votre dossier.

— Quoi ? Vous avez un dossier sur moi ?

— Disons quelques informations que les gens de Philip ont réunies quand vous avez accepté de venir ici.

— Et de quoi s'agit-il, exactement ?

— Oh, des coupures de presse, un résumé biographique actualisé, quelques données basiques qu'ils ont pu glaner ici et là…

— Par exemple ?

— Mais « ce qu'il faut savoir sur David Armitage », en gros : vos boissons préférées, le genre de films que vous aimez, la situation de vos comptes en banque et de

163

votre portefeuille d'actions, le nom de votre analyste, etc.

— Je n'ai pas d'analyste ! l'ai-je coupée d'un ton assez sec.

— Vous en avez eu un, non ? Juste après votre séparation avec Lucy, quand Sally et vous avez commencé à vivre ensemble, vous avez vu pendant six mois le docteur... comment s'appelle-t-il, déjà ? Tarbuck, c'est ça ? Donald Tarbuck, installé sur Victory Avenue à West L.A. Pardon ! Ce n'était pas à mon tour de parler.

Je me suis senti très mal à l'aise, soudain.

— Qui vous a raconté tout ça ?

— Mais personne ! Je l'ai lu, c'est tout.

— Quelqu'un a bien dû le dire à « vos gens ». Qui ?

— Pas la moindre idée, franchement.

— Je parie que c'est ce petit salaud de Barra.

— Je vois que je vous ai contrarié, ce qui n'était pas mon intention, au contraire. Mais laissez-moi vous certifier que Bobby n'est pas un indic et que vous n'avez pas atterri dans une sorte d'Allemagne de l'Est nouvelle manière. Il se trouve seulement que mon mari est quelqu'un d'extrêmement pointilleux qui exige chaque fois un maximum de données sur les personnes qu'il envisage d'embaucher.

— Je ne me suis porté candidat à aucun poste.

— Je vous l'accorde. Disons simplement que Philip avait envie de travailler avec vous et qu'il a donc jugé bon de se renseigner un peu sur vous. Tout le monde fait ça, de nos jours. On n'en parle plus, d'accord ?

— Je ne suis pas paranoïaque, vous...

— Bien sûr que non. – Elle a rempli une nouvelle fois nos verres. – Allez, faites-vous du bien.

La vodka est passée très facilement, preuve que ma gorge comme mon cerveau s'étaient encore engourdis.

— Ça va mieux, maintenant ?

— C'est de la bonne vodka.

— Vous vous voyez comme quelqu'un de fondamentalement heureux, David ?

— Pardon ?

— Je me demandais juste si au fond de vous-même vous gardez des doutes sur votre réussite, sur le fait que vous la méritez vraiment.

Je n'ai pu m'empêcher de rire.

— Vous jouez toujours les agents provocateurs de cette manière ?

— Seulement avec les gens qui me plaisent. Mais j'ai raison, non ? J'ai la sensation que vous ne croyez pas dur comme fer à votre succès. Et qu'en réalité vous vous reprochez d'avoir laissé votre femme et votre enfant.

Pendant le long silence qui a suivi, j'ai attrapé la bouteille de vodka pour nous servir tous les deux.

— J'ai l'impression de poser trop de questions. – Je me suis contenté de vider mon verre. – M'en permettrez-vous encore une ?

— Laquelle ?

— Qu'est-ce que vous pensez du film de Philip, vraiment ?

— Je vous l'ai dit.

— Non. Vous avez répondu que c'était un navet prétentieux. Mais vous n'avez pas expliqué pourquoi vous le jugez ainsi.

— Vous voulez savoir ?

Elle a avalé sa vodka, elle a hoché la tête, et donc je lui ai dit exactement pour quelle raison je pensais que c'était le film le plus atroce que j'aie jamais vu, en le décortiquant scène par scène, en démontant chaque personnage, en lui expliquant en quoi les dialogues étaient plus qu'artificiels, en établissant ce que toute l'entreprise avait de ridicule. L'alcool avait dû enclencher le circuit de la logorrhée dans ma tête car j'ai discouru de la sorte pendant dix minutes d'affilée, ne m'interrompant que pour expédier les trois rasades que Martha m'a versées. Quand je me suis enfin tu, il y a eu ce qui m'a paru un froid très net.

— Bon, vous m'avez demandé mon avis, ai-je plaidé, la langue un peu pâteuse.

— Vous l'avez donné, et comment.

— Désolé.

— Pourquoi ? Tout ce que vous avez dit est entièrement fondé. Plus, même : c'est exactement ce que j'ai expliqué à Philip avant que le film passe en préproduction.

— Mais… Je croyais que vous aviez travaillé le scénario avec lui ?

— En effet. Et croyez-moi : comparé à la version originale, ce qui a été tourné constitue un énorme progrès. Enfin, relativement, puisque le résultat reste aussi désastreux.

— Donc vous n'avez pas eu d'influence sur lui ?

— Depuis quand une obscure scripte a-t-elle une quelconque influence sur un grand réalisateur ? Déjà que l'immense majorité des scénaristes sont traités comme des bêtes de somme, à Hollywood, les grouillots dans mon genre sont du menu fretin, pour rester polie.

— Même pour quelqu'un qui est tombé amoureux de vous ?

— Oh, ça, c'est arrivé bien après le film.

Elle m'a alors raconté qu'elle avait été présentée à Fleck par le directeur du théâtre de Milwaukee au cours d'une visite du mécène dans les locaux qu'il gratifiait de sa magnanime protection. En apprenant sa fonction, il lui avait déclaré qu'il venait justement de terminer un scénario et qu'il pourrait apprécier un regard compétent sur ses qualités et ses éventuels défauts.

— J'ai répondu que ce serait un « honneur » de le lire, évidemment. Qu'est-ce que j'aurais pu dire d'autre à notre saint patron, notre seigneur et maître ? En fait, ce que j'ai pensé, c'est : « Aïe, le richissime fils prodigue nous a pondu le texte du siècle ! » Mais je n'ai pas cru une seconde qu'il me le montrerait : quand on a une fortune pareille, on peut se payer les conseils d'un Robert Towne ou d'un William Goldman, non ? Le lendemain matin, pourtant, j'ai trouvé le manuscrit sur ma table dans le cagibi qui me servait de bureau, avec une note signée « PF » dans laquelle il me remerciait de lui donner mon opinion sous vingt-quatre heures.

Elle n'avait donc eu d'autre choix que de passer la journée à lire ce machin, puis toute la nuit à se ronger les sangs en se demandant comment réagir. Aussi convaincue qu'elle ait été que le scénario n'était ni fait ni à faire, elle se rendait compte qu'elle pourrait dire adieu à son emploi si elle répondait par la vérité.

— À cinq heures du matin, j'étais encore à souffrir sur une note de lecture qui pourrait lui faire comprendre que c'était sans espoir, mais sur le ton le plus neutre possible. Le problème, c'est que je ne voyais pas un seul point positif à relever. Finalement,

déchiré mon quatrième brouillon en me disant :
« Très bien, tu vas traiter ce type exactement comme n'importe quel auteur qui n'en sera jamais un et lui expliquer pourquoi son texte ne fonctionnera jamais. »

Sa note assassine terminée, elle l'avait envoyée par coursier au théâtre et elle s'était couchée en songeant qu'elle devrait se mettre à la recherche d'un nouveau travail à son réveil. À cinq heures de l'après-midi, pourtant, quand le téléphone avait sonné chez elle, Martha avait appris par quelque sous-fifre du grand homme que M. Fleck désirait la voir et que son Gulfstream l'emmènerait à San Francisco le soir même. Ses chefs avaient été prévenus qu'elle serait absente quelques jours, bien entendu.

— Jusque-là, je n'avais jamais volé qu'en classe éco, alors la limousine pour l'aéroport puis le trajet en jet privé, c'était un certain changement… Tout comme le palais de Philip à Pacific Heights, avec cinq domestiques à demeure et une salle de cinéma en sous-sol. Pendant tout le vol, je me suis évidemment demandé pourquoi il faisait ça, si c'était un trip de pouvoir totalement disproportionné, dans le style : « Je vous ai fait traverser le pays pour avoir le plaisir de vous mettre à la porte personnellement. » Mais à mon arrivée j'ai reçu un accueil tout à fait charmant. Quand on connaît sa réserve habituelle… Il m'a montré mon rapport, qu'il tenait dans la main, et il m'a dit : « Vous n'êtes pas du genre lécheuse, n'est-ce pas ? » Et là, il m'a demandé de passer une semaine à remanier le scénario avec lui. Mon prix serait le sien. Je lui ai répondu que j'étais déjà payée par le théâtre de Milwaukee et que je n'attendais rien de lui… si ce n'est beaucoup, beaucoup de travail, parce que son texte en demandait.

À condition qu'il soit prêt à entendre mes suggestions, évidemment.

« Pendant sept jours, nous avons démonté tout le scénario pour le reconstruire entièrement. Philip a abandonné toutes ses occupations et il m'a vraiment écoutée, oui. Et il a eu l'air de prendre en compte mes critiques, parce que à la fin nous étions parvenus à écrémer la plupart du verbiage et à rendre les personnages à peu près crédibles, même si je lui ai dit que je trouvais encore l'ensemble trop pompeux. Il se passait aussi quelque chose entre nous, c'était indéniable. Philip est un homme incroyablement renfermé mais il peut également être plutôt drôle, une fois qu'il est en confiance avec vous. Et j'appréciais vraiment son esprit. Pour quelqu'un qui a créé un empire financier pareil, il a une telle connaissance du cinéma et de la littérature… Et il est réellement prêt à dépenser des sommes colossales pour aider la création artistique. Enfin, toujours est-il que pour notre dernière soirée nous nous sommes mis à boire sec…

— Vodka ?

— Bien sûr ! a-t-elle rétorqué d'un air ironique. Mon poison préféré.

J'ai soutenu son regard.

— Je crois deviner la suite.

— Prévisible, oui. Sinon que le lendemain matin, quand je me suis réveillée, il n'était plus là, mais il y avait un petit mot débordant de romantisme sur l'oreiller : « Je vous ferai signe. » Il n'avait pas signé « PF », au moins…

« Donc je repars pour Milwaukee et la vie passe sans le moindre signe de lui. Six mois plus tard environ, je lis quelque part que le tournage de *La*

Dernière Chance a débuté en Irlande. Encore huit mois, et c'est la première du film dans la seule et unique salle d'art et d'essai de Milwaukee. Bien entendu, je suis allée le voir et... je n'ai pas pu en croire mes yeux. Non seulement M. Fleck avait jeté par-dessus bord quatre-vingts pour cent des modifications que nous avions apportées mais il avait remis une bonne moitié des dialogues atterrants qu'on avait réussi à couper. Et, bon, je n'ai pas été la seule à penser qu'il avait fait le mauvais choix, parce que la presse s'est déchaînée contre le film, tout en mentionnant que Philip venait de rompre avec la top model qu'il avait fréquentée dans la dernière année... ce qui m'a aussitôt permis de comprendre pourquoi je n'avais plus eu de nouvelles du bonhomme depuis cette nuit passée dans son lit.

« J'ai été tellement écœurée par le mépris avec lequel il avait traité le travail que nous avions accompli ensemble, et aussi par son attitude envers moi, que j'ai décidé de lui envoyer une lettre dans laquelle je lui disais le peu de bien que je pensais de tout ça. Je n'attendais pas de réponse mais une semaine après, un soir, on a sonné à ma porte et c'était lui. Il n'a pas dit bonjour, rien que : « J'ai eu tort pour tout. Et surtout vis-à-vis de toi. »

— Et après ?

— Nous étions mariés six mois plus tard.

— De plus en plus romantique.

Elle m'a gratifié de l'un de ses petits sourires en vidant le fond de la bouteille dans nos verres.

— Et donc la morale de cette histoire, c'est quoi ? Que vous n'êtes pas responsable du film qu'a commis votre mari ?

— Encore un point pour vous, David. – J'ai avalé la vodka d'un trait, sans éprouver le moindre picotement dans ma gorge. Normal, puisque je ne sentais plus rien. – Vous voulez connaître un petit secret ? La seule raison pour laquelle Philip vous fait attendre ici, c'est qu'il ne supporte pas la vue de quiconque a du talent.

— À mon avis, avoir pu gagner autant d'argent, c'est une forme de talent.

— Peut-être, mais ce n'est pas celui dont il rêve. Ce qu'il aurait voulu pour lui-même, c'est le don que vous avez. Moi aussi, je suis en admiration, vous savez. Pourquoi croyez-vous que j'aie fait tout ce chemin pour revenir ici ce soir ? C'était l'occasion de vous rencontrer. Pour moi, vous avez inventé un nouveau registre.

— Vous me flattez.

— C'est un plaisir.

Elle me fixait droit dans les yeux, souriante. J'ai regardé ma montre.

— Je ne vais pas vous retarder, si c'est l'heure d'aller au lit pour vous. Gary pourra vous apporter une tisane et une bouillotte, si vous voulez.

Elle a haussé les sourcils, dans une mimique plus ironique que séductrice. Ou bien était-ce le contraire ? Ou bien elle avait simplement envie de hausser les sourcils ? Je n'en savais plus rien. Parce que j'étais ivre mort, ou presque.

— Je… Ce ne sera pas la peine, non. Et merci pour toute cette vodka.

— Cela fait partie du service. Faites de beaux rêves.

J'ai pris congé et je suis parti en tanguant vers ma chambre. Je ne me rappelle pas comment je suis arrivé à mon lit. Ce dont je me souviens très bien, en revanche, c'est que je me suis réveillé en sursaut à quatre heures du matin, avec juste le temps de me ruer aux toilettes, de hoqueter au-dessus de la cuvette pendant cinq bonnes minutes, puis que je me suis déshabillé enfin et suis resté sous la douche brûlante avant de me glisser sous les couvertures encore trempé, de perdre connaissance en repensant vaguement aux méandres de ma conversation avec Martha Fleck, de me réveiller vers midi avec le cerveau proche de l'explosion nucléaire et de tenter cependant de trouver un sens à ce qui s'était passé la veille, depuis l'ingestion forcée de fantasmes pasoliniens jusqu'à cet échange plein de sous-entendus – et fortement arrosé – avec Martha.

C'est en essayant de reconstituer ce puzzle ambigu que je suis parvenu à une décision à laquelle je ne m'étais pas attendu, d'abord : j'allais quitter l'île le jour même. J'avais patienté trop longtemps, sans raison valable, et je n'allais pas me prêter plus longtemps aux caprices d'un richard dérangé. Par téléphone, j'ai demandé à Gary d'organiser mon transfert à Antigua dans l'après-midi et de me trouver une correspondance pour Los Angeles. Cinq minutes plus tard, on m'a rappelé ; ce n'était pas Gary, mais Martha.

— Vous connaissez une vitamine qu'on appelle Berocca ?

— Bonjour, Martha.

— De même, David. Vous me paraissez un peu secoué, à votre voix.

— On se demande pourquoi. Vous, par contre, vous avez l'air en pleine forme.

— Grâce aux merveilleux pouvoirs de la Berocca, mon cher. Une dose de cheval de vitamines B et C, et soluble, en plus. Le seul vrai remède que je connaisse contre la gueule de bois. Ça vient d'Australie, autant dire d'un pays d'experts en la matière.

— Vous m'en céderiez deux ou trois ?

— C'est déjà fait. Simplement, ce n'est pas à étaler avec une carte de crédit et à sniffer dans un billet de cinquante dollars.

— Ce n'est pas mon genre, ai-je rétorqué, sur la défensive.

— Je plaisantais, David. Détendez-vous, s'il vous plaît !

— Désolé... À propos, j'ai vraiment beaucoup aimé la soirée.

— Dans ce cas, pourquoi vouloir nous quitter cet après-midi ?

— Les nouvelles vont plus que vite, je vois.

— J'espère que cette décision n'est pas liée à quoi que ce soit que j'aurais pu dire.

— Pas du tout. Je pense que c'est plus en relation avec la manière dont votre mari me fait attendre ici depuis une semaine. Il se trouve que j'ai une vie, moi aussi... Et une fille que je dois aller voir à San Francisco vendredi.

— Aucun problème. Je réserve le Gulfstream pour vous vendredi matin. Avec le décalage horaire en votre faveur, vous serez sur la côte ouest en milieu de journée.

— Et en attendant, je piétine ici encore deux jours.

— Écoutez, David, je comprends très bien que vous soyez irrité par l'attitude de mon mari. Comme je vous l'ai dit hier, il joue un jeu avec vous, là. Il joue avec tout le monde, vous savez. Et je suis d'autant plus gênée que c'est moi qui ai suggéré à Philip d'essayer de travailler avec vous. Je me répète encore mais je vous admire énormément. Je ne parle pas seulement de votre série : en fait, j'ai lu toute votre production théâtrale antérieure.

— Non, c'est vrai ? ai-je lâché sans réussir à dissimuler totalement à quel point j'étais flatté.

— Oui. J'ai chargé l'une de mes assistantes à la fondation de retrouver toutes vos pièces.

Ce qui n'a pas dû être simple, me suis-je dit, puisque aucune d'elles n'avait jamais été publiée... Mais c'était un aspect du couple Fleck que je commençais à mesurer : quand ils voulaient quelque chose, ils l'obtenaient.

— Aussi, je tiens énormément à m'entretenir avec vous des révisions que vous avez apportées sur le projet de film pour Philip.

Joan lui en avait passé une copie, évidemment...

— Vous l'avez déjà lu ?

— Ce matin à la première heure.

— Et votre mari ?

— Je ne saurais dire. Nous ne nous sommes pas parlé depuis quelques jours.

« Et pour quelle raison ? » allais-je lui demander tout de go, mais j'ai choisi une autre question in extremis :

— Vous êtes vraiment revenue de New York pour me rencontrer ?

— Ce n'est pas si souvent que nous avons ici un auteur que j'admire.

— Et la nouvelle version du scénario, vous… vous avez aimé ?

Elle a eu un petit rire désenchanté.

— Non, ce que j'aime, chez vous et vos confrères, c'est la confiance que vous avez en vous dès qu'il s'agit de vos œuvres… Enfin, sérieusement, je pense que vous avez fait un travail fantastique.

— Merci.

— Si ce n'était pas le cas, je vous l'aurais dit aussi, soyez-en sûr.

— Je n'en doute pas.

— Et dans le cas où vous resteriez, je promets de ne pas vous forcer à boire de la vodka… À moins que vous ne le désiriez.

— Pas une seconde, non.

— Alors nous allons être d'authentiques mormons pour la journée. Je peux même vous appeler maître David, si vous y tenez.

C'était à mon tour de rire, cette fois.

— D'accord, d'accord. Je reste encore un jour. Mais dites à votre mari que s'il n'est pas de retour demain il ne me verra pas.

— Marché conclu.

La vitamine, apportée peu après, a eu contre toutes mes attentes un effet immédiat sur mon piteux état. Et l'après-midi passé avec Martha a achevé de me requinquer. En dépit de la quantité d'alcool qu'elle avait absorbée la veille, elle m'est apparue pleine de vie, presque radieuse. Elle nous a commandé un déjeuner léger sur la terrasse principale, baignée de soleil mais où la brise marine venait tempérer la fournaise. Au menu, langouste froide, jus de tomate frappé et conversation animée. Abandonnant le flirt plus ou moins déguisé auquel elle s'était livrée la veille, Martha s'est révélée être d'excellente compagnie, aussi drôle – je le savais déjà – que pertinente. Plus encore, elle connaissait réellement le métier et elle a donc exprimé maintes remarques pleines d'intelligence à propos de la nouvelle version du *Duo de dingues*. Et j'étais stupéfait de vérifier qu'elle s'était en effet coltiné la lecture des œuvres complètes de David Armitage, y compris deux pièces datant du début des années quatre-vingt-dix qui gisaient sous la poussière des archives et que j'avais moi-même oubliées.

— Quand Philip m'a dit qu'il voulait travailler avec vous, j'ai pensé qu'il ne serait pas inutile de voir ce que vous aviez pu faire avant d'atteindre la célébrité.

— Et c'est comme ça que vous êtes tombée sur *Duo de dingues*.

— Oui, je suis responsable d'avoir montré ce scénario à Philip.

— Et c'est vous qui avez eu l'idée de mettre son nom dessus, également ?

Elle m'a dévisagé comme si j'étais devenu subitement fou.

— Qu'est-ce que vous racontez ?

Je lui ai alors exposé la blague douteuse que son mari m'avait faite, avec Bobby pour intermédiaire. Elle a poussé un long soupir, les dents serrées.

— Je... je suis confuse, David.

— Il ne faut pas. Ce n'est pas votre faute. Et d'ailleurs j'ai tout de même accepté son invitation, ce qui démontre quel idiot je suis.

— Tout le monde se laisse duper par l'argent de Philip. C'est ce qui lui permet de jouer tous ses petits jeux qu'il aime tant. Et c'est pour ça que je m'en veux autant : quand il m'a appelée en posant plein de questions à votre sujet, j'aurais dû me douter qu'il allait essayer de vous manipuler, vous aussi.

— Il vous a appelée ? Mais je croyais que vous étiez plus ou moins mariés, non ?

— Nous sommes plus ou moins séparés, en fait.

— Tiens…

— Ce n'est pas officiel. Et nous ne voulons ni l'un ni l'autre que cela se sache. Mais la réalité, c'est que depuis un an et quelques nous vivons chacun de notre côté, principalement.

— Désolé d'apprendre ça.

— Mais non. Cela a été ma décision. Et certes Philip ne m'a pas suppliée à genoux d'y réfléchir à deux fois, ni ne m'a poursuivie à travers la planète. Ce n'est pas son style. D'ailleurs il n'en a aucun, de style.

— Vous pensez que c'est définitif ?

— Je n'en sais rien. Nous nous parlons de temps en temps, une fois par semaine, en gros. S'il a besoin de moi dans une mondanité, un gala de charité ou un dîner d'affaires très important, ou pour l'invitation annuelle à la Maison-Blanche, je sors la robe et le sourire qui s'imposent et je le laisse jouer les couples heureux en me donnant le bras. Je continue à vivre dans toutes ses maisons et à me déplacer dans tous ses avions, mais seulement quand il n'y est pas. Ce n'est pas difficile de s'éviter, lorsqu'on a autant de résidences et de jets…

Elle s'est interrompue un instant, les yeux sur la surface irisée de la mer caraïbe.

— Dès le début, j'ai vu que Philip était un peu… bizarre. Mais c'est de cela que je suis tombée amoureuse, aussi. Et de son intelligence, et de la fragilité qu'il dissimulait sous ses airs de milliardaire renfermé. Les deux premières années, nous nous sommes assez bien entendus. Et puis un jour, sans que je comprenne ni qu'il ne m'explique pourquoi, il s'est à nouveau replié sur lui-même. Ce mariage, c'était comme une voiture toute neuve qui refuse brusquement de démarrer, et vous avez beau essayer, essayer encore, vous finissez par vous dire que vous êtes tombé sur un mauvais numéro de série. Et le pire, c'est que malgré tout vous continuez à l'aimer, l'idiot que vous avez épousé… Oh, évidemment, lorsque vous avez une vue pareille devant vous, vous devez vous dire : bon, à chacun ses problèmes.

— Un mauvais mariage, ça reste un mauvais mariage.

— Et le vôtre, c'en était aussi un ?

J'avais du mal à soutenir son regard, soudain.

— Vous voulez quel type de réponse ? Facile ou honnête ?

— À vous de choisir.

J'ai hésité une seconde.

— Avec le recul, ce n'était pas si affreux, non. Nous avions un peu perdu nos repères et il y avait sans doute de l'amertume de part et d'autre, parce qu'elle avait soutenu financièrement notre foyer pendant si longtemps… Que je perce dans ma carrière, cela n'a rien arrangé entre nous, pourtant. Au contraire, le fossé s'est encore creusé.

— Et là, vous avez rencontré la très troublante Miss Birmingham.

178

— Vos enquêteurs ne laissent rien au hasard, je vois.

— Vous l'aimez ?

— Bien sûr !

— C'est la réponse honnête ou la facile, celle-là ?

— Eh bien… C'est une histoire très différente de mon mariage avec Lucy. Avec Sally, nous formons un couple lancé, avec tout ce que cela signifie.

— Ça me paraît plutôt honnête, en effet.

J'ai jeté un coup d'œil à ma montre. Presque quatre heures. L'après-midi avait passé en un souffle. J'ai regardé Martha. Sous les rayons obliques de la fin de journée, son visage paraissait baigner dans la lueur ambrée d'un whisky pur malt. En l'observant encore, je me suis soudain dit qu'elle était belle, tout simplement. Pleine d'esprit, d'humour et, contrairement à Sally, capable d'autodérision. Et puis il y avait eu cette complicité immédiate entre nous, et… Un clignotant d'alerte s'est allumé dans ma tête : « Ne pense pas à ça. »

— David ? Vous êtes où ?

— Pardon ?

— Vous aviez l'air… ailleurs.

— Non, non, je suis là.

— Alors tant mieux, a-t-elle fait avec un sourire.

Et c'est à ce moment que j'ai compris… quoi ? Qu'elle m'avait observé pendant toutes ces minutes de silence ? Qu'il s'était établi un lien non formulé entre nous ? Qu'un coup de foudre plus qu'inopportun était en train de se produire ? « Et puis quoi ? chuchotait soudain la voix de la raison à mon oreille. Même s'il s'agit d'une attirance réciproque, tu ne vois pas ce qui arriverait si elle se concrétisait ? Retombées dévastatrices, suivies par un hiver atomique sans fin… »

— Mon Dieu, comme il est tard ! s'est-elle exclamée en consultant sa montre.

— J'espère que je ne vous ai pas retenue…

— Mais non. De toute façon, quand le temps passe si vite, c'est qu'on ne s'est pas ennuyé.

— Je pourrais lever mon verre à ça.

— Cela indique-t-il que vous seriez prêt à renoncer à votre vœu de sobriété et à nous commander quelque chose de pétillant made in France ?

— Pas tout de suite, non.

— Mais plus tard, peut-être ?

— Si vous n'avez rien de prévu pour la soirée…

Je n'en croyais pas mes oreilles. Qu'est-ce que je fabriquais ?

— Je ne croule pas vraiment sous les obligations mondaines, ici.

— Moi non plus.

— Donc si je proposais quelque chose… Une petite sortie, par exemple, vous seriez partant ?

« Non ! » a sifflé la fameuse voix de la raison, mais j'ai évidemment répondu :

— Avec plaisir.

Le soleil était en chute libre à l'horizon lorsque je me suis retrouvé avec Martha sur le pont de la vedette, une flûte de Cristal à la main. Avant d'embarquer, elle m'avait demandé de prendre une tenue de rechange et un pull, sans me dire où elle m'emmenait. Après environ une demi-heure de navigation, un îlot escarpé, bordé de palmiers, est apparu devant nous et j'ai bientôt distingué un débarcadère, une plage et trois constructions toutes simples, couvertes de toits de chaume.

— Vous parlez d'une retraite... À qui ça appartient ?

— À moi.

— Non, sérieux ?

— Tout à fait. C'est mon cadeau de mariage. Philip voulait m'offrir un de ces énormes cailloux à la Liz Taylor mais je lui ai dit que je n'étais pas le style de fille qui ne peut vivre sans diamant. Et lui de me répliquer : « Alors une île, peut-être ? » J'ai trouvé ça assez original.

Une fois débarqués, elle m'a conduit à travers la plage de sable blanc immaculé jusqu'au plus grand des édifices, un vaste salon à la décoration dépouillée dont le plancher en bois délavé se poursuivait en terrasse extérieure. Il y avait une longue table et un vaste coin cuisine au fond. De part et d'autre de cet espace, deux bungalows de style polynésien s'ouvraient sur la nature, chacune équipée d'un lit immense, de meubles de styliste en rotin et d'une salle de bains à la japonaise. *Maison et Jardin* sous les tropiques.

— J'ai vu pire, dans une corbeille de mariée. Je suppose que vous avez eu votre mot à dire sur la décoration ?

— Oh oui. Philip a fait venir un ingénieur et un architecte d'Antigua et il m'a laissé carte blanche. Même si ce n'était pas dans le contrat de mariage.

— Vous en avez fait un ?

— Quand vous épousez un multimilliardaire, on souhaite que vous signiez quelques papiers, oui. Dans notre cas, c'était aussi long que la Bible de Gutenberg. Mais l'avocat que j'ai engagé pour défendre mes intérêts n'était pas un tendre, croyez-moi, de sorte que je suis bien couverte si les choses se gâtent… Prêt pour un petit tour ?

— Il commence à faire plutôt sombre, non ?

— Justement !

Avant de sortir de la paillote, elle s'est munie d'une torche électrique, m'a pris par la main et m'a conduit sur un étroit chemin qui montait à travers un fouillis de palmiers et de lianes. Dans les dernières lueurs du jour, la bande sonore de la nuit tropicale était déjà lancée à plein volume, un mixage de grésillements d'insectes et de glapissements surnaturels de volatiles qui réveillaient dans le citadin endurci que j'étais toutes sortes de frayeurs primaires.

— Vous êtes sûre que c'est une bonne idée ?

— À cette heure, les pythons ne sortent pas encore, donc…

— Très drôle.

— Avec moi, vous ne risquez rien.

Nous avons continué à grimper parmi une flore et une faune toujours plus denses. Et puis nous sommes parvenus au sommet de l'escarpement et d'un coup la jungle a reculé pour laisser place à une vue renversante sur l'étendue marine. Martha avait parfaitement calculé le moment de notre arrivée puisque nous avions devant nous le disque incandescent du soleil sur le point de plonger derrière l'horizon.

— Eh bien…

— Vous êtes d'accord, maintenant ?

— C'est assez bluffant.

Nous avons continué à contempler en silence les flots qui, l'espace d'une minute, se sont entièrement embrasés. Martha m'a lancé un regard et un sourire, la fusion de l'astre d'or s'est achevée d'un coup et l'univers s'est éteint.

— C'est le moment de nous retirer, a-t-elle soufflé en allumant la torche.

Nous avons rebroussé chemin sans hâte. Elle a gardé ma main dans la sienne jusqu'à notre retour aux paillotes, où elle m'a abandonné sur la véranda pendant qu'elle allait parler au chef de cuisine. Je suis resté à regarder la plage sombre, le rouleau du ressac aussi régulier qu'un métronome. Quelques minutes plus tard, elle est revenue avec Gary, lequel apportait un shaker en argent et deux verres à martini givrés sur un plateau.

— Je croyais qu'on restait au régime sec, ce soir ?

— Vous n'avez pas eu l'air de détester le champagne, tout à l'heure, sur le bateau…

— Oui, mais les martinis, c'est une tout autre catégorie. C'est comme de comparer un missile Scud à une carabine à plomb.

— Encore une fois, David, personne ne vous force, mais je me suis dit que vous l'aimiez avec du Bombay Gin et bien corsé.

— Vos enquêteurs vous ont dit ça aussi ?

— Non, c'était juste l'instinct, je pense.

— Alors vous êtes bien tombée. Mais je vous assure que je n'en prendrai qu'un.

Elle n'a cependant pas eu à me torturer pour que j'en accepte un second. Ni à me soudoyer afin que je partage avec elle le remarquable pouilly-fumé qui nous a été présenté avec le dîner de crabe grillé. Bref, quand nous sommes passés à un muscat d'Australie à la douceur d'hydromel, nous étions tous deux de très joyeuse humeur. Nous nous sommes échangé des pages cocasses de nos aventures respectives dans le petit monde du cinéma et dans celui du théâtre, nous avons évoqué notre enfance dans la banlieue de Chicago ou de Philadelphie, les déceptions professionnelles de Martha après son diplôme de Carnegie-Mellon, ma traversée du désert… Après une évocation amusée de nos errances sentimentales, Martha, qui avait donné congé pour la nuit à Gary et au reste du personnel, s'est levée :

— Allez, on va faire un tour.

— À ce stade, c'est surtout la tête qui risque de tourner.

— Tant mieux.

Elle a pris nos deux verres et la bouteille avant de me précéder dans la pente qui conduisait à la plage. Elle s'est laissée tomber sur le sable.

— Vous voyez, ça n'a pas été long.

La nuit, d'une clarté exceptionnelle, faisait paraître le cosmos encore plus immense, comme pour nous rappeler ce que nos paroles, nos actes ou nos sentiments avaient de dérisoire. Martha a trempé ses lèvres dans le vin doré.

— Attendez que je devine vos pensées tandis que vous contemplez la voûte céleste : « Rien n'a de sens en ce bas monde, d'ici cinquante ans je ne serai plus là et… »

— Si j'ai cette chance.

— D'accord. Quarante ans. Dix ans de futilité en moins. Parce que bon, en l'an de grâce 2041, quelle importance aura ce que nous avons pu faire ? À moins que l'un de nous ne déclenche une guerre, évidemment. Ou écrive « la » mini-série du millénaire.

— Quoi, vous savez que c'est mon plus grand rêve ?

— Mais oui. Depuis l'instant où je vous ai vu, j'ai compris que…

Elle s'est interrompue, m'a effleuré la joue de la main avec un sourire hésitant.

— Que ?

— J'ai compris – elle avait retrouvé son ton badin – que vous comptiez bien devenir le Tolstoï de la sitcom.

— Vous vannez tout le temps, alors ?

— Tout le temps. C'est le seul moyen de repousser les idées noires qui vous viennent quand vous contemplez le firmament. Et maintenant, pour la même raison, je veux que vous me racontiez votre pire première soirée avec une femme.

— Ah, mais c'est très sérieux, ça, au contraire.

— Mais oui. Allez, lancez-vous. Et si vous arrivez à me faire rire, le fond de la bouteille est pour vous.

— Je pourrai m'en passer, merci.

Relevant le défi, pourtant, je lui ai narré ma rencontre, à New York, en 1989, avec une fille qui rêvait d'être chorégraphe, fumait comme un pompier et tenait à décrire sans épargner les moindres détails la phase boulimique qu'elle avait connue pendant dix années de sa courte vie. À un moment, elle avait levé les yeux sur moi et m'avait sorti : « Ne va surtout pas penser que je vais passer la nuit avec toi.

— Pourquoi, est-ce que j'ai laissé entendre une seule fois que ça pourrait m'intéresser ? » avais-je rétorqué du tac au tac, sur quoi elle avait fondu en larmes en bredouillant : « Ce n'est pas la réponse que j'attendais. » Après avoir réussi à la calmer et à la mettre dans un taxi, j'étais entré dans un bar et j'avais avalé deux Wild Turkey cul sec en me jurant de ne plus jamais fréquenter de chorégraphe. Quand j'avais regagné mon minable studio de l'Avenue C, un message d'elle m'attendait sur le répondeur : « Je voulais juste m'excuser pour ce soir. Je suis incroyablement phobique, avec les hommes… mais j'espère te revoir bientôt. »

Martha a lâché un petit rire.

— Elle a vraiment dit ça ?

— Hélas, oui.

— Comme je la comprends… Et vous l'avez rappelée ?

— Je suis peut-être idiot, mais pas fou.

— Quoi, vous ne pensez pas avoir raté quelque chose ?

— Si j'avais continué avec ce numéro, j'aurais raté Lucy, surtout. J'ai fait sa connaissance environ trois semaines après.

— Un vrai coup de foudre, là ?

— Tout à fait.

— Le premier grand amour de votre vie ?

— Oui, sans discussion.

— Et maintenant ?

— Maintenant, mon grand amour, c'est Caitlin. Ma fille. Et Sally, bien sûr.

— Bien sûr.

— Et vous, Philip… ?

— Oh non, pas lui.

— D'accord, mais avant lui ?

— Avant, il y a eu un certain Michael Webster.

— Et lui…

— Lui ? L'hameçon, la ligne, le flotteur, tout. On s'est connus en première année à Carnegie. Il était acteur. Dès que mes yeux se sont posés sur lui, je me suis dit : c'est celui-là. Et par chance, c'était réciproque. Au point que nous avons passé les sept années suivantes ensemble, surtout à tirer le diable par la queue à New York. Et puis il a été embauché par le Guthrie à Minneapolis, et c'était d'autant plus idyllique que j'ai réussi à entrer au service des scénarios du même théâtre. Le directeur l'appréciait beaucoup, il a signé pour une deuxième saison, il y avait une chef de casting à L.A. qui voulait lui donner un rôle, nous commencions à parler d'avoir des enfants… Enfin, tout allait pour le mieux quand, une nuit où il neigeait vraiment beaucoup, il s'est mis en tête d'aller chercher un pack de bière au 7 à 11. Au retour, il a pris une plaque de verglas et il est rentré dans un arbre à soixante-dix à l'heure. Cet idiot avait oublié de mettre sa ceinture, alors que je l'embêtais sans cesse avec ça. Il est passé par le pare-brise et il a fini dans l'arbre, lui aussi. Alors, on la termine ? a-t-elle demandé en attrapant la bouteille.

— Oui, merci… – Elle a rempli nos deux verres. – C'est… affreux, Martha.

— N'est-ce pas ? Mais encore plus, après le mois entier où il est resté à l'hôpital, alors que les médecins le donnaient pour biologiquement mort. Comme ses parents n'étaient plus de ce monde depuis longtemps et que son frère, militaire, était basé en Allemagne, c'est moi qui ai dû prendre la décision. Sauf que j'étais tellement folle de chagrin que je continuais à attendre je ne sais quelle résurrection miraculeuse, l'amour de ma vie rendu à la vie… Finalement, c'est une vieille infirmière, une dure à cuire des urgences, qui m'a ramenée sur terre. Je passais mes journées et mes nuits auprès de Michael. Un soir, elle m'a poussée quasiment de force dans un bar près de l'hôpital, elle m'a fait avaler deux whiskys bien tassés et elle m'a dit, en gros : « Votre petit ami ne va pas se réveiller, jamais. Il est mort et si vous ne voulez pas devenir complètement cinglée il faut que vous acceptiez la réalité, aussi atroce soit-elle. Il faut que vous le débranchiez. » Après un troisième verre, elle m'a reconduite chez moi et j'ai quitté ce monde pendant une bonne douzaine d'heures. Le lendemain matin, j'ai appelé l'hôpital et j'ai dit au chef de clinique que j'étais prête à signer la décharge.

« Une semaine après, dans un moment d'égarement dû à tout ce malheur, j'ai posé ma candidature au théâtre de Milwaukee. Je ne sais pas comment j'ai passé l'entretien mais avant que j'aie pu dire ouf j'étais embauchée et je partais pour le Wisconsin. – Elle a fini son vin. – Bon, d'habitude, pour surmonter un deuil, on s'en va à Paris, ou à Venise, ou à Tanger. Moi, ça a été Milwaukee…

Elle s'est arrêtée, les yeux perdus sur la mer obscure.

— Et Philip, vous l'avez connu peu de temps après ?

— Non. Près d'un an. Mais pendant cette semaine où nous avons travaillé ensemble j'ai fini par lui parler de Michael. Philip a été le premier homme avec lequel j'ai couché après ce drame… Ce qui a rendu à peu près dix fois pire la manière dont il m'a laissée tomber après. S'il n'était pas revenu à la charge, je l'aurais classé comme l'un des êtres les plus égoïstes que la planète ait portés.

— Vous lui avez pardonné tout de suite ?

— Pas vraiment, non. Je me suis fait désirer. Et je dois dire qu'il m'a étonnée par la sincérité et l'élégance de sa cour. L'autre surprise, c'est que je me suis laissé charmer, peut-être parce qu'il était d'un tempérament si renfermé, et pourtant il m'appréciait pour ce que j'étais, ce que je pensais… C'était quelque chose de voir que ce garçon, avec toute sa fortune et son pouvoir, avait l'air de tenir à moi plus qu'à n'importe quoi d'autre.

— Donc il vous a convaincue ?

— Oui, il a réussi. De même qu'il réussit toujours à avoir ce qu'il veut : grâce à un esprit de suite proprement effrayant… Le problème, c'est qu'après avoir gagné ce qu'il voulait il s'en désintéresse.

— Il faut être fou.

— Ha !

— Non, je le pense. Comment peut-on ne plus être intéressé par vous ?

C'était moi qui venais de dire une chose pareille ?

Elle m'a dévisagé un instant avant de passer sa main dans mes cheveux d'un geste tendre et naturel. Puis :

— *L'autorité se perd sitôt obtenue,*
Aussi éphémère la possession,
Mais eux, cette beauté au vent,
Restent à jamais.
Un baiser si vous me dites qui a écrit ça.

— Emily Dickinson.

— Bravo.

Nouant ses bras autour de mon cou, elle m'a attiré à elle et m'a embrassé doucement sur les lèvres.

— À mon tour. Même règle du jeu :
Confirmant tous ceux qui estiment
En juste opinion
Que l'éloquence est un Cœur
Réticent à nulle Voix...

— Ah, c'est dur, là, a-t-elle murmuré sans relâcher son étreinte. Emily Dickinson.

— Impressionnant.

Un nouveau baiser a suivi, plus long, et d'autres, toujours plus passionnés, jusqu'au moment où les sirènes de la DCA Raison se sont déchaînées dans ma tête. J'ai cherché à me dégager mais Martha m'a plaqué sur le sable :

— Ne pense pas. Contente-toi de...

— Je ne peux pas.

— Si.

— Non.

— Juste cette nuit.

— Non, et tu le sais. Ça ne reste jamais sans lendemain. Surtout...

— Surtout quoi ?

— Surtout quand nous savons que ce ne sera pas juste cette nuit.

— C'est comme ça que tu le sens, toi aussi ?

— Comme quoi ?

— Comme ça...

Je me suis libéré de ses bras et je me suis redressé.

— Ce que je sens, c'est que j'ai trop bu.

— Tu ne comprends pas, alors ? a-t-elle interrogé à voix basse. Regarde, regarde bien : toi, moi, cette île, la mer, le ciel, la nuit... Pas « une » nuit mais « cette » nuit, David. Il n'y en aura pas deux ainsi.

— Je sais, je sais, mais...

Elle a caressé la main que j'avais posée sur son épaule.

— Quelle barbe que tu sois si raisonnable…

— J'aimerais te…

Elle m'a fermé les lèvres d'un petit baiser.

— Tais-toi, tu veux ? – Elle s'est remise sur ses pieds. – Je vais marcher un peu.

— Je peux venir ?

— Je crois que je vais faire ça en solo, si tu veux bien.

— Sûre ?

— Certaine.

— Tu ne risques rien ?

— C'est mon île, non ?

— Merci pour la soirée.

Elle a eu un sourire mélancolique.

— Non, merci à vous.

Et elle s'est éloignée sur la plage. J'ai eu l'idée de lui courir après, de l'enlacer, de bredouiller quelques explications confuses sur ce que ma vie avait déjà de compliqué, de l'embrasser encore, mais à nouveau j'ai écouté la voix de la raison. Revenu à ma paillote, je me suis assis au bord du lit, la tête dans les mains. « Une drôle de semaine, vraiment », ai-je pensé, ma dernière idée cohérente avant de sombrer dans un sommeil éthylique, pour la deuxième nuit consécutive, sans avoir le temps de me déshabiller ni la capacité de me demander si je n'étais pas tombé amoureux.

Je n'ai pas bougé d'un pouce jusqu'au matin. Six heures et demie, exactement, quand on a frappé discrètement à ma porte. Prenant mon grognement pour un assentiment, Gary est entré avec une cafetière et un grand verre d'eau sur un plateau. Je me suis rendu compte que quelqu'un avait eu la charité d'étendre une couverture sur moi pendant la nuit. Qui ?

— Bonjour, monsieur Armitage. Comment allons-nous, ce matin ?

— Mal.

— Alors voici, a-t-il répondu en laissant tomber deux cachets de Berocca dans le verre.

Il me l'a tendu et je l'ai pris d'une main mal assurée. Tandis que le breuvage pétillait dans ma gorge, des bribes de la soirée sont venues occuper l'espace vacant qui avait été mon cerveau. En revivant notre premier baiser sur la plage, j'ai été pris d'un frisson que je n'ai pu réprimer et que Gary a eu le tact d'ignorer.

— Je suis sûr qu'une tasse de ce café très corsé sera la bienvenue, maintenant. N'est-ce pas, monsieur Armitage ?

J'ai hoché la tête. Il m'a servi. J'ai failli m'étrangler sur la première gorgée, la deuxième est mieux passée et la troisième, combinée à l'action des vitamines, a commencé à dissiper le brouillard dans mon crâne.

— La nuit a été agréable, monsieur Armitage ?

J'ai scruté son visage en me demandant si le petit salaud ne sous-entendait pas quelque chose, avec ses airs obséquieux. Installé sur la terrasse avec une paire de jumelles infrarouges, avait-il suivi nos ébats d'adolescents mal dégrossis ? Ses traits ne trahissaient rien, cependant. Quant à moi, je voulais être aussi impénétrable.

— Ouais, super.

— Je suis désolé de vous avoir réveillé si tôt mais, comme vous l'avez demandé, le Gulfstream est prêt à décoller pour San Francisco. Vous me permettez de vérifier rapidement avec vous si les dispositions prises sont à votre convenance ?

— Allez-y, mais vous devrez peut-être répéter deux ou trois fois.

Il a eu un sourire poli.

— Donc, Mme Fleck nous a fait savoir que vous deviez être à San Francisco vers quatre heures cet après-midi afin de retrouver votre fille après l'école.

— Oui, exact. Comment va Mme Fleck, ce matin ?

— Oh, très bien, je pense. Elle est en route pour New York.

J'ai cru que mes oreilles m'avaient joué un sale tour.

— En… quoi ?

— En route pour New York.

— Mais… comment ?

— Comme à son habitude, monsieur Armitage. Avec l'un de nos avions. Elle a quitté l'île cette nuit, peu après que vous vous êtes retiré dans votre chambre.

— Vraiment ?

— Oui. Vraiment.

— Ah…

— Mais elle vous a laissé un message, a-t-il poursuivi en me tendant une enveloppe en papier de riz, avec mon nom calligraphié dessus.

Résistant à l'envie de l'ouvrir sans tarder, je l'ai posée sur l'oreiller à côté de moi.

— Elle m'a aussi demandé d'organiser votre déplacement en Californie, et voici ce que nous avons prévu : nous vous reconduirons à Saffron Island vers neuf heures, puis l'hélicoptère vous déposera à Antigua pour un départ du Gulfstream à onze heures trente. Le pilote m'a indiqué que le vol serait de sept heures quarante, de sorte que vous devriez être à l'aéroport vers trois heures dix locales. Une limousine vous attendra et restera à votre disposition tout le week-end. Et nous avons réservé pour votre fille et vous-même une suite au Mandarin Oriental. Vous n'avez pas à vous soucier de la note, bien entendu.

— Mais c'est… trop !

— C'est Mme Fleck qu'il faut remercier. Elle a tout organisé.

— Je n'y manquerai pas.

— Un dernier point : au cours de l'heure et demie que vous allez passer à Saffron Island, M. Fleck serait désireux de vous rencontrer.

— Hein… Quoi ?

J'ai été pris de sueurs froides.

— M. Fleck vous rencontrera à neuf heures.

— Il… il est revenu ?

— Oui, monsieur Armitage. Il est arrivé à Saffron tard dans la nuit.

Fantastique, ai-je pensé. Juste ce qu'il me fallait.

7

Pendant la traversée de retour à Saffron Island, mon anxiété n'a cessé de croître. La rencontre imminente avec l'original qui m'avait fait poireauter une semaine entière y était pour quelque chose, évidemment, mais sans doute aussi la fâcheuse coïncidence du Grand Homme rentrant au port pour découvrir que son hôte et son épouse étaient partis en tête à tête dans l'île personnelle de la dame. Et il y avait également le petit détail de nos ébats sur la plage. Certes, que Martha ait regagné Saffron dans la nuit prouvait que nous ne l'avions pas passée ensemble. Mais je n'arrivais pas à repousser l'idée que quelqu'un avait pu nous voir et s'était empressé d'informer Herr Fleck que nous avions donné notre version personnelle de la scène légendaire entre Burt Lancaster et Deborah Kerr dans *Tant qu'il y aura des hommes*, ce baiser torride dans les vagues que notre cinéphile acharné ne se rappellerait que trop bien…

« Coupez ! »

Agrippé au bastingage de la vedette, je me suis forcé à retrouver mon calme. Après tout, la gueule de bois avait toujours tendance à émousser mes défenses et à encourager mes tendances paranoïaques… Et puis, me suis-je dit, dans le catalogue infini des erreurs induites par la pulsion sexuelle, quelques caresses échangées avec une personne majeure – et sous l'effet de la boisson – sur une plage déserte, cela n'allait pas jusqu'au délit caractérisé. D'autant que j'avais eu assez de force de tempérament pour ne pas dépasser le point de non-retour dans nos effusions. Hé, j'avais eu la Tentation devant moi et je l'avais repoussée ! Alors, assez d'autoflagellation, garde la tête haute, tu le mérites… Et pendant que tu y es, arrête de reculer le moment d'ouvrir la lettre de Martha.

Une carte couverte d'une écriture précise et nerveuse. Au recto, j'ai lu :

Passer à gué le Chagrin –
Des Mares entières –
M'est chose familière –
Mais le moindre élan de Joie
Me brise les jambes –
Ivre alors – je chavire –
Que nul Caillou – ne se moque –
C'était le Nouveau Nectar –
Voilà tout[1] *!*

Le verso, maintenant :

Je suis sûre que tu connais l'auteur, David.

---

1. Emily Dickinson, *Une âme en incandescence*, poèmes traduits et présentés par Claire Malroux, José Corti, 1998.

Et tu as raison, oui : tout, hélas, est une question de moment.

Bonne chance,

Martha.

Ma première réaction ? « Eh bien, ça aurait pu être pire ! » La deuxième ? « Elle est merveilleuse. » La troisième ? « Laisse tomber cette histoire. »

Meg m'attendait sur le débarcadère. Elle m'a annoncé qu'elle s'était chargée de mes bagages et que tout était déjà à bord de l'hélico, mais que si je désirais vérifier ma chambre, au cas où elle aurait oublié quelque chose...

— Non, je vous fais confiance.

— Dans ce cas, M. Fleck vous attend au Grand Salon.

Je l'ai suivie dans la maison. À la porte de la salle aux proportions de nef de cathédrale, j'ai pris ma respiration, mais au bout de quelques pas je me suis rendu compte qu'il n'y avait personne.

— M. Fleck a dû s'absenter un instant, sans doute. Je peux vous servir quelque chose ?

— Un Perrier, merci.

Après le départ de Meg, je me suis laissé tomber dans ce fauteuil dont Martha m'avait communiqué le prix avec une telle précision – quatre mille deux cents, bigre... Déjà j'étais à nouveau sur mes pieds, allant et venant dans l'immense pièce, jetant des coups d'œil inquiets à ma montre, me répétant que je n'avais aucune raison d'être aussi tendu... Fleck avait beau être riche comme Crésus, il ne pourrait rien faire ou dire pour nuire à ma carrière. C'était lui qui avait voulu me rencontrer, non ? C'était moi qui avais le don, et lui les fonds. S'il était prêt à acheter ce que j'avais à vendre, tant mieux. Sinon, au revoir !

Deux minutes ont passé, trois, cinq. Meg est revenue avec un plateau. Pas de Perrier mais un verre de jus de tomate avec une branche de céleri.

— Qu'est-ce que c'est ?

— Un bloody mary, monsieur Armitage.

— Je n'ai pas demandé ça !

— Non, mais M. Fleck a estimé que vous deviez boire un bloody mary pour commencer.

— Il a… quoi ?

Une voix est tombée du ciel, ou plutôt de la galerie qui courait tout autour de la salle.

— J'ai pensé que vous auriez besoin de ça, oui.

J'ai été frappé par le ton, hésitant, presque timide. L'escalier en acier a retenti de bruits de pas et j'ai découvert Philip Fleck qui descendait lentement, un sourire emprunté aux lèvres. Si j'avais déjà vu son visage dans nombre de journaux et de magazines, je ne m'attendais pas à trouver quelqu'un d'aussi courtaud : il n'atteignait pas le mètre soixante-dix et, sous sa tignasse d'un blond sale, piquée de mèches grises, sa bouille ronde dénonçait un abus très net des sucres rapides. Il n'était pas vraiment gros, plutôt rondouillet dans sa tenue d'une décontraction étudiée, chemise en jean usé sur un pantalon en toile et Converse blanches aux pieds. Pour un pêcheur en haute mer de retour d'une semaine dans les Caraïbes, il était d'une pâleur suspecte, au point que je me suis immédiatement demandé s'il était de ces obsédés du cancer de la peau qui voient les mélanomes se profiler sous le moindre début de hâle.

198

Sa poignée de main était sans agressivité ni insistance particulières, celle d'un homme qui ne se soucie pas de l'effet qu'il peut produire sur autrui.

— Vous êtes David.

— En effet.

— Alors oui, il vous faut un bloody mary, d'après ce que j'ai entendu dire.

— Vraiment ? Et qu'avez-vous entendu dire, au juste ?

— Ma femme m'a raconté que vous avez sérieusement taquiné la bouteille hier soir, tous les deux. – Il gardait ses yeux sur moi sans paraître pour autant me regarder, comme s'il était un peu myope et n'arrivait pas à accommoder. – Est-ce que je suis bien informé ?

— Ça a été une soirée assez... arrosée, ai-je reconnu en choisissant mes mots.

— Assez arrosée, a-t-il repris sur le même ton. Comme c'est joliment tourné ! Mais donc...

Il m'a invité d'un geste à prendre le verre que Meg me tendait. J'étais partagé entre une furieuse envie de refuser tout net et la tentation de jouer le jeu, pour voir... Sans parler du fait que j'avais soudain besoin d'un traitement de choc contre ma gueule de bois. J'ai saisi le verre, je l'ai levé à l'intention de mon amphitryon et je l'ai vidé d'un trait avant de le replacer sur le plateau avec un grand sourire pour Herr Fleck.

— Vous aviez soif, apparemment. Un autre ?

— Non merci. Ça m'a remis d'aplomb.

D'un signe du menton, il a congédié Meg, puis il m'a fait asseoir dans le coûteux fauteuil, prenant place sur le canapé en face de moi, légèrement en biais, de sorte qu'il paraissait s'adresser plus au mur du fond qu'à moi.

— Eh bien… J'ai une question pour vous, d'abord.

— Allez-y.

— Est-ce que vous pensez que ma femme est alcoolique ?

Aïe. Je marchais sur des œufs, là.

— Je ne saurais dire.

— Mais vous avez passé deux soirs à boire avec elle.

— Oui, c'est vrai.

— Et les deux fois, elle a beaucoup bu.

— Moi aussi.

— Ce qui fait de vous un alcoolique, également ?

— Écoutez, monsieur Fleck…

— Philip, s'il vous plaît. Et vous devez savoir que Martha n'a pas tari d'éloges sur vous. Il faut dire qu'elle était un peu bourrée, cette nuit. Mais c'est ce qui fait son charme, non ?

Je n'ai pas répondu, parce que… je ne voyais pas quoi répondre, tout bêtement. Et Fleck a semblé se satisfaire de ce silence gêné, que j'ai fini par rompre au bout de près d'une minute :

— Et cette partie de pêche ?

— Quelle partie de pêche ?

— Vous n'étiez pas… à la pêche ?

— Non.

— Mais on m'a dit que…

— Vous avez été mal informé.

— Ah. Et donc, si vous ne pêchiez pas, vous…

— J'étais en voyage. À São Paulo, pour être précis.

— Pour affaires ?

— Personne ne va à São Paulo pour s'amuser.

— Exact.

200

La conversation est retombée. Fleck continuait à fixer le mur d'un regard oblique. À quoi jouait ce type, bon sang ? Il a laissé passer un temps fou avant de reprendre :

— Vous vouliez me voir, donc.

— Ah oui ?

— C'est ce qu'on m'a dit.

— Mais…

— Oui ?

— Mais « vous » m'avez invité ici !

— Vraiment ?

— Vraiment.

— Bien.

— Alors… alors je pensais que c'était vous qui vouliez me voir.

— À quel sujet ?

— Au sujet… du scénario.

— Quel scénario ?

— Celui que j'ai écrit.

— Parce que vous écrivez des scénarios ?

— Vous essayez de faire de l'esprit, là ?

— Pourquoi, j'en ai l'air ?

— Non. Vous avez l'air d'essayer de jouer un jeu avec moi.

— Et quel genre de jeu ?

— Enfin, vous savez pourquoi je suis ici !

— Rappelez-le-moi.

— Bon, ça suffit.

Je me suis levé.

— Pardon ?

— J'ai dit que ça suffisait.

— Pourquoi dire cela ?

— Parce que vous vous payez ma tête.

— Vous êtes fâché ?

— Non. Je m'en vais, c'est tout.

— J'ai fait quelque chose qu'il ne fallait pas ?

— Je n'entrerai pas là-dedans.

— Mais si je vous ai froissé d'une manière ou…

— Fin de la discussion. Au revoir.

Je me suis dirigé vers la porte.

— David ?

— Quoi ?

Je me suis retourné. Fleck me regardait pour de bon, maintenant. Un grand sourire narquois aux lèvres, il brandissait un exemplaire du scénario dans la main droite.

— J'vous ai eu !

Comme mon visage ne devait pas exprimer une joie débordante, dans le style « Ah, quel blagueur, quand même ! », il a ajouté timidement :

— J'espère que vous n'êtes pas trop furieux contre moi.

— Après une semaine à battre la semelle ici, monsieur Fleck, je ne pense pas…

— Vous avez raison, vous avez raison ! Je vous dois mes excuses. Mais une petite plaisanterie à la Pinter, entre associés, ce n'est pas si dramatique.

— Parce que nous sommes associés ?

— Je l'espère bien, oui. Pour ma part, je tiens à tourner ce scénario.

— Ah oui ? ai-je fait en essayant de ne pas montrer mon intérêt.

— Je trouve votre nouvelle version plutôt remarquable, oui. Vous déconstruisez le genre du film d'action avec un discours politique sous-jacent qui est sans concession. Et vous restituez parfaitement le malaise propre au consumérisme ultra-permissif. Cette morosité qui est devenue un caractère essentiel de la société américaine d'aujourd'hui.

Vraiment ? Première nouvelle. Mais si j'avais appris quelque chose de ce milieu, c'était qu'il faut toujours laisser un réalisateur potentiel vous expliquer ce que vous avez voulu dire en écrivant votre script. Hochez gravement la tête à son explication de texte enthousiaste, même si vous pensez que c'est un tissu de conneries.

— Oui, évidemment. Avant tout, c'est un film de genre.

— Tout à fait, a approuvé Fleck en me faisant signe de reprendre ma place. Mais qui subvertit ce même genre. Tout comme Jean-Pierre Melville a refondé l'archétype du tueur à gages en crise avec *Le Samouraï*.

Mais comment donc…

— Fondamentalement, c'est l'histoire de deux types de Chicago qui essaient d'attaquer une banque, vous savez.

— Oui ! Je sais exactement quoi faire de cette scène.

Et pendant la demi-heure qui a suivi, il m'a expliqué plan par plan sa vision du braquage, tourné à la Steadicam sur support à gros grain « pour donner une vraie impression d'action de guérilla prise sur le vif ». Ensuite, il a enchaîné sur ses idées de casting :

— Je ne veux que des inconnus. Pour les rôles principaux, je pense à ces deux acteurs incroyables que j'ai vus l'an dernier avec le Berliner Ensemble…

— Comment est leur anglais ?

— Ce n'est pas un problème, ça.

Puisque tu le dis... Deux anciens GIs revenus du Vietnam s'exprimant avec un accent teuton à couper au couteau, ce n'était pas un problème. Je l'ai laissé poursuivre son monologue et il a mentionné en passant qu'il envisageait un budget d'une quarantaine de millions, beaucoup d'argent pour tourner caméra à l'épaule, mais bon, ce n'était pas à moi de lui dire de ne pas gaspiller son argent, non ? D'autant que je me rappelais ce qu'Alison m'avait promis : pour s'être cru très malin en signant « mon » scénario, Fleck allait devoir cracher au bassinet.

Je n'ai fait aucune allusion à cette mauvaise blague, d'ailleurs. Pourquoi le refroidir dans ce grand élan d'enthousiasme créatif ? Et puis, pour être franc, je commençais à me laisser prendre à ses flatteries, à la manière dont il me traitait comme si je n'avais pas écrit un aimable divertissement mais un tableau saisissant de toute une époque. Martha avait dit vrai : lorsque Fleck avait une idée en tête, il la poursuivait avec passion. Mais je n'oubliais pas la suite : dès qu'il avait obtenu ce qu'il voulait, il s'en désintéressait. Et si j'étais encore un peu sous la désagréable impression de sa tentative de déstabilisation initiale, il a néanmoins pris la peine d'interrompre son exposé pour me présenter à nouveau des excuses :

— C'est malheureusement une mauvaise habitude que j'ai, il faut l'avouer. Chaque fois que je fais la connaissance de quelqu'un, j'aime bien le prendre à contre-pied. Simplement pour voir sa réaction.

— Et donc, j'ai passé l'examen ?

— A+, vous avez. D'abord vous avez joué le jeu, vous avez cherché à comprendre où je voulais vous mener. Et puis, dès que vous avez saisi qu'il y avait du bras de fer psychologique dans l'air, vous avez mis le holà. C'est à ce moment que j'ai su que je pourrais travailler avec vous. Martha m'a dit que vous étiez d'une classe à part et elle s'y connaît, en auteurs… D'ailleurs, merci encore d'avoir passé tout ce temps avec elle ces deux derniers jours. Elle vous admire tellement, cela a été une grande joie pour elle de pouvoir vous parler en toute liberté.

Et d'échanger quelques baisers tout en citant Emily Dickinson dans le texte, aussi ? Mais rien dans l'expression de Fleck ne montrait qu'il était au courant de cet aspect de notre soirée. Et puis ils ne vivaient plus ensemble même s'ils restaient officiellement mariés, ai-je argumenté en moi-même. Il devait sans doute avoir une maîtresse dans chacun de ses nombreux ports à travers la planète. En admettant qu'il ait appris nos petits jeux sur la plage, l'essentiel restait qu'il était emballé par mon scénario. S'il imposait ses vues ringardes sur le film, il me suffirait de retirer mon nom du générique. Après avoir empoché mon chèque, bien entendu. Enfin, j'ai tout de même jugé préférable de ne pas continuer sur le sujet de sa chère et tendre.

— Moi, je voulais vous remercier de m'avoir fait connaître le *Salo* de Pasolini. Si vous voulez qu'une fille ne vous adresse plus jamais la parole, c'est certainement « le » film à l'emmener voir à votre première sortie. Mais c'est incontestablement marquant.

— D'après moi, c'est sans aucun doute possible l'œuvre cinématographique la plus importante depuis la guerre. Vous êtes d'accord ?

— Eh bien, c'est beaucoup dire, je crois…

— Je vais vous expliquer pourquoi je suis tellement élogieux. Ce film s'attaque à la question majeure, celle qui a dominé tout le XXe siècle : le besoin d'avoir une emprise totale sur autrui.

— Je ne pensais pas que c'était une obsession réservée à ce siècle.

— Certes. Mais pendant cette période nous avons fait des progrès considérables en termes de contrôle et de manipulation des êtres humains. Nous avons tourné toutes les ressources de la technologie dans ce but. Prenez les camps de concentration nazis : c'est le premier exemple de meurtre high-tech, le nec plus ultra de l'extermination. La bombe atomique a été un autre triomphe du contrôle absolu sur les masses, non seulement par sa capacité à distribuer la mort de loin mais aussi en tant que moyen de chantage politique. Grâce à elle, qu'on le veuille ou non, nous avons tous gobé la supercherie de la guerre froide, pendant que de part et d'autre les gouvernants s'en servaient comme d'un prétexte pour mettre les gens au pas et construire de gigantesques appareils policiers... Et maintenant, nous disposons de moyens d'information toujours plus envahissants pour assurer ce contrôle sur les individus. En complément à la logique de la consommation permanente, celle qui permet au monde occidental d'occuper et d'asservir le commun des mortels.

— Mais... quel rapport avec *Salo* ?

— Très simple. Pasolini a dépeint le fascisme dans sa version prétechnologique la plus pure : la conviction d'avoir le droit, le privilège de prendre complètement le contrôle sur quelqu'un au point de lui dénier plus encore que ses droits, son humanité, au point de le réduire à l'état d'objet jetable une fois qu'il a été utilisé jusqu'à ses ultimes ressources. Depuis, les aristocrates déments du film ont été détrônés par des sources de pouvoir encore plus puissantes, États, multinationales, banques de données… Mais le monde dans lequel nous vivons reste marqué par cette pulsion fondamentale de domination. Tous, nous voulons imposer nos vues aux autres. N'est-ce pas ?

— Sans doute, oui. Mais en quoi cette… euh… théorie concerne notre film ?

Il m'a décoché le sourire de celui qui n'attendait que le moment opportun pour partager une idée incroyablement originale :

— Disons… Ce n'est qu'une proposition, bien sûr, mais qui à mon avis mérite d'être mûrement réfléchie. Donc, disons que nos deux anciens combattants réussissent une première attaque de banque mais commettent ensuite l'erreur de vouloir viser un peu trop haut et décident de s'en prendre à la fortune d'un multimilliardaire pratiquement inaccessible. – Comme par hasard… Mais Fleck continuait à discourir, la mine très sérieuse : – Disons que cet homme vit retranché dans une forteresse en haut d'une montagne de Californie du Nord. Il possède la plus grande collection privée de tableaux du pays et c'est sur elle que notre duo a résolu de faire main basse. Quand ils arrivent à s'introduire dans cette citadelle moderne, ils sont immédiatement arrêtés par des gardes armés jusqu'aux dents. Et là, ils découvrent que le milliardaire, avec une poignée de copains, a mis en place une société secrète libertine, qui dispose d'une escouade d'esclaves sexuels, hommes et femmes. Et nos deux compères sont réduits en esclavage à leur tour mais ils ne tardent pas à concevoir un plan pour libérer tout le monde de cet enfer. – Un autre sourire, de satisfaction cette fois. – Eh bien, qu'en pensez-vous ?

Ne pas avoir l'air dégoûté, surtout.

— Bon, ce serait comme qui dirait *Piège de cristal* revu et corrigé par le marquis de Sade. Mais une question : est-ce qu'ils s'en sortent vivants, nos deux lascars ?

— Quelle importance ?

— C'est très important si vous voulez que le film marche. Quand on investit quarante millions, on vise le grand public, non ? Alors il faut le passionner pour quelqu'un. Concrètement, ça signifie qu'au moins un de nos baroudeurs doit s'en tirer. Après avoir zigouillé tous les méchants, cela va sans dire.

— Et son ami, que lui arrive-t-il ? a-t-il demandé d'un ton coupant.

— Vous le faites mourir en héros. Torturé par le nabab cinglé, si possible. Du coup, l'autre, le rôle pour un Bruce Willis, a encore plus la haine contre leur ravisseur. Il démolit tous les sous-fifres et termine par un duel avec le milliardaire. Et naturellement Willis doit quitter le château en ruine avec une petite nana dans les bras, de préférence l'une des esclaves sexuelles qu'il a libérées. Plan final, générique, et voilà, vous avez vingt millions de recettes garanties pour le premier week-end.

Un long silence s'est installé. Philip Fleck a fait la moue :

— Je n'aime pas ça. Je n'aime pas du tout.

— Si vous voulez mon avis personnel, moi non plus. Mais la question n'est pas là.

— Où est-elle, alors ?

— Tout simplement : si vous voulez que le film tel que vous le voyez marche, il faut respecter certaines règles basiques de Hollywood.

— Mais ce n'est plus ce que vous avez écrit, a-t-il remarqué avec plus qu'un soupçon d'agacement dans la voix.

— Non, c'est vrai ? Comme vous le savez parfaitement, ce que j'ai écrit, et « récrit », d'ailleurs, était une comédie noire à la Robert Altman, avec un certain côté subversif. Quelque chose qui serait parfait pour Elliot Gould et Donald Sutherland dans le rôle des deux anciens du Vietnam. Ce que vous proposez, par contre…

— Ce que je propose l'est tout autant, noir et subversif. Je ne veux pas d'une saleté commerciale de plus. Mon ambition, c'est de réinterpréter *Salo* dans le contexte de l'Amérique du XXIᵉ siècle.

Prudence, ici.

— Qu'est-ce que vous entendez par « réinterpréter » ?

— Eh bien, faire croire aux spectateurs qu'ils sont en train de regarder un film d'action comme il y en a des centaines et puis, bang ! les propulser au cœur des ténèbres.

Je l'ai dévisagé avec attention. Il n'y avait pas une trace d'ironie sur ses traits, pas un gramme d'autodérision ni même de provocation étudiée. Le malheureux était tout à fait sérieux.

— Le cœur des ténèbres, c'est-à-dire ?

— Bah… Vous avez vu *Salo*, non ? Je recherche le même type de cruauté extrême, insoutenable. Repousser les limites du bon goût et de la tolérance aussi loin que possible.

— Comme le banquet de merde fraîche, par exemple ?

— Ah, nous n'allons pas imiter servilement Pasolini, bien entendu.

— Non. *Nous* n'allons pas faire ça.

— Mais je pense qu'il doit en effet y avoir une utilisation des matières fécales, dans une scène ou une autre. Parce qu'il n'y a rien de plus basique que la merde, non ?

— Entièrement d'accord là-dessus, ai-je convenu en le scrutant à nouveau tant je m'attendais à ce qu'il me sorte encore un « J'vous ai eu ! ». – Mais non, il ne rigolait pas et j'ai donc dû poursuivre : – Cela étant, vous n'ignorez pas que la commission de contrôle ne vous donnera jamais sa bénédiction si vous montrez un type en train de caguer par terre. Le film pourrait ne pas sortir du tout, même.

— Oh si, il sortira…

Et il avait raison. Avec son argent, Fleck obtiendrait n'importe quoi. Pour le même motif, il n'avait aucun état d'âme à claquer quarante millions dans un nouveau trip d'ego encore plus aberrant que son précédent navet. Sa fortune le mettait au-dessus de soucis aussi triviaux que la rentabilité d'une production ou l'Audimat.

— Enfin, vous vous rendez compte qu'il risque de passer seulement dans une ou deux salles parisiennes, ou même dans un ciné d'art et d'essai d'Helsinki… Là où ils ont ce taux de suicide tellement élevé.

Fleck s'est redressé.

— Vous plaisantez, je présume.

— Oui, en effet. Tout ce que je veux dire, c'est que…

— J'ai compris ce que vous vouliez dire. Et j'ai conscience de ce qu'un tel projet a de radical. Mais si quelqu'un comme moi, avec les ressources dont je dispose, ne s'aventure pas hors des sentiers battus, comment l'art pourrait-il progresser ? C'est une réalité historique : l'élite financière a toujours eu pour rôle de favoriser la création d'avant-garde. Dans mon cas, je suis mon propre mécène. Et si les autres décident de vilipender mon œuvre, grand bien leur fasse. Tout plutôt que l'indifférence.

— Comme avec votre premier film, vous voulez dire ?

La réplique est partie toute seule et cette fois il s'est très visiblement froissé, me jetant un regard à la fois humilié et venimeux. En parlant de caca, je venais de m'y mettre en plein. Il fallait rattraper la gaffe au plus vite :

— Non qu'il ait mérité cet accueil, évidemment. Et je serais étonné que ce que vous proposez maintenant pour notre scénario laisse les gens indifférents. La coalition chrétienne risque de vous brûler en effigie, ça oui, mais il y aura une réaction, c'est sûr. Une grosse, même.

Il a retrouvé son sourire, d'un coup, et moi mon assurance. Il a touché un bouton sur la télécommande devant lui. Quelques secondes plus tard, Meg arrivait.

— Apportez-nous une bouteille de champagne. Je crois que nous devrions trinquer à notre fructueuse collaboration, David.

— Parce que nous allons collaborer là-dessus ?

— C'est ce que j'ai compris, oui. Vous avez l'intention de continuer à travailler sur le projet, n'est-ce pas ?

— Ça dépend.

— De quoi ?

— Eh bien, des paramètres habituels : nos agendas respectifs, mes autres engagements professionnels, l'accord contractuel auquel nous pourrons parvenir… Et l'aspect financier, évidemment.

— L'argent n'est pas un problème.

— Dans ce business, c'en est toujours un, si.

— Pas avec moi. Dites votre prix.

— Pardon ?

— Annoncez votre prix. Combien vous demandez pour récrire le scénario.

— Oh, je ne m'amuse jamais avec ce genre de détail, moi. Il faudrait que vous en parliez à mon agente.

— Je vais répéter, David : dites votre prix !

J'ai pris ma respiration.

— Il s'agit de quoi ? D'une nouvelle mouture selon vos instructions ?

— Deux versions préliminaires et une mise au point.

— C'est un sérieux investissement en temps de travail, dans ce cas.

— Que vous facturerez en conséquence, j'en suis certain.

— Et c'est d'un *American Salo* qu'on parle, alors ?

— Pourquoi ne pas l'appeler ainsi, en effet ? est-il convenu avec un sourire pincé. Alors, votre prix ?

— Un million quatre, ai-je lancé sans sourciller.

Il a examiné ses ongles un instant, puis :

— Adjugé.

Mon aplomb s'est évanoui d'un coup.

— Vous… vous êtes sûr ?

— Marché conclu, j'ai dit. Et maintenant, nous nous y mettons ?

— Euh... En général, je ne commence à travailler qu'après avoir signé un contrat en bonne et due forme. Et il faudrait que je consulte mon agente, aussi.

— À quel sujet ? Vous avez donné votre prix, je l'ai accepté. Au travail.

— Mais... c'est que... Les agents n'aiment pas que leurs clients commencent un projet sans contrat...

Meg est apparue avec le champagne. Sans lui prêter attention, Fleck a poussé dans ma direction le bloc-notes et le stylo qui se trouvaient sur la table basse.

— Donnez-moi son nom et son numéro. L'un de mes avocats va la contacter dès qu'elle sera à son bureau. Parce qu'elle exerce à L.A., non ?

— Absolument, ai-je confirmé en notant les coordonnées d'Alison. Si vous n'y voyez pas d'inconvénient, toutefois, j'aimerais lui parler avant.

— Réglez ça, alors.

Je me suis retiré dans ma chambre. À ma montre, il était dix heures. Six en Californie. Mais je me suis dit qu'Alison ne serait pas indignée que je la réveille pour discuter d'un contrat à un million quatre. Chez elle, pourtant, je n'ai eu que le répondeur. Son message indiquait qu'elle était partie en vacances au Mexique et ne rentrerait qu'à la fin de la semaine suivante. Ma veine. Je pouvais retrouver sa trace là-bas, certes, mais, Suzy, son assistante, ne serait joignable que dans trois heures... J'ai pris mon courage à deux mains. Il ne me restait plus qu'à appeler Lucy à Sausalito et à lui expliquer que je devais absolument m'attarder encore sur l'île au trésor. Sa réaction a été aussi gracieuse que je m'y attendais.

— Tu es encore plus malade que je ne pensais.

— Laisse-moi t'expliquer…

— Rien du tout. Tu t'es défilé le dernier week-end, tu as promis à Caitlin que tu viendrais celui-là. Donc tu viens, point final.

— J'ai juste besoin d'un jour ou deux.

— Ça veut dire le week-end.

— Et si je prends Caitlin les deux ou trois suivants ?

— Pas question.

— Par pitié, Lucy, sois raisonnable.

— Raisonnablement, je te dis d'aller te faire mettre.

— Ah, c'est intelligent…

— Écoute-moi bien, David. Je suis sûre que tu as d'excellentes raisons pour faire encore faux bond, mais même si Spielberg en personne t'attend, tu t'es engagé auprès de ta fille et tu vas respecter ta parole.

— Et si je ne viens pas ?

— Dans ce cas, j'appelle mon avocate et je lui demande un arrêt t'interdisant tout contact avec ta fille. Elle connaît plus d'un juge aux affaires familiales qui le signera sans hésiter.

— C'est… c'est monstrueux, cette menace.

— Tant pis pour toi.

— Caitlin a besoin de son père !

— C'est justement pour ça que je t'attends cet après-midi.

— Je… je n'arrive pas à croire que tu penses m'interdire de voir ma fille.

— La relation de cause à effet, tu commences à comprendre ? Tu as seulement voulu entendre ce que te dictait ta queue, et ton gigantesque ego. Résultat, tu as détruit notre petite famille. Résultat, je te déteste.

Résultat, je me fiche de contrarier ta sacro-sainte carrière en exigeant que tu tiennes tes promesses. Et je me fiche de m'engager dans une procédure judiciaire qui va coûter les yeux de la tête, tout simplement parce que ce sera toi qui paieras la note. Pour résumer, David : si tu ne rappliques pas d'ici ce soir, ce sera la guerre. Et tu ne reverras pas ta fille avant longtemps.

Elle m'a raccroché au nez et je suis resté assis sur le lit, cloué par la colère que j'éprouvais contre Lucy et sa soif de vengeance aveugle mais aussi contre moi-même, pour avoir été à l'origine de toute cette haine. Son ressentiment me sidérait, certes, mais je ne pouvais m'empêcher de reconnaître que je récoltais ce que j'avais semé. Au prix fort, désormais.

La mort dans l'âme, je suis retourné au Grand Salon. Philip Fleck m'a lancé un regard interrogateur :

— Alors, on commence ?

— Mon agente est en voyage, vous comprenez, et...

— Nous arriverons bien à la joindre là où elle est. Et dans tous les cas je vais veiller à ce que la moitié de la somme soit sur votre compte en banque cet après-midi.

— C'est très, très généreux de votre part. Et très respectable. Mais le problème n'est pas vraiment là. En fait, j'ai un ennui familial assez sérieux en Californie et... Bon, si je ne me rends pas là-bas aujourd'hui, mon ex-femme va me clouer au pilori.

— Qu'elle aille au diable.

— Ce n'est pas si simple.

— Ça l'est. De toute façon, un million quatre, ça vous permet largement de payer un avocat à plein temps.

— Mais il y a une enfant en jeu.

— Elle n'en mourra pas.

Peut-être. Mais moi, est-ce que j'allais supporter le poids de cette culpabilité ?

— Voici ce que je propose : laissez-moi partir à San Francisco tout de suite et je serai de retour lundi à la première heure.

Il a recommencé à étudier ses ongles.

— Mais moi, je ne serai plus là.

— Eh bien, je vous retrouverai où vous voudrez.

— La semaine prochaine, c'est impossible.

— Celle d'après, alors ?

Je me suis mordu la langue. J'avais enfreint la règle d'or du Scénariste hollywoodien : ne jamais avoir l'air en demande. De travail ou, pire encore, d'argent. Ce qui était vrai, sur ce dernier point, mais à Hollywood, et notamment quand on traite avec des personnages dans le genre de Fleck, il faut toujours se comporter comme si un million de plus ou de moins n'a aucune importance. Une grande part du succès tient à ce détachement, à la certitude affichée de n'avoir besoin de rien et surtout de personne. Or j'aurais pu très bien me passer de cette commande, j'avais même de sérieux doutes sur sa légitimité, mais comment résister à une somme aussi effarante ? D'autant que je comptais sur Alison pour verrouiller le contrat de sorte que je puisse retirer mon nom si besoin était, et donc nier toute implication dans le passage de mon œuvre originelle à la moulinette scato-apocalyptique de Fleck.

Le problème, c'est que ce dernier venait de comprendre qu'il me tenait dans le piège d'un dilemme savoureux : ou bien rester et obtenir le pactole, ou bien m'en aller et...

— Je crains que ce ne soit mon seul week-end de libre, a-t-il repris sèchement. Et je n'irai pas par quatre chemins, David : je suis plutôt déçu par votre comportement. Parce que vous étiez bien venu ici pour travailler avec moi, non ?

J'ai adopté le ton le plus calme possible :

— Clarifions les choses, Philip. Vous m'avez convoqué ici pour discuter de mon scénario. Vous m'avez également fait attendre sept jours. Une semaine entière, pendant laquelle j'aurais eu tout le temps de remanier le script. Au lieu de cela, j'ai...

— Vous avez vraiment attendu sept jours ?

Dieu du ciel ! Il remettait le couvert !

— Je vous l'ai dit dès le début de notre conversation : oui, ai-je répondu patiemment.

— Pourquoi personne ne m'a prévenu, alors ?

— Je ne sais pas, Philip. Mais d'après ce qu'on m'a dit, à moi, vous saviez que j'étais en train de ronger mon frein ici.

— Ah, désolé, a-t-il lâché, à nouveau insaisissable. J'ignorais totalement...

Quel fieffé menteur ! Cette façon de battre en retraite, de feindre des trous de mémoire ou même de pratiquement ignorer mon existence... On aurait dit qu'il préférait vous rayer de la carte dès que vos réactions n'entraient pas exactement dans ses plans. C'était comme s'il appuyait sur la touche « Effacer » dans sa tête, vous expédiant à la corbeille du néant.

— Bien, a-t-il proféré en consultant sa montre. Nous avons terminé ?

— Ça dépend de vous.

— Terminé, alors. – Il s'est mis debout. – Vous avez autre chose à me dire ?

Oui. Tu es un connard fini.

— Oui. Je pense que c'est à vous de jouer le prochain coup. Vous avez les coordonnées de mon agente sur ce papier. Je serais heureux de continuer à retravailler mon texte selon les conditions que nous avons évoquées. Je ne me mettrai pas au nouveau volet de la série avant deux mois, donc c'est un bon moment pour avancer. Mais encore une fois, la décision vous revient.

— D'accord, d'accord, a-t-il concédé en regardant par-dessus mon épaule. – Je me suis retourné. L'un de ses factotums tenait en silence un téléphone portable levé devant lui, posture qui signifiait qu'un correspondant digne de son attention patientait. – Alors, bon, merci d'être passé. J'espère que le voyage vous a été utile.

— Oh, mais comment donc, ai-je repris avec une note délibérément sarcastique dans la voix. Très utile.

— Vous persiflez, là ? m'a-t-il demandé avec un regard perplexe.

— Mais non, ai-je répliqué, encore plus cinglant.

— Vous savez quel est votre problème, David ?

— Non, mais vous allez me le dire.

— Vous ne comprenez pas la plaisanterie, voilà !

Soudain, le sourire à la « J'vous ai bien eu ! » était de retour.

— Ça signifie que... vous voulez vraiment travailler avec moi ?

— Absolument. Et s'il faut attendre un mois pour ça, tant pis.

— Je vous l'ai dit, je peux revenir quand vous...

— Alors laissons nos gens se mettre d'accord entre eux et, une fois que ces histoires de contrat seront réglées, nous nous libérons un week-end et nous faisons un sort à ce scénario. Ça vous paraît bien ?

— Oh oui, très bien…

Je ne savais plus quoi penser, en réalité.

— Alors, si vous êtes content, je le suis aussi, a-t-il affirmé en me serrant la main, un peu plus vigoureusement que la première fois. Ravi de faire affaire avec vous. Je suis persuadé que nous allons sortir de là avec quelque chose de vraiment… spécial. Quelque chose qu'on n'oubliera pas de sitôt.

— C'est sûr.

— Bon vol pour le retour, très cher. – Il m'a tapoté l'épaule, puis il a eu ces quatre mots qu'aucun scénariste sensé ne peut tout à fait croire : – On reste en contact !

Exit Fleck.

Meg, qui attendait discrètement dans un coin de la salle, s'est approchée.

— L'hélicoptère est à votre disposition, monsieur Armitage. Je peux vous offrir quelque chose avant votre départ ?

— Non, rien.

Je l'ai remerciée pour son aide. Une ombre de sourire est passée sur ses lèvres :

— J'espère que votre séjour vous a été utile, monsieur Armitage.

À Antigua, le Gulfstream m'attendait, moteurs en marche. Nous sommes arrivés à San Francisco peu après trois heures, comme prévu. La limousine promise m'a conduit à Sausalito. Caitlin est sortie se jeter dans mes bras. Sur le perron, Lucy considérait mon carrosse d'un œil mauvais.

— Tu essaies de nous impressionner ? m'a-t-elle demandé en me tendant le sac de week-end de Caitlin.

— Ai-je jamais pu t'impressionner une seule fois, Lucy ?

Notre fille nous couvait d'un regard inquiet, redoutant une de ces disputes qui ne manquaient pas d'éclater chaque fois que ses parents se retrouvaient face à face. Je me suis donc hâté de dire à Lucy que nous serions de retour le dimanche soir à six heures et j'ai entraîné Caitlin dans la limousine, en demandant au chauffeur de nous emmener au Mandarin.

— Pourquoi tu as une si grande voiture ? a-t-elle voulu savoir alors que nous retraversions le pont en direction de la ville.

— Quelqu'un qui aime bien ce que j'écris me l'a prêtée pour le week-end.

— Et après, tu pourras la garder ?

— Non. Mais on va bien en profiter.

Elle a été très satisfaite par notre penthouse du Mandarin Oriental, et moi de même. Du cinquante-septième étage de l'hôtel, nous avions une vue magnifique sur la baie, les deux ponts et toute l'étendue de cette cité hautement cinégénique. Alors que nous admirions le panorama, le nez pressé contre les larges baies, Caitlin a chuchoté :

— Est-ce qu'on pourra revenir ici chaque fois ?

— Malheureusement, c'est juste pour ce week-end.

— Le monsieur riche, encore ?

— Lui-même.

220

— Mais s'il continue à aimer ce que tu écris…, a-t-elle remarqué d'un ton plein d'espoir.

J'ai éclaté de rire.

— Ce n'est pas aussi simple que ça, Caitlin.

« Surtout dans le show-business », me suis-je retenu d'ajouter.

Après un moment, ma fille m'a déclaré qu'elle était tellement contente de sa chambre avec vue qu'elle n'avait pas envie de sortir, et j'ai donc commandé à dîner au service d'étage. Peu après, le téléphone a sonné. Une voix que je n'avais plus entendue depuis une bonne dizaine de jours.

— Ça baigne, vieux ?

— Quelle bonne surprise, monsieur Barra ! Toujours à New York ?

— Ouais. Toujours à me démener pour sauver cette putain d'IPO. Mais autant essayer de mettre un sparadrap à un type qui s'est fait trancher la jugulaire.

— Charmante image, Bobby. Et maintenant, voyons si je devine comment tu as appris que j'étais ici.

— Ouais. Le staff de Phil. Mais attention, j'ai causé au Grand Chef en personne, aussi. Et je dois te dire une chose, vieux : il t'a à la bonne.

— Vraiment ?

— Hé, c'est quoi, ce ton sceptique ?

— Il m'a fait lanterner une semaine, Bobby. Tu entends ? Et ensuite, il se pointe une heure avant que je m'en aille et il me traite comme s'il ne savait même pas ce que je fabriquais là ! Paf ! L'instant d'après, il me jure qu'il rêve de travailler avec moi, mais quand je lui annonce que je dois aller voir ma fille à San Francisco je redeviens l'Homme invisible. Et au moment où ça allait très mal se terminer, il refait copain-copain, il m'assure que nous allons former une super équipe… Bref, il n'a pas arrêté de se payer ma tête et je n'ai pas apprécié, non.

— Allez ! Ce mec, c'est un envahisseur, tu sais, avec le petit doigt levé ? Mais vingt milliards de bizarrerie ambulante, ça impose le respect, non ? Et il m'affirme qu'il veut absolument faire ce film avec toi, ce qui…

— Question créativité, c'est une merde ambulante, tu le sais ? D'ailleurs c'est une obsession chez lui, la merde.

— Et alors ? J'veux dire, le caca a sa valeur, non ? Surtout quand il y a sept zéros derrière. Alors oublie les lubies du bonhomme, amuse-toi bien avec ta fille et dis à ta redoutable agente qu'on va l'appeler de chez Fleck la semaine prochaine.

Lorsque j'ai tout raconté à Sally après mon retour à L.A. dans la nuit du dimanche au lundi, elle a émis le pronostic que je n'entendrais plus jamais parler du cinéaste milliardaire.

— Tu as été son joujou pendant quelques jours, et voilà. Enfin, tu as bronzé gratis, au moins. À part ça, tu as fait des rencontres intéressantes, sur cette île ?

Préférant passer sous silence mes deux soirées avec Martha, je suis revenu au sujet qui intéressait Sally plus que tout, à savoir sa victoire totale sur le front de Stu Barker. En une semaine, elle avait amadoué son ennemi mortel au point qu'il lui mangeait désormais dans la main : il lui avait donné carte blanche pour la programmation d'automne et chantait ses louanges devant les grands patrons de la Fox. À un certain point du récit triomphal de ses nouveaux exploits professionnels, elle a tout de même noté que je lui avais manqué et qu'elle m'aimait à la folie. Je l'ai embrassée en lui disant que moi aussi, puis nous sommes allés au lit, où nous avons l'un et l'autre atteint l'orgasme dans l'habituel créneau de dix minutes. Juste avant de s'endormir, elle m'a confié nager dans le bonheur, notamment parce que nous avions tellement le vent en poupe, tous les deux :

— Tout le monde a l'occasion de sa vie. Pour nous, c'est maintenant.

Elle n'avait pas tort, d'une certaine manière, puisque contre toute attente l'avocat de Fleck a effectivement téléphoné à Alison une semaine plus tard. Tout s'est passé vite et bien. Le prix de mes services n'a pas été discuté, ni la clause m'autorisant à retirer ma signature si Fleck s'entêtait dans ses « fantasmes scatologiques », ainsi que me l'a brillamment résumé Alison.

— Tu ne crois pas que je suis inconscient de me lancer là-dedans ? lui ai-je tout de même demandé.

— D'après ce que tu m'as raconté, ce type ne semble pas avoir la lumière à tous les étages. Mais puisqu'on le sait, et puisque le contrat te donne un bon parachute, c'est bien payé. Enfin, je te conseille de ne pas y passer plus de deux mois parce que j'ai l'impression que tu vas être plus demandé que jamais, professionnellement.

En effet. Dès le début de sa deuxième saison, *Vous êtes à vendre !* a fait un tabac. « Ces deux premiers épisodes de la nouvelle série confirment, et plus encore, le talent et l'humour assez uniques de David Armitage », écrivait ainsi le *New York Times*. Merci, c'est trop gentil. Excellentes critiques, plus bouche-à-oreille, plus public captif du volet précédent : l'équation ne pouvait que donner des taux d'audience magnifiques. Au lendemain de la diffusion du troisième épisode, la FRT me commandait déjà une suite, négociée par une Alison imperturbable à un million deux pour votre serviteur. Au même moment, Warner Brothers me proposait un million tout net en échange d'un scénario de mon choix. J'ai accepté, naturellement.

Comme je mentionnais ce dernier deal à Bobby au cours de l'un de nos échanges téléphoniques, il m'a félicité et m'a demandé si je voulais faire partie des happy few qui allaient pouvoir investir dans une petite société asiatique sur le point d'entrer en cotation. Elle avait développé un moteur de recherche Internet qui la placerait parmi les poids lourds des nouvelles technologies en Chine et dans le Sud-Est asiatique.

— C'est Yahoo avec les yeux bridés, autant dire que c'est béton.

— Il y en a qui crieraient au racisme, Bobby.

— Écoute, vieux : on parle du principal marché mondial encore en friche. Et là, c'est une chance de s'établir dessus d'entrée de jeu. Mais tu dois me dire tout de suite : ça t'intéresse ou pas ?

— Tu ne m'as jamais donné de mauvais tuyaux, jusqu'ici.

— Malin !

Je n'étais pas loin de le penser aussi, car tout me réussissait. Submergé de demandes d'interviews après le nouveau succès de ma série, j'ai cependant réussi à m'atteler au projet pour la Warner, une petite fable grinçante à souhait, l'histoire d'un avocat qui dérape, perd tout et finit en gentleman cambrioleur plein d'astuce. Après avoir choisi un titre provisoire, *Vol avec effraction*, j'ai été pris d'une frénésie créatrice qui m'a permis d'expédier une version complète en un mois tout rond. Le chef des productions chez Warner l'a lu et m'a téléphoné pour me dire qu'il « mettait un réalisateur dessus en toute urgence ». Très bien, ai-je répondu.

Et puis il y a eu le petit intermède de la cérémonie des Emmy, à laquelle je me suis rendu avec Sally et Caitlin, sur laquelle tout le monde s'est extasié. L'enveloppe pour le meilleur scénario de télévision a été ouverte, mon nom proclamé. J'ai embrassé mes deux chéries, je me suis levé et je suis monté sur le podium pour prendre ma statue et prononcer le speech d'usage, dans lequel j'ai remercié tous les professionnels qui avaient donné vie à mon idée… et ma bonne étoile, « ce rare moment dans une carrière où toutes les planètes se retrouvent soudain dans le bon alignement, où les dieux du hasard se rappellent brusquement votre existence et où vous découvrez que Providence n'est pas qu'une ville de la côte est ».

C'était l'apogée de deux années hallucinantes. Plus tard, alors que je m'effondrais sur le lit avec Sally, le cerveau embrumé par le champagne, je me suis surpris à penser : « Voilà, tu es arrivé. Tu as réussi. Tu rêvais d'une vie pareille. Tu l'as, désormais. Félicitations : pour toi, c'est *maintenant* ! »

Deuxième partie

1

Les ennuis ont commencé par un coup de fil. Matinal, très : à six heures quarante-huit, le mercredi suivant la cérémonie des Emmy. Sally était déjà partie pour l'un de ses fréquents petits déjeuners stratégiques avec Stu Barker. Quant à moi, j'étais encore loin au pays des songes quand le téléphone s'est mis à hululer. Ma première idée, bien que confuse, m'est restée en mémoire : je me suis dit qu'un appel à une heure pareille n'est jamais porteur de bonnes nouvelles.

C'était Brad Bruce, mon producteur. Comme tous les gens de sa partie, il est sans cesse sous pression, Brad, mais dès le début j'ai compris qu'il y avait plus de tension dans l'air que d'habitude.

— Désolé de te réveiller, David, mais on a un problème.

Je me suis redressé d'un coup dans le lit.

— Quel genre de problème, Brad ?

— Tu connais ce canard, *Hollywood Legit* ?

Oui. Un magazine alternatif qui avait fait son apparition quelques mois plus tôt et se posait en rival du

L.A. Reader en privilégiant les enquêtes agressives ainsi qu'une dénonciation au vitriol du petit monde prétentieux et surpayé de Hollywood.

— Pourquoi, ils s'en prennent à la série ?

— Non, ils s'en prennent à toi, David.

— Moi ? Un simple scénariste ?

— Un scénariste très lancé, oui. Ce qui te convertit en cible idéale.

— Ils m'accusent de quelque chose ?

— Oui.

— De quoi ?

Je l'ai entendu prendre sa respiration. La réponse est venue, d'une terrible brièveté :

— De plagiat.

— De quoi ?

— Tu es accusé de plagiat, David.

— C'est insensé !

— Je suis heureux de l'entendre.

— Je ne suis pas un plagiaire, Brad.

— Je n'en doute pas, mais…

— Alors dans ce cas, pourquoi on me reproche ça ?

— Parce que ce fouille-merde, là, ce Theo MacAnna, a écrit quelque chose sur toi dans sa chronique hebdomadaire et que le journal sort demain matin.

Je connaissais la colonne de Theo MacAnna, très judicieusement intitulée « Linge sale », et qui consistait, chaque semaine, à monter en épingle de scandaleuses accusations contre des professionnels du show-biz. J'avoue que je prenais toujours un plaisir malsain à la lire, parce que nous aimons tous les ragots. Jusqu'au moment où nous en devenons nous-mêmes les victimes.

— Je ne suis pas là-dedans, quand même ?

— Si. Tu veux que je te lise le passage qui te concerne ? C'est assez long.

— Eh bien… Vas-y.

— D'accord : « Couronnes de laurier et bouches en cœur pour le tout juste primé David Armitage, scénariste de la série *Vous êtes à vendre !*, laquelle, il faut le reconnaître, s'est encore améliorée depuis la première saison… »

— « Il faut le reconnaître »… Quel roquet !

— La suite est pire, je te préviens : « Armitage, c'est un fait, se révèle l'une des grandes découvertes de ces dernières années. Il a l'œil, et il tient la distance. Semaine après semaine, ses personnages franchement déjantés alignent sans effort les reparties cocasses et les bons mots. Personne ne met en doute son originalité, certes, mais un informateur à l'oreille bien entraînée vient d'attirer l'attention de votre journal préféré sur une troublante découverte : toute une partie de dialogue du feuilleton qui a valu un Emmy à Armitage est en réalité une transcription quasi intégrale d'un extrait de ce classique de la comédie, dû à Ben Hecht et Charles MacArthur, *The Front Page*… »

J'ai à nouveau coupé Brad :

— C'est de la connerie en barre ! Je n'ai pas vu ce truc depuis…

— Mais tu l'as vu ?

— Évidemment ! Aussi bien la version de Billy Wilder avec Jack Lemmon et Susan Sarandon que celle de Howard Hawkes. Cary Grant et Rosalind Russell, là. Et puis j'ai joué dans la mise en scène que nous avions donnée à la fac, à Dartmouth…

— Ah, putain !

— Mais quoi ? C'était il y a presque vingt ans !

— Ouais. Mais tu en as visiblement gardé un souvenir précis, parce que le passage qu'il t'accuse d'avoir piqué...

— Je n'ai rien piqué du tout, Brad !

— Écoute la suite, alors : « Le dialogue en question se trouve dans l'épisode spécialement remarqué par le jury des Emmy. Joey, l'homme à tout faire de l'agence de relations publiques imaginée par Armitage, tamponne un panier à salade alors qu'il conduisait une diva black à un enregistrement du show d'Oprah Winfrey. Il doit ensuite informer Jerome, le fondateur de la compagnie, de ce pénible incident et du fait que la vedette *soul* est à l'hôpital, où elle clame avoir été victime de violences policières. Voici l'échange dans le scénario d'Armitage :

« *Jerome* : Quoi, tu es rentré dans une bagnole de flics ?

« *Joey* : Qu'est-ce que je peux vous dire, chef ? C'était un accident.

« *Jerome* : Est-ce qu'il y a des blessés chez eux ?

« *Joey* : J'ai pas trop traîné pour voir. Mais vous savez comment ça se passe, les flics : quand on leur tape un peu dedans, ils dégringolent comme une cargaison de patates.

« Comparons maintenant ces spirituelles répliques avec ce qui se passe dans *The Front Page* quand Louie, le grouillot du puissant directeur de journal Walter Burns, se précipite dans la salle de rédaction pour apprendre à son patron qu'il vient de percuter un véhicule de la police de Chicago, avec la future belle-mère du journaliste vedette sur le siège arrière :

« *Walter* : C'est vrai, vous êtes rentré dans une camionnette de la police ?

« *Louie* : Qu'est-ce que je peux dire, chef ? C'était un accident.

« *Walter* : Est-ce qu'il y a des blessés chez les flics ?

« *Louie* : Je me suis pas trop attardé pour voir. Mais vous savez comment ça se passe, avec la police : vous leur rentrez dedans et ils vous dégringolent dessus comme une cargaison de patates. »

— Bon Dieu, ai-je murmuré. Je n'ai jamais…

— Écoute la fin, plutôt : « Il va sans dire qu'il s'agit là d'un exemple inconscient de ce que les Français appellent un *hommage* mais que nous désignerons sous le terme plus simple de copie conforme. Inutile de chercher d'autres preuves de plagiat dans l'*œuvre* de David Armitage. Mais il est clair que ce scénariste de talent, cet écrivain brillantissime a en cette occasion confirmé la sagace remarque du grand Eliot, selon lequel "les poètes en herbe imitent, les poètes accomplis se contentent de piller". »

Silence sur la ligne. J'avais l'impression d'avoir fait un pas dans une cage d'ascenseur vide, soudain.

— Je… je ne sais pas quoi dire, Brad.

— Qu'est-ce qu'il y aurait à dire ? Il t'a pris la main dans le sac, voilà tout, et c'est déjà…

— Attends un peu ! Tu es en train d'insinuer que j'ai « volontairement » repris ce dialogue ?

— Je n'insinue rien du tout. Je me contente d'observer les faits. Et ils parlent d'eux-mêmes.

— Attends ! Peut-être que l'échange est le même. Mais ça ne signifie pas que j'ai ouvert le script et copié mot à mot, tout de même !

— Ce n'est pas ce dont je t'accuse, David. Crois-moi. Seulement les faits sont là, encore une fois.

— Oh, c'est d'une telle connerie !

— Non, c'est très sérieux, au contraire.

— Écoute, de quoi s'agit-il, en fait ? Une blague vieille de soixante-dix ans qui resurgit dans mon scénario. Ce n'est pas du pillage littéraire, c'est une utilisation involontaire d'un bon mot déjà employé par quelqu'un d'autre avant moi. C'est ce qui arrive sans cesse aux blagues, non ? On se les repasse sans même se souvenir d'où elles viennent.

— Exact. Mais il y a une différence entre ressortir la énième histoire de belle-mère et se retrouver avec quatre lignes d'un film hyperconnu dans ton propre scénario.

Je me suis tu, le cœur battant à se rompre. Le constat s'imposait à moi, inexorable : c'était grave, oui.

— Brad… Il faut que tu sois convaincu qu'il n'y avait absolument aucune préméditation de ma part.

— David… Il faut que tu saches qu'étant ton producteur je vais pâtir de cette affaire avec toi. Je me doute bien que tu n'aurais jamais commis une erreur aussi suicidaire en toute conscience. Je comprends parfaitement que deux répliques d'un autre auteur se soient incorporées à ta création de façon tout à fait innocente. Et je sais que c'est arrivé à plein d'autres écrivains avant toi, que ça constitue à la limite une faute, mais pas un crime. Le problème, c'est que toi tu as été pris sur le fait.

— Mais c'est trop injuste ! Surtout qu'il n'y a vraiment pas de quoi s'offusquer.

— Nous en convenons tous. Mais il n'empêche que ce tordu de MacAnna t'a coincé. Demain matin, toute la ville sera au courant. La rumeur s'est déjà répandue, d'ailleurs, et c'est pour ça que je t'ai appelé à cette heure impossible.

— Comment ça, déjà répandue ?

— Eh bien, il y a encore de mauvaises nouvelles. Tu connais Tracy Weiss, bien sûr. – La chef du service de presse de la FRT. – À neuf heures et demie hier soir, elle a reçu un coup de fil d'un journaliste de *Variety*, Craig Clark. Il voulait une réaction officielle de la chaîne. Grâce à Dieu, Tracy est à tu et à toi avec lui… En fait, ils ont eu une histoire à l'époque où ce type s'était séparé de sa femme, mais bon, ça reste entre toi et moi. Toujours est-il qu'elle l'a convaincu d'attendre jusqu'à aujourd'hui pour sortir l'histoire. En échange, il aura la primeur de la réponse de la FRT, et de la tienne, je te précise.

— Ah, super.

— Écoute, David, on en est à essayer de sauver les meubles, là, donc tout ce qui permet de retarder la pompe à merde…

— Compris, compris.

— Alors je te disais qu'avec Tracy, hier soir…

— Puisque tu étais au courant, pourquoi as-tu attendu tout ce temps ?

— Parce que nous savions que tu n'aurais pas fermé l'œil de la nuit si nous te l'avions dit hier. Tracy et moi, on a pensé qu'il valait mieux que tu dormes, vu ce qui t'attend aujourd'hui.

Oui. Ma dernière nuit de vrai sommeil avant longtemps, sans doute…

— Et qu'est-ce qui m'attend aujourd'hui, Brad ?

— À huit heures, maximum, tu viens au bureau. J'y serai, et Tracy, et Bob Robison.

— Bob l'a appris aussi ?

Je criais presque, maintenant.

— Évidemment. C'est le chef des programmes, David ! Enfin, Tracy espère qu'à nous tous nous allons concocter une déclaration dans laquelle tu reconnais que c'était une gaffe innocente, que tu regrettes et que ton seul tort est d'avoir resservi une blague réchauffée. Une fois ce point réglé, tu passes dix minutes avec le chroniqueur de *Variety* et…

— Quoi, il faut que je le rencontre ?

— Si tu veux qu'il soit bien disposé à ton égard, il n'y a pas d'autre moyen. Le calcul de Tracy, c'est qu'il t'accorde le bénéfice du doute, ce qui nous permettra de faire passer notre version en même temps que les saloperies de MacAnna. En espérant que ça se calmera rapidement.

— Et si le type de *Variety* ne me croit pas, qu'est-ce qui se passe ?

À nouveau, j'ai entendu mon producteur chercher son souffle.

— On n'en est pas là.

J'ai surpris mon image dans le miroir en face du lit. Elle faisait penser à un chevreuil aveuglé par les phares d'un camion en train de foncer sur lui. Terrifié et pourtant incapable de bouger, incapable de croire à la fin stupide qui va s'abattre sur lui.

— David ? Tu es là ?

— Oui… Plus ou moins. Je n'arrive pas à y croire, Brad. Je suis sur le cul.

— Bon, je sais que c'est un sale coup…

234

— Hein ? C'est de la folie, oui. Et beaucoup de bruit pour rien, surtout.

— Exactement ! C'est comme ça qu'on va le jouer, et je sais qu'on va s'en sortir de cette manière. Seulement, David, il faut que je te demande une chose…

J'ai compris ce qui allait venir.

— Non, je n'ai jamais plagié personne. Et, non, à ma connaissance il n'y a pas d'autres paraphrases involontaires dans tout le feuilleton.

— Voilà, c'est ce que je voulais entendre. Et maintenant, rapplique vite fait. La journée va être longue.

En voiture, j'ai appelé Alison chez elle. Aussi endormie que moi un moment plus tôt, elle n'a eu besoin que de quelques secondes pour reprendre ses esprits quand je lui ai expliqué la raison de mon appel et résumé la charge de MacAnna.

— C'est la chose la plus répugnante que j'aie jamais entendue, et Dieu sait si j'ai eu à en entendre.

— En tout cas, c'est très mauvais pour moi.

— C'est une petite vacherie montée en épingle pour fabriquer un scandale. Putains de journalistes. Autant de retenue qu'un chat en chaleur : ils pissent sur tout ce qui bouge.

— Qu'est-ce que je vais faire, Ali ?

— Quoi qu'il arrive, tu survivras.

— Ah, c'est encourageant…

— Je veux dire : pas de panique. Notamment quand tu conduis ton monstre comme en ce moment. Va au bureau sans foncer dans le décor, je t'y rejoins. Et crois-moi, David, je ne les laisserai pas te griller, ni même un peu braiser. Tiens le coup.

Au cours des vingt minutes qu'il m'a fallu pour négocier les bouchons de la 10, mon humeur est passée par tous les stades étiquetés ou non par les psycho-gourous sans parvenir à celui, si vanté, de l'« acceptation », probablement parce que j'étais trop furieux pour cela. Seul aspect positif de ces tourments intérieurs, la frayeur initiale fut définitivement supplantée par la volonté de lutter pied à pied. Ma faute, si faute il y avait, était inconsciente et ne méritait certes pas le bûcher que ce cinglé de MacAnna avait préparé à mon intention. La meilleure réplique à ce genre de diffamation pseudo-journalistique était de venir au centre du ring et de cogner. Fort.

— C'est exactement ce que nous n'allons pas faire, a cependant répliqué Tracy Weiss lorsque, dès le début de la réunion, j'ai proposé cette tactique musclée.

Nous étions dans le bureau de Brad, autour de la « table à idées », ainsi qu'il appelait l'espace qui accueillait habituellement nos séances d'improvisation créative. Malgré leurs paroles apaisantes, l'attitude de Brad, de Tracy et de Bob Robison trahissait leur peur et leur conviction secrète qu'en fin de compte nous n'étions pas tous sur le même bateau, non : soudain, j'ai compris que, même s'ils étaient techniquement concernés par mon « problème », j'occupais ici la place de l'accusé, et qu'au cas où une peine serait prononcée je serais le seul à la subir.

— Concrètement, David, a repris Tracy, et tout frimeur qu'il soit, MacAnna vous tient par les... *cojones*. Ce qui signifie que nous allons devoir jouer en douceur.

À côté de moi, Alison a allumé une Salem avant de remarquer :

— Oui, mais en l'occurrence ce type exige la pendaison pour avoir traversé en dehors des clous.

— Arrêtons le mélodrame, Alison, est intervenu Bob Robison. MacAnna a des preuves, et croyez l'ancien membre du barreau de Californie que je suis : il ne faut rien de plus que des preuves pour condamner quelqu'un. Quand vous avez été pris sur le fait, personne ne va se demander quel était votre mobile.

— Mais ce n'est pas pareil ! ai-je protesté. Ce prétendu plagiat était totalement inconscient et…

— Rien à foutre, a contré Robison. Vous n'aviez pas l'intention de le faire, vous l'avez quand même fait.

— Pas d'accord, a lancé Alison. La moitié du temps, un auteur ne sait pas d'où sort ce qu'il écrit.

— Cette fois, malheureusement, Theo MacAnna a vérifié pour David.

— Il n'y avait aucune intention malhonnête de ma part.

— Et je sympathise avec vous, a assuré Robison. Franchement. Vous savez quelle estime je vous porte. Mais les faits sont les faits, David. Vous avez plagié. Sans doute pas volontairement. N'empêche. Prétendre le contraire, ce serait comme cette histoire que j'ai lue il n'y a pas longtemps. Celle du type que sa femme surprend au lit avec une autre nana, qui bondit sur ses pieds, en tenue d'Adam, et qui se met à crier : « C'est pas moi, c'est pas moi ! »

— Elle l'a cru ? s'est intéressé Brad avec un petit sourire.

— D'après vous ? Enfin, David, vous voyez où je veux en venir ?

— Je… Oui.

— Encore une fois, a insisté Brad, je veux que vous compreniez bien une chose, Alison et toi : on est à cent pour cent derrière toi, dans cette affaire. On ne te laissera pas tomber.

— C'est très émouvant, Brad, a répondu Alison sèchement. J'espère que je n'aurai jamais à vous rappeler cet engagement.

— Nous allons nous battre, a expliqué Tracy, mais sans avoir l'air ni trop offensifs, ni trop défensifs. L'idée, c'est d'empêcher la polémique de se développer... ou de nouvelles questions de surgir, par une déclaration où David reconnaît sa culpabilité fortuite mais...

— Bonne formule, ça, a approuvé Robison.

— ... mais sans battre sa coulpe non plus. Le ton employé va être très important, ici. Tout comme dans l'interview avec Craig Clark.

— Vous pensez qu'il va être bien disposé, lui ? a demandé Brad.

— C'est un journaliste de show-biz avant tout, et devant une histoire pareille... Enfin, je veux croire qu'il en connaît assez long sur le métier du spectacle, et surtout de l'écriture, pour comprendre que c'est une chose qui peut arriver. Il n'est pas vicieux comme MacAnna, non plus. Et il sait qu'il va parler à David en exclusivité. Et il aime beaucoup la série. Conclusion, il faut espérer qu'il juge tout ça très excessif.

Nous avons passé l'heure qui a suivi à « concocter » – qu'est-ce que je déteste ce mot ! – le communiqué de la chaîne, lequel déplorait mon « erreur non préméditée » – c'est Tracy qui a choisi ces termes, pas moi – et citait Bob Robison, qui affirmait accepter complètement mes explications au sujet de cette « transposition » du dialogue. À la demande insistante d'Alison, le texte mentionnait le renouvellement du contrat pour *Vous êtes à vendre !* que la chaîne m'avait signé, en guise de preuve qu'il ne s'agissait pas seulement d'un soutien pour la forme. Il se terminait par quelques réflexions contrites, mises dans ma bouche, où je remarquais que « les auteurs sont comme des éponges de mer qui retiennent tout ce qui passe et le recyclent, parfois sans même s'en rendre compte », et où je reconnaissais que j'avais toujours été un fan du scénario de Ben Hecht et Charles MacArthur, que j'avais participé à sa mise en scène dans ma jeunesse et que j'étais à mille lieues d'avoir voulu le piller délibérément.

La mise au point n'a pas été facile. Alors que Bob Robison attendait de moi un pur et simple mea culpa – il est catholique, il faut le dire –, Alison aurait voulu que j'adopte une tonalité plus légère, en remarquant notamment que je n'étais pas le premier ni le dernier à reprendre un bon mot déjà en circulation. Mais c'est Tracy qui m'a encouragé à trouver un équilibre entre la confession et un certain détachement. Et à continuer sur le même registre lors de ma comparution devant Craig Clark. Lequel s'est révélé plutôt brave type pour un journaliste.

À son arrivée, tout le monde a évidemment surveillé du coin de l'œil le comportement de Tracy en sa présence. Quand Bob, avec sa balourdise coutumière, lui a lancé : « Alors, il paraît qu'on est encore papa ? » avant de chercher désespérément à masquer sa confusion, Craig a évité du regard l'attachée de presse de la FRT en répondant que sa femme et lui étaient en effet les heureux parents de Mathilda, quatre mois. Le sourire professionnel de la pauvre Tracy était si tendu que j'ai été sincèrement peiné pour elle. Mais cela ne l'a pas empêché d'assurer : après avoir prié les autres de quitter le bureau de Brad, elle s'est assise discrètement dans un coin tandis que Craig me soumettait à la question.

La quarantaine un peu enveloppée, un peu usée aussi, il s'est révélé déontologiquement correct et, à mon grand soulagement, plutôt favorable à ma cause. Après avoir exprimé son admiration pour ma série, il m'a même tendu la perche :

— Croyez-vous que la plupart des écrivains ont à un moment ou un autre emprunté une formule quelconque à d'autres sans le vouloir, monsieur Armitage ?

Merci, mon Dieu ! Il ne cherchait donc pas à m'écarteler sur place, ni à briser ma carrière. Il a eu quelques questions assez rudes – Même accidentelle, ce genre d'erreur était-elle excusable ? Est-ce que je méritais les critiques de mes collègues ? – auxquelles j'ai répondu le plus dignement possible, mais j'ai réussi également à le faire rire, par exemple en affirmant que j'étais prêt à me charger du scénario du prochain film de Jackie Chan en guise de pénitence. Bref, les dix minutes prévues se sont prolongées du double, Tracy ayant vu que le reporter ne s'ennuyait pas. À la fin, il m'a serré la main, je lui ai noté mes numéros sur un papier en lui disant de m'appeler s'il voyait une autre question :

— Et quand tout ce battage se sera calmé, on pourra peut-être boire une bière ensemble.

— Avec plaisir. Il se trouve que j'ai écrit deux ou trois scripts pour la télé que j'aimerais...

— On regardera ça.

Tracy lui a ouvert la porte en lui disant : « Je te raccompagne tout de suite à ta voiture. » Quand il est sorti, elle m'a déclaré à voix basse :

— Vous vous en êtes magnifiquement sorti. Mieux que ça encore : je crois qu'il vous a bien aimé.

— Espérons. Ça a l'air d'un brave type.

Son visage s'est refermé.

— Non, pas du tout.

Et elle a disparu à son tour. Deux secondes plus tard, Alison m'a rejoint.

— Tracy m'a fait signe que tout allait sur des roulettes. Tu es content, toi ?

— Bah... Je ne sais pas ce que je dois penser, franchement.

— Oui ? Eh bien, tu vas te sentir encore plus paumé. Pendant que j'attendais dans ton bureau, Jennifer a eu un appel de Sally. Il paraît que c'est urgent.

Fantastique. Elle avait donc eu la nouvelle avant que j'aie pu lui la donner. La mort dans l'âme, je suis parti lui téléphoner et son assistante me l'a passée immédiatement. L'entrée en matière m'a laissé présager le pire :

— Je suis effarée.

— Chérie ? Est-ce que je peux... ?

— Et le pire, c'est que j'ai dû apprendre cette histoire par la bande.

— Mais je ne suis au courant que depuis ce matin sept heures !

— Tu aurais dû téléphoner tout de suite.

— Tu avais ce petit déjeuner avec Stu...

— J'aurais quand même pris l'appel.

241

— En plus, j'ai dû rappliquer ici d'urgence pour une réunion de crise, sans parler d'une interview avec un type de *Variety*.

— Quoi, la presse est déjà sur le coup ?

— Oui, mais Tracy Weiss, la chef du service de presse, m'affirme que...

— Je sais qui est Tracy Weiss, merci.

— Pardon, pardon ! Enfin, ce journaleux a contacté Tracy hier soir et ils ont...

— Ah, parce qu'elle est au courant depuis hier soir ?

— Oui, mais pas moi, je t'assure ! En tout cas, elle a décidé de donner l'exclusivité à ce fouineur pour que notre version des faits sorte mieux, plus vite, et...

— Ce sera dans leur édition de demain ?

— Absolument.

— Et la chaîne a donné un communiqué ?

— Oui. Avec un mea culpa en règle de ma part.

— Tu leur demanderas de me le faxer ?

— Bien sûr, chérie, mais je t'en prie, ne sois pas si froide ! J'ai besoin de ton soutien. J'ai besoin de toi, tout de suite.

— Si c'était le cas, tu m'aurais appelée dans la minute. Je croyais que j'étais l'amour de ta vie ?

— Mais oui, tu le sais très bien ! Simplement... Oh, bon Dieu, Sally, c'est juste que ça fait trop, d'un seul coup !

— Et pour moi, tu crois que c'est facile ? Tout découvrir en voyant arriver un sous-fifre du service de presse qui me dit : « Quelle histoire, pour votre fiancé... Vous devez être furieuse ! »

— Pardon, pardon, pardon...

— David ?

— Oui ?

— Tu as une voix terrible. Ça va ?

— Non, ça ne va pas du tout.

— Ah, je regrette si j'ai…

— Tu sais combien je t'aime, Sally.

— Et moi aussi, tu le sais. C'est juste que je…

— Tu as raison, mille fois. J'aurais dû appeler. Seulement c'était la folie, c'était…

— Tu n'as pas à te justifier, David. Ma réaction était nettement exagérée, mais je me suis tellement inquiétée… Et ça paraît inquiétant, non ?

— À qui le dis-tu !

— C'était un… accident, n'est-ce pas ?

— Rien de prémédité, non.

— Bon, c'est déjà quelque chose. Et tu es sûr que…

Ah, la question à cent balles, maintenant. Celle que tout le monde voulait me poser.

— Oui, Sally. C'est la seule et unique fois que les mots de quelqu'un d'autre se retrouvent dans un de mes textes. Crois-moi.

— Évidemment que je te crois, chéri. Et c'est une très très bonne nouvelle. Parce que si c'est un cas isolé…

— C'en est un !

— Bien entendu, bien entendu. Et comme c'en est un, il sera vite excusé et oublié.

— Je ne suis pas un plagiaire professionnel, ai-je insisté tout en me demandant pourquoi j'étais tellement sur la défensive.

— Je le sais. Tout comme je sais que d'ici une semaine personne n'y pensera plus.

— J'espère que tu as raison.

— Mais j'ai toujours raison, a-t-elle plaisanté, et pour la première fois depuis mon réveil ce jour-là j'ai pu rire.

— Tu sais ce qui serait bien, Sally ? Un long déjeuner avec toi, très arrosé. J'ai besoin d'être anesthésié au martini, vite fait.

— Chéri... Tu sais bien que je retourne à Seattle cet après-midi et...

— Non, je ne me rappelais pas.

— C'est pour cette nouvelle série qu'on prépare, c'est très...

— D'accord, d'accord.

— Mais je suis de retour samedi à la première heure. Et je vais t'appeler tout le temps.

— Très bien.

— Ça va aller, David.

— J'espère que tu as raison.

Je suis allé à la porte après avoir raccroché. Installée au bureau de Jennifer, Alison était très occupée avec le téléphone. Je lui ai fait signe de me rejoindre. Après avoir abrégé sa conversation, elle est entrée dans la pièce, refermant derrière elle.

— Alors, comment c'était ?

— Difficile au début, mieux après.

— C'est déjà quelque chose, j'imagine.

— Bon, ne le dis pas.

— Je ne dis pas quoi ?

— Ce que tu penses de Sally.

— Moi ? Je ne pense rien.

— Menteuse.

— Je plaide coupable, oui. Mais enfin, elle s'est laissé convaincre… Probablement après avoir vu que ça ne pouvait pas nuire à sa carrière.

— Ah, ça, c'est une vacherie.

— Mais une vérité indiscutable, aussi.

— Bon, on peut passer à autre chose ?

— Avec plaisir. Surtout que j'ai de bonnes nouvelles. Je viens de parler avec Larry Latouche, de l'AATC. – L'Association des auteurs de télévision et cinéma. Ma corporation, quoi. – Il était déjà au courant.

— Quoi ?

— Que veux-tu que je te dise ? Il ne doit pas y avoir beaucoup d'autres potins dans le show-biz, cette semaine. Avec un peu de chance, d'ici quarante-huit heures un acteur en vue va se faire coincer en compagnie d'une petite Mexicaine mineure et ils nous oublieront un peu. Mais pour le moment tu es celui dont toute la ville va causer, que tu le veuilles ou non. Et la rumeur se répand vite.

— Super.

— Toujours est-il que Latouche a été scandalisé par les accusations de MacAnna. Et il dit qu'il peut citer une douzaine d'exemples d'emprunts inconscients chez des écrivains réputés. Donc il veut que tu saches que l'Association est entièrement avec toi dans cette affaire, et il va sortir une mise au point en ce sens dès demain matin. En ajoutant que MacAnna est un méprisable faiseur d'histoires.

— Je l'appellerai pour le remercier.

— Bonne idée. Nous avons besoin de gens qui pèsent.

On a frappé à la porte et Tracy est entrée avec une copie du communiqué de presse.

— Voilà, tout chaud. Les huiles de la direction à New York viennent juste de donner leur imprimatur.

— Comment ont-ils pris ça ? a demandé Alison.

— Pas avec le sourire, parce qu'ils sont comme tout le monde, ils n'aiment pas les vagues. Mais ils soutiennent David sans réserve et ils veulent que tout soit réglé au plus vite.

Là, Alison lui a annoncé la déclaration imminente de Latouche. Tracy a froncé les sourcils :

— C'est bien d'avoir leur aide, oui, et je vous remercie d'avoir vu ça, Alison, mais j'aurais aimé que vous m'en parliez d'abord.

Mon agente a posément allumé une autre Salem.

— J'ignorais que je travaillais pour vous, Tracy.

— Vous me comprenez très bien.

— Oui. Je comprends que vous voulez tout contrôler.

— Alison…, ai-je voulu intervenir.

— Exactement. C'est ce que je veux. Dans le but de protéger la carrière de votre client. Ça vous gêne ?

— Non. Mais le ton que vous adoptez avec moi, si.

— Oui ? Eh bien, moi, c'est votre cigarette. Et puisque je contrôle tout, je vous rappelle que ce bureau, comme tout l'immeuble d'ailleurs, est non fumeur.

— Dans ce cas, je n'ai plus qu'à le quitter, ce foutu immeuble.

— Alison, Tracy ! On se calme, d'accord ?

— Ouais, David. Et pendant qu'on y est, on se tient la main, on pleure un petit coup et on « positivise », non ?

— Je ne voulais pas vous froisser, Alison, a murmuré Tracy.

— Toute cette merde me froisse, si vous voulez savoir... Et, oui, vous pouvez prendre ça comme une tentative d'excuse de ma part.

— Tu es libre à dîner, Ali ?

— Pourquoi ? Où est passée la flamme de ton cœur ?

— Elle supervise un pilote qui se tourne à Seattle.

— Dans ce cas, j'offre les martinis. Il nous en faudra six chacun, minimum. Passe me prendre au bureau vers sept heures.

Tracy a attendu qu'elle soit partie, puis elle m'a regardé fixement :

— Si je peux me permettre, il n'y en a pas deux comme elle... Et vous avez de la chance de l'avoir avec vous. Je crois qu'elle pourrait égorger et trucider si c'était pour vous défendre.

— Ouais, elle est assez tigresse. Et d'une fidélité à toute épreuve.

— Vous avez de la chance, je répète. « Fidélité », c'est un mot qui a été rayé du vocabulaire depuis des lustres, à L.A.

— Mais je peux compter sur la vôtre, n'est-ce pas ?

— Évidemment. Ça fait partie du contrat. Surtout que je suis convaincue qu'on vous a joué un sale tour, là.

— Alors qu'est-ce que je fais, maintenant ?

— Attendons de voir les réactions à la peau de banane de MacAnna, et surtout à votre interview dans *Variety*. Tout va se jouer dans les prochaines soixante-douze heures, David. Si l'histoire est enterrée d'ici lundi matin, on a gagné. Sinon, on aura un problème.

— Le week-end s'annonce délicieux, donc.

— J'en ai peur.

Dès le lendemain en milieu de journée, pourtant, tous les indicateurs montraient que nous étions en train de gagner la guerre médiatique. À part une courte mention dans la rubrique « Spectacles » du *Los Angeles Times*, aucun grand titre n'avait repris les perfidies de MacAnna, preuve qu'elles étaient mises au compte des habituels commérages de énième catégorie réservés au petit monde du show-biz. Le *Hollywood Reporter* avait un article assez important sur le sujet en page deux, mais l'approche était équilibrée puisqu'elle mentionnait mes explications publiques et la déclaration de soutien venue de Larry Latouche. Quant à Craig Clark, il prenait quasiment ma défense dans sa présentation de mon interview « exclusive » pour *Daily Variety*, soulignant que je ne m'étais pas « répandu en excuses écran de fumée à la Bill Clinton » au cours de l'entretien. Il citait ensuite cinq scénaristes renommés, qu'il avait donc pris la peine de contacter la veille, lesquels confirmaient que le plagiat involontaire était une réalité de ce métier. Mais le coup de grâce venait encore de Justin Wanamaker, l'un des grands noms de la profession de ces trente dernières années avec William Goldman et Robert Towne. Dans un e-mail « exclusif » que Craig avait sollicité, l'illustre auteur mettait en pièces Theo MacAnna, le taxant d'« inquisiteur des égouts qui voudrait faire croire qu'emprunter une blague à quelqu'un constitue un péché mortel et qui cherche à nuire à l'une des plumes les plus originales de Hollywood en ce moment ».

Tracy a été enchantée par l'article de Clark, Brad également, Bob Robison itou, et Alison encore plus :

— Il y a encore cinq minutes, je prenais Justin Wanamaker pour un lourdaud prétentieux, m'a-t-elle confié. Maintenant, je trouve qu'il mérite le prix Nobel : c'est un Exocet, cette réplique ! J'espère bien que ça va ruiner tout le crédit de cette petite ordure.

Sally m'a téléphoné de Seattle pour me féliciter, elle aussi, ajoutant :

— Qu'est-ce que je suis fière de toi, chéri ! Tu t'es débrouillé comme un as. La victoire est à nous !

Donc c'était « nous », à nouveau... Mais tant mieux. Il m'aurait été difficile de lui tenir rigueur de sa réaction initiale. Apprendre la nouvelle de seconde main n'avait pas été agréable, et comme nous tous – surtout moi, d'ailleurs –, elle avait d'abord été partagée entre la peur, la colère et l'incrédulité. Et elle avait raison, comme toujours : nous avions commencé à retourner la situation en notre faveur, au point que mes répondeurs vocaux et électroniques, au bureau comme à la maison, débordaient de messages de soutien et d'encouragement. Dans son édition du samedi, le *L.A. Times* publiait trois lettres de lecteurs ridiculisant MacAnna et ses méthodes de gangster journalistique. Et le lendemain, le même quotidien revenait avec un crochet du gauche foudroyant sous la forme d'un article de deux feuillets dans la rubrique « Arts et Spectacles », où l'on apprenait qu'avant d'avoir sévi dans les colonnes du *Hollywood Legit* MacAnna avait passé cinq ans à tenter de devenir scénariste de feuilletons télé sans qu'aucune chaîne l'accepte. Un producteur de NBC mentionnait qu'il l'avait brièvement employé comme rewriter à la fin des années quatre-vingt-dix mais qu'il avait dû mettre fin à cette décevante collaboration pour « absence de talent chronique ».

— Il faudrait que la vie soit toujours comme ça, a commenté Sally après ce démolissage en règle. La chasse est ouverte contre ce sale type, maintenant. Ils sont déchaînés.

— Normal, vu qu'il a fait son nom en jouant le pitbull de Hollywood. Maintenant qu'il a été neutralisé, tout le monde rêve de lui filer un coup de pied.

— Il le mérite. Et ce qui est génial, c'est que non seulement tu es disculpé mais tu apparais comme la victime, à laquelle il ne faut surtout pas se frotter, en passant !

Sally voyait juste, comme d'habitude. Pendant le week-end, Jake Jonas, le chef de production à la Warner, m'a appelé pour me dire que mon projet avec eux avait été placé « dans les priorités des priorités », et que Steven Soderbergh, qui d'après son entourage avait adoré le scénario, donnerait sa réponse avant le vendredi suivant. Et le dimanche, vers midi, le grand patron de la FRT, Sheldon Schwartz, m'a téléphoné pour me conter l'historiette suivante :

— Il y a environ un an, quand j'ai été nommé Personnalité du show-biz de l'année par le B'nei Brith d'Orange County, j'ai prononcé un discours, évidemment, dans lequel je remerciais ma femme, Babs, en disant mot pour mot : « Elle a toujours été là à trois heures du matin, quand le reste de l'humanité fait dodo. » Tout le monde a trouvé ça hilarant, sauf Babs : elle s'est rappelé que le scénariste August Wilson avait dit exactement la même chose à une remise de prix dans les années quatre-vingt-dix ! J'étais aussi là-bas ce soir-là, et sa phrase s'est incrustée dans mon esprit sans même que je m'en rende compte. Et des années après, elle ressort déguisée en fine remarque de Sheldon Schwartz ! Tout ça pour vous dire que j'ai vraiment sympathisé avec vous, David, et que j'ai admiré ce que votre réaction a eu de digne... et de malin. Ça peut arriver à tout le monde, je suis bien placé pour le savoir...

— Merci, monsieur Schwartz. Le soutien que tout le monde m'a manifesté à la FRT a été extraordinaire.

— La famille, c'est sacré ! Et je vous en prie, appelez-moi Shel...

Alison a failli s'étrangler lorsque je lui ai rapporté cet échange le lendemain.

— Je rêve. À propos de famille, savais-tu que ton nouveau grand ami « Shel » vient de quitter madame pour la fille qui lui soigne son côlon, une Serbe de vingt-huit printemps avec une paire de lolos qui auraient fait pâlir d'envie la regrettée Jayne Mansfield ?

— Comment tu te débrouilles pour avoir des infos aussi pointues, toi ?

— Mais en lisant la rubrique de Theo MacAnna, voyons !

— C'est pas drôle.

— Oh si ! D'autant que la grosse blague, c'est MacAnna en personne, maintenant. Ratatiné, le mec. C'est comme si tu avais mis K-O la terreur du quartier et que tout le monde respirait, d'un coup.

— J'ai seulement dit la vérité.

— Ouais. Et tu mériterais l'oscar de la modestie, si ça existait.

— Tu ne serais pas un peu cynique, par hasard ?

— Moi ? Tu n'as pas honte ? En tout cas, David, laisse-moi te dire que je suis vachement soulagée. Je crois bien que tu as gagné la partie.

— On n'est pas encore sortis de cette merde, Ali.

Un peu plus tard, cependant, Tracy est apparue dans mon bureau pour m'informer que le *New York Times*, le *Washington Post* et *USA Today* avaient repris sobrement l'information en citant pour l'essentiel les accusations du *Los Angeles Times* contre MacAnna. Même chose dans la presse californienne.

— Ils citent tous le commentaire assassin de Justin Wanamaker. Je pense que nous devrions lui envoyer discrètement un petit cadeau de remerciement en votre nom.

— Il n'est pas un peu obsédé par les carabines, les têtes de rhino empaillées et autres trips rétro à la Hemingway, Wanamaker ?

— Si, c'est son côté macho. Mais rassurez-vous, nous n'allons pas lui offrir une Kalachnikov.

— Une caisse de bon malt écossais, alors. Il a toujours une sacrée descente, non ?

— Oui. Tout comme il n'oublie jamais d'allumer une Lucky Strike quand il est interviewé, histoire de montrer ce qu'il pense des nazis de l'hygiène californiens. Je pense que le whisky est une bonne idée. Une marque en particulier ?

— Que ce soit du costaud, c'est tout.

— Très bien. Et sur la carte, vous voudriez quoi ? J'ai réfléchi quelques secondes.

— Pourquoi pas… « Merci » ?

— Ça dit tout, en effet.

— Puisqu'on y est, Tracy, merci à vous aussi. Vous avez été parfaite. Et vous m'avez sauvé la peau.

— Ça fait partie du travail, a-t-elle répondu avec un sourire.

— Mais on n'est pas encore totalement tirés d'affaire.

— D'après ce que je tiens de mes espions au *Hollywood Legit*, MacAnna a été sérieusement touché par le papier du *L.A. Times*. Il s'en sort avec l'image du petit foireux sans talent qui se sert de sa rubrique pour ruminer de vieilles rancœurs personnelles. Le reste de la presse a réagi en prenant votre parti, pour l'instant. Donc, d'instinct je dirais « On est bons ! », mais je préfère attendre vendredi pour l'affirmer sans le moindre doute.

Et le jour dit Tracy m'a appelé pour me donner la confirmation officielle.

— Vous avez vu le numéro du *Hollywood Legit* qui vient de sortir, David ?

— Eh bien, j'ai un peu de mal à le lire, ce canard. Allez savoir pourquoi… Qu'est-ce qui se passe ? Ce zombie a recommencé à me cracher dessus ?

— Je vous téléphonais pour ça, justement. Toute sa rubrique est consacrée à Jason Wonderly, cette semaine.

Un bourreau des cœurs adolescents, spécialisé dans les rôles de lycéen sportif, tombeur et propre sur lui. Pincé dans les toilettes du plateau de tournage en train de se faire un fix.

— Et rien sur moi ni sur la série ?

— Pas un mot. Mieux encore, j'ai demandé à mon assistante de vérifier l'ensemble de la presse nationale. Depuis lundi, il n'y a pas eu une ligne. En d'autres termes, l'affaire est morte. Et enterrée. Félicitations.

Peu après, d'autres excellentes nouvelles au téléphone : Jonas, de la Warner, m'annonçant que Soderbergh était tout feu tout flamme pour tourner ma comédie, qu'il serait à New York la semaine suivante mais qu'il voulait absolument me rencontrer celle d'après, afin de se mettre sérieusement au travail.

— À part ça, a-t-il ajouté, je suis tellement content que cette vipère de MacAnna ait enfin été remise à sa place ! C'était un virus Ébola journalistique, ce mec. Tant mieux si on lui a fermé son clapet… et heureux que vous soyez sorti de cette épreuve aussi injuste que pénible, certainement.

Oui, la semaine avait été rude, en effet. Outre la désagréable expérience d'être montré du doigt dans la presse, j'avais été aussi plus que chagriné par ce constat : si par malheur je n'avais pas triomphé devant le tribunal de l'opinion publique, les choses auraient pris une tournure très… Enfin, mieux valait ne pas y penser. Je m'en tirais bien, en fin de compte. Comme Sally n'a pas manqué de le remarquer le soir même, alors que nous partagions une bouteille de champagne pour fêter la fin des ennuis, ma position avait même été considérablement renforcée par ces petits tracas.

— Un beau come-back, les gens adorent. Ils aiment voir quelqu'un se battre dans les cordes puis non seulement arracher la victoire mais voir sa cote monter encore.

— Oui… Chez les écrivains, le plagiat, c'est presque aussi grave que meurtre avec préméditation. L'accusation va rester.

— Mais il n'y a pas eu plagiat.

— Pas délibéré, en tout cas.

— Donc pas.

— N'empêche que je me sens ridicule, ai-je soupiré en posant la tête sur ses genoux.

— Ce qui n'est pas seulement idiot, mais nul et non avenu. Enfin, nous en avons parlé deux cents fois, cette semaine. Une réminiscence inconsciente. Ça arrive à tout le monde. Alors cesse de te ronger. Tu as été reconnu non coupable. Tu t'en es tiré !

Peut-être. J'étais peut-être encore sous le choc, tout simplement. Comme si, échappant de justesse à un accident mortel, j'avais vu défiler toute ma vie professionnelle devant moi. Sans doute, même, puisque j'ai passé le plus clair du week-end à dormir, à paresser dans notre loft, à lire le nouveau roman d'Elmore Leonard et à essayer d'oublier.

Cette vie indolente m'a tellement plu, d'ailleurs, que je l'ai prolongée encore dans la semaine, me transformant en véritable « flâneur de Los Angeles ». J'ai traîné dans les cafés de West Hollywood, déjeuné et papoté avec un ami scénariste dans un très bon mexicain de Santa Monica, dépensé une fortune en CD à Tower Records, rendu une visite à mon ancienne librairie alternative pour y acheter une tonne de livres, flemmardé dans les séances de l'après-midi au ciné, et plus généralement mis de côté toutes les obligations qui n'étaient pas trop urgentes.

Le jeudi soir, alors que je lavais la vaisselle après un dîner de sushis livrés à domicile, j'ai lancé à Sally :

— Tu sais quoi ? Le farniente, je pourrais facilement m'y faire.

— Tu dis ça parce que tu es tout le contraire. Changer d'existence quelques jours, c'est toujours fantastique quand on est sûr de pouvoir revenir à

255

l'ancienne, à sa « vraie » vie. Et puis tu sais comment un écrivain devient quand il se met à flemmarder ?

— Non. Heureux ?

— Insupportable, je dirais. Imbuvable, même.

— D'accord, promis : je n'abuserai pas.

— Ravie de l'entendre, a-t-elle répliqué d'un ton sec.

— Mais en tout cas, c'est décidé. À l'avenir, je me prends une semaine pour moi tous les…

Le téléphone m'a interrompu. Brad Bruce. Sans bonjour, sans plaisante remarque, rien qu'un :

— C'est un bon moment pour parler ?

D'un ton agacé, oui, mais aussi étonnamment froid et distant. L'angoisse m'a envahi d'un coup.

— Qu'est-ce qu'il y a, Brad ? – Sally m'a aussitôt jeté un regard inquiet. – Tu n'as pas l'air content.

— Je ne le suis pas, non. Pas du tout.

— Pour quelle raison ?

Un silence, puis :

— On ne devrait peut-être pas faire ça au téléphone.

— Faire quoi, Brad ?

— Tracy vient de venir me voir avec le numéro du *Hollywood Legit* qui sort demain. Tu es revenu dans la rubrique de Theo MacAnna. Tu *es* toute la rubrique, en fait.

— Ah bon ? Mais… Quoi, c'est impossible ! Je… je n'ai rien fait de mal !

— Ce n'est pas ce que montrent ses nouvelles preuves.

— Nouvelles preuves ? De quoi ?

— De plagiat.

Il m'a fallu une minute pour retrouver ma voix.

— C'est de… la folie ! Je ne suis pas un plagiaire, compris ?

J'ai jeté un coup d'œil à Sally. Elle me fixait d'un regard stupéfait.

— C'est ce que tu disais la semaine dernière, a observé Brad à voix basse. Et je t'ai cru. Mais là…

— Là quoi ?

— Il a découvert trois autres exemples de plagiat dans tes scripts pour la série. Et aussi il a trouvé des phrases piratées dans toutes les pièces que tu as écrites avant… avant…

Avant quoi ? Avant que je sois célèbre, recherché, comblé ? Avant que je sois démasqué comme bandit littéraire ? Mais je n'avais jamais pillé quiconque, j'en étais convaincu ! Alors comment, comment…

Je me suis assis lentement sur le canapé. Ma tête tournait. À nouveau, j'ai revu toute ma carrière passer en un éclair devant mes yeux. Un plongeon dans le vide. Sauf que j'avais conscience de ne pas rêver, je ne m'attendais pas à atterrir sur mon oreiller. Cette fois je plongeais pour de vrai et l'impact allait être terrible.

2

En quelques minutes, grâce aux discutables miracles de la technologie, Tracy avait scanné la nouvelle attaque de Theo MacAnna et me l'avait envoyée en document joint. Je me suis assis devant mon écran d'ordinateur. Sally était derrière moi mais elle ne posait pas de main réconfortante sur mon épaule et elle gardait un silence qui n'augurait rien de bon. Depuis l'appel de Brad, elle n'avait pas desserré les dents, se contentant de me surveiller avec une expression proche de l'incrédulité. Le même air stupéfait que Lucy avait eu le soir où je lui avais annoncé que j'étais amoureux d'une autre femme. L'air qui vous vient quand on s'aperçoit soudain que l'on a été trahi. Non pas que j'aie tenté de tromper qui que ce soit, en l'occurrence. Pas même moi.

Je me suis connecté. L'article était là, en gros caractères. Incroyablement long. Rien que le titre, déjà… « Quand le plagiat n'est plus fortuit », puis la phrase d'accroche : « Vous êtes à vendre ? David Armitage n'arrête pas les emprunts, décidément… »

Hollywood, c'est bien connu, est un monde qui passe aisément l'éponge sur les péchés véniels ou mortels de ses chouchous, à condition qu'ils gardent leurs bonnes relations et qu'ils restent profitables. Alors que le commun des mortels retrouvera difficilement un emploi après avoir été pris la main dans le sac de coke ou en compagnie d'une mineure, l'industrie du spectacle serre les rangs lorsque l'un de ses fleurons se voit critiqué pour de pareilles broutilles. Et tandis que la plupart des journaux qui se respectent ou l'immense majorité des institutions universitaires congédieraient avec perte et fracas un journaliste ou un chercheur convaincu de plagiat, Hollywood protège jalousement la réputation de ses fraudeurs. Surtout quand le tricheur en question est l'auteur de l'une des séries télévisées les plus en vue du moment.

Il y a quinze jours, nous signalions dans ces colonnes que David Armitage, l'aussi talentueux que prolixe et récemment primé créateur de Vous êtes à vendre !, avait permis à plusieurs lignes d'un classique comique de se glisser mystérieusement dans son scénario. Au lieu de reconnaître son erreur et de passer à autre chose, M. Armitage et sa camarilla de la FRT ont répliqué avec l'artillerie lourde, débusquant un scribouillard complaisant au Daily Variety pour diffuser leur version des faits. Ledit reporter, il faut le préciser, était encore il y a quelques mois sentimentalement lié à la chef des RP de la chaîne, alors qu'il avait pris un congé sabbatique dans son mariage...

« *Réflexes claniques* », « *népotisme* » ? *Quel mauvais esprit vous avez ! Mais il est vrai qu'aussitôt une brochette de pisse-copie hollywoodiens s'est empressée de chanter les louanges d'Armitage et de maudire le journaliste qui n'avait fait que son travail. Le plus belliqueux de tous, comme il fallait s'y attendre, a été le Papa Hemingway de Santa Barbara, Justin Wanamaker, l'écrivain jadis radical qui, désormais rangé des voitures, se contente de pondre des scripts alimentaires pour le compte de Jerry Bruckheimer. Ses jérémiades destinées à défendre Armitage ont suscité une campagne de lynchage contre le journaliste en question, bientôt relayée par le* L.A. Times *: donnant dans la psychanalyse d'arrière-cuisine, ce quotidien a prétendu que, scénariste frustré lui-même, l'auteur de cette rubrique avait voulu se venger lâchement sur une étoile de la « télé créative ».*

Pour citer le célèbre sergent Joe Friday de la première vraie comédie policière post-moderne, Dragnet, *seuls « les faits et rien que les faits, m'dame » nous intéressent. Et les faits sont que la réplique inutilement vicieuse de l'accusé a obligé notre journal à charger une équipe de recherche d'éplucher les œuvres complètes de David Armitage afin de vérifier si le pillage incriminé à ce monsieur n'était véritablement qu'un cas isolé. Mais, étonnamment, voici ce que nos lecteurs ont trouvé :*

1/ Dans le troisième épisode de Vous êtes à vendre !, *Bert, le comptable coureur de jupons de la société, parle de son ex-épouse, retournée à*

L.A. après l'avoir laissé en caleçon devant le tribunal de divorce, en ces termes : « Qu'est-ce que c'est, la définition du capitalisme ? Le processus par lequel les filles californiennes deviennent des femmes californiennes. » Oui ? Eh bien, on retrouve exactement la même réplique chez le fameux auteur dramatique des Contes de Hollywood, *Christopher Hampton, qui fait dire à son scénariste autrichien Odon von Horvath que « le capitalisme, c'est le processus par lequel les filles américaines deviennent des femmes d'Amérique ».*

2/ Dans le deuxième épisode du nouveau volet de la série, Tanya, la standardiste à l'éternel chewing-gum, annonce à Joey qu'elle ne veut plus coucher avec lui parce qu'elle vient de rencontrer un gars qui est le sosie de Ricky Martin. Plus tard, ce dernier passe au bureau, Joey le voit et dit ensuite à Tanya : « Ricky Martin ? Me fais pas rire. Il ressemble à Ricky le Furoncle ! » Ce surnom, ainsi que nous l'avons vérifié, vient d'un personnage de Glitz, *le roman d'Elmore Leonard.*

3/ Dans le même épisode, le fondateur de l'agence, Jerome, a un échange très déplaisant avec un acteur de série B qui doit tourner un clip publicitaire pour l'un de ses clients. Après, il confie à Bert : « La prochaine fois qu'on fait un clip, personne dedans ! » Vous connaissez tous Les Producteurs, *ce classique de Mel Brooks. Eh bien, dans ce film, Zero Mostel déclare à Gene Wilder : « La prochaine fois qu'on fait un film, personne dedans »…*

Il y a bien d'autres exemples de ce pillage systématique. Nos enquêteurs sont allés voir dans les premiers textes de ce monsieur, qui ne sont jamais allés plus loin que des lectures confidentielles dans des salles prétendument avant-gardistes de New York. Et ils ont fait deux étonnantes découvertes :

1/ Sa pièce de 1995, Riffs, *met en scène une ancienne pianiste de jazz qui, après s'être rangée en épousant un médecin, tombe amoureuse du meilleur ami de ce dernier, un saxophoniste. Ils se mettent à jouer en duo, emportés par leur musique toujours plus sensuelle. Un week-end où le mari est en voyage, ils finissent par consommer. Hélas, le toubib surgit à l'improviste, une rixe éclate entre les deux hommes, et la femme, en voulant s'interposer, reçoit un coup de couteau en plein cœur de la part du vilain mari. Le problème, c'est que cette intrigue est la copie quasiment conforme de celle de* La Sonate à Kreutzer, *l'œuvre magistrale de Tolstoï. Sinon que l'amant est violoniste, qu'ils jouent la fameuse sonate de Beethoven et non du jazz, mais cela se termine aussi mal.*

2/ Dans le tout dernier scénario de David Armitage, actuellement en cours de production à la Warner avec un contrat d'un million de dollars à la clé, selon nos sources toujours bien informées, le film s'ouvre avec la voix off du personnage principal, un cambrioleur de haute volée : « Pour mon premier vol chez Cartier, je m'en souviens, il pleuvait. *» Bizarre, très bizarre de découvrir qu'une nouvelle de John Cheever* *écrite dans les années cinquante commence ainsi : « Pour mon premier vol chez Tiffany, je m'en souviens, il pleuvait. »*

Ainsi qu'on l'aura conclu, le plagiat n'est pas un « accident » chez Armitage, mais un procédé systématique. Et il pourra toujours répliquer qu'il n'a fait qu'emprunter un bon mot par-ci, une idée par-là, sa culpabilité ne fait aucun doute. Aucun.

J'étais tellement furieux que j'ai failli envoyer mon poing dans l'écran. Je me suis retourné, croyant Sally encore derrière moi :

— Non, mais tu peux croire de pareilles conneries ?

Elle était allée s'asseoir sur le canapé, les bras étroitement serrés autour du corps – toujours mauvais signe, ça –, et ses yeux évitaient les miens.

— Oui, David. Je peux le croire. Parce que c'est là, devant toi, devant nous. Noir sur blanc. Que tu es un habitué du plagiat.

— Enfin, Sally, arrête un peu ! De quoi il m'accuse, ce salaud ? Une ligne ici ou là…

— Et toute une histoire « empruntée » à Tolstoï ?

— Oui ! Ce qu'il oublie de dire, c'est que je mentionnais *La Sonate* comme inspiration dans le programme de présentation !

— Quel programme ? Elle n'a jamais été jouée, cette pièce idiote !

— Bon ! Si elle avait été montée, j'aurais reconnu ma dette envers Tolstoï.

— C'est ce que tu dis maintenant.

— C'est vrai ! Tu penses que je pourrais être assez stupide pour piller… Tolstoï, merde !

— Je ne sais plus que penser.

— Oui. Pour moi, c'est clair : cette saleté de MacAnna veut ruiner ma carrière. Histoire de me faire payer les amabilités que le *Times* a sorties sur lui.

— Le problème n'est pas là, David. Le problème, c'est qu'il t'a encore coincé. Et cette fois, tu ne t'en sortiras pas si facilement.

Le téléphone a sonné. J'ai décroché en hâte. Brad, à nouveau.

— Tu l'as lu ?

— Tout à fait. Et je conclus qu'il s'accroche à de petits exemples marginaux pour…

— Il faut qu'on parle, David.

— Bien sûr. Et on va répliquer, juste comme la…

— Qu'on parle maintenant.

J'ai jeté un coup d'œil à ma montre. Neuf heures sept.

— C'est… ce n'est pas un peu tard ?

— Face à une crise, il faut réagir vite.

J'ai eu un petit soupir de soulagement. Il voulait affiner une stratégie, donc. Il restait dans mon camp.

— Absolument d'accord. Où veux-tu qu'on se retrouve ?

— Ici, au bureau. À dix heures, mettons. Tracy est déjà là, Robison ne devrait pas tarder.

— Je viens tout de suite. Et j'aimerais qu'Alison soit là, aussi.

— Bien sûr.

J'ai raccroché et je me suis retourné vers Sally :

— Brad ne flanche pas, lui.

— Vraiment ?

— Il a dit que nous devions réagir vite. Il m'attend au bureau.

Elle ne me regardait toujours pas.

— Eh bien vas-y, alors.

Je me suis approché pour l'embrasser. Elle s'est raidie.

— Chérie, voyons… Tout va bien se passer.

— Non !

D'un bond, elle avait quitté la pièce. Je suis resté frappé de stupeur sur place. J'ai pensé lui courir après, la convaincre de mon innocence. Instinctivement, j'ai préféré ne pas insister. J'ai pris ma veste, mes clés et mon portable. Je suis parti.

J'ai téléphoné à Alison depuis la voiture. Son répondeur annonçait qu'elle était en déplacement à New York. Bon, il était minuit passé, sur la côte est. J'ai laissé un rapide message lui demandant de me rappeler au plus vite, puis j'ai accéléré en récapitulant dans ma tête les arguments que j'allais présenter contre l'article diffamatoire de MacAnna, non sans me promettre au passage de sonner les cloches aux pontes de la Warner pour qu'ils retrouvent la taupe au sein de leur compagnie. En arrivant au siège de la FRT, pourtant, mon assurance m'a quitté : tandis que Brad et Bob tiraient une tête d'enterrement, Tracy avait les yeux rouges de quelqu'un qui a pleuré il n'y a pas longtemps.

— Je suis désolé pour toute cette histoire, ai-je commencé. Cet obsédé a engagé une équipe pour passer tous mes textes au microscope. Et qu'ont-ils trouvé ? Cinq lignes pouvant effectivement être attribuées à d'autres auteurs. C'est tout. Quant à ce fatras ridicule à propos de Tolstoï, je…

— Nous vous comprenons très bien, David, m'a coupé Bob. Franchement, quand j'ai lu ce machin, j'ai pensé à peu près la même chose : la grande affaire. Et pour cette pièce qui remonte à la nuit des temps, que Tolstoï aille se faire foutre ! N'importe qui avec un brin de jugeote comprendrait que c'était la réinterprétation d'un thème connu.

— Ah, merci, Bob ! – Le soulagement a eu sur moi l'effet revigorant d'une douche surpuissante. – Je suis tellement content que vous…

— Je n'avais pas tout à fait terminé, David.

— Oh, pardon.

— Je disais que les attaques de MacAnna ne sont pas justifiées, donc. Mais nous avons un problème, ici. Un problème de crédibilité. Que vous le vouliez ou non, dès que cet article va sortir vous allez être considéré comme, disons, de la marchandise avariée.

— Mais, Bob, je…

— Laissez-moi finir !

— Désolé.

— C'est ainsi que nous voyons les choses. À la direction, je veux dire. Vous pouvez expliquer un cas de plagiat involontaire. Mais quatre ?

— Trois phrases à la noix. Rien de plus !

— Trois que MacAnna a retrouvées et mises bout à bout, plus l'incident d'il y a quinze jours…

— Mais vous voyez bien que ce cinglé se prend pour Kenneth Starr ! Triturer des preuves anodines jusqu'à nous refaire le coup de Sodome et Gomorrhe !

— Tu as raison, a approuvé Brad, qui se risquait enfin à parler. C'est un cinglé, et un serpent venimeux, et il a résolu d'avoir ta peau. Et malheureusement tes textes lui ont donné assez de preuves « anodines » pour qu'il puisse entacher ta réputation de plagiat.

— Plus grave, a poursuivi Bob, je suis persuadé que cet article, qui est tout de même fouillé, va être repris par la grande presse. Et les dégâts ne seront pas seulement pour vous. La crédibilité de la série va être torpillée.

— Enfin, ce sont des conneries, Bob...

— Ne vous avisez pas de m'expliquer ce qui est une connerie et ce qui ne l'est pas, a-t-il grondé, ne dissimulant plus sa colère. Vous mesurez les conséquences de tout ça, maintenant ? Je ne parle pas seulement de votre nom ou du succès de la série. Vous avez pensé à Tracy ? À cause de ce salopard de MacAnna, sa crédibilité a été compromise au point que... Au point que nous avons dû accepter sa démission.

— Quoi, c'est vrai ? lui ai-je demandé, stupéfait.

— Je n'ai pas le choix, a-t-elle murmuré. Que ma liaison avec Craig Clark soit révélée, dans ces conditions...

— Mais c'était fini depuis...

— Depuis longtemps, oui. Et à l'époque il était séparé de sa femme. Mais cela n'a plus d'importance, maintenant que le mal est fait.

— Vous n'avez rien à vous reprocher, Tracy !

— Peut-être. Mais ce que les gens vont retenir, c'est que j'ai appelé un homme marié pour lui demander d'écrire un article gentil sur vous.

— C'est lui qui a appelé !

— Peu importe. Ce sera perçu comme ça.

— Et qu'est-ce qu'il en dit, Craig ?

— Il a assez à penser avec ses propres ennuis. *Variety* vient de le mettre à la porte, lui aussi.

— Vous n'avez pas été renvoyée, Tracy ! a rectifié Bob sèchement.

— Non. On m'a juste donné la bouteille de whisky, le pistolet chargé, et on m'a dit de faire ce qui convenait.

Elle était sur le point de fondre en larmes, à nouveau. Brad a tenté de poser une main apaisante sur son bras mais elle s'est dégagée.

— Je n'ai besoin de la pitié de personne, a-t-elle repris d'une voix tremblante. J'ai commis une erreur idiote, je la paie.

— Je... je suis effondré.

— Vous avez de quoi, David, a-t-elle répliqué.

— Je ne sais pas comment vous dire à quel point je regrette. Mais encore une fois il n'y a rien eu d'intentionnel, je vous...

— Compris, compris, s'est impatienté Bob. Il faut aussi que vous compreniez notre situation, maintenant. C'est scandaleux, certes, mais ou bien vous mettez fin à votre collaboration avec nous, ou bien...

Je m'y attendais, mais j'ai tout de même eu l'impression de recevoir une gifle en pleine figure.

— Vous... vous me virez de la série ?

— Oui, David. Ou plutôt nous sommes contraints de nous séparer de vous. À notre très grand regret, je dois dire.

— C'est... injuste.

— Possible, a admis Brad, mais nous devons penser à notre propre crédibilité.

— J'ai un contrat avec vous, tout de même...

Bob a retiré une chemise du tas de papiers sur le bureau.

— En effet. Le voici. Je suis sûr qu'Alison vous expliquera la clause qui le rend nul et non avenu au cas où il serait avéré que vous avez usé de fraude ou de dissimulation dans votre travail. Je pense que le plagiat entre totalement dans cette catégorie.

— C'est mal, ce que vous faites.

— C'est malheureux, plutôt, mais nécessaire, a répondu Bob. Dans l'intérêt de la série, vous devez partir.

— Et si nous allons en justice, Alison et moi ?

— Comme vous l'entendrez, David. Mais n'oubliez pas que vos ressources financières sont sans commune mesure avec les nôtres. Et de toute façon vous ne gagnerez pas.

— C'est ce qu'on verra, ai-je sifflé en me levant.

— Tu crois que c'est agréable pour nous ? a plaidé Brad. Tu penses qu'on est heureux, ici, aujourd'hui ? Je sais que c'est toi qui as créé cette émission et je te garantis que tu resteras au générique, et que tu toucheras encore quelque chose. Mais bon, il y a soixante-dix emplois dans cette affaire, alors je ne veux nuire à personne en restant dans ton camp. D'autant plus que ta position est indéfendable, David. Ce n'est plus une casserole que tu traînes, c'est une batterie de cuisine.

— Merci, langue fourchue.

Il y a eu un long silence. Le poing de Brad s'était refermé autour de son stylo. Il a pris sa respiration.

— Je mettrai ça au compte de la tension à laquelle nous sommes tous soumis. Mais c'est un commentaire nullissime, connaissant la loyauté que je t'ai toujours manifestée. Avant que tu recommences à t'en prendre à l'un ou l'autre d'entre nous, rappelle-toi quand même que toute cette merde est ta faute.

Bien que tenté de lâcher une dernière réplique aussi indignée que bredouillante, je me suis rué dehors. En quelques secondes, j'étais assis devant mon volant. J'ai roulé des heures durant, enchaînant les autoroutes sans but ni logique, la 10, la 330, la 12, la 85, itinéraire absolument aberrant qui m'a mené de Manhattan Beach à Van Nuys, puis à Ventura, puis Santa Monica, puis Newport Beach, puis...

Dans cette confusion totale, mon portable s'est mis à sonner. Tout en l'attrapant sur le siège passager, j'ai aperçu l'horloge du tableau de bord. Trois heures dix. Depuis cette désastreuse entrevue, le temps n'avait plus existé pour moi.

— David ? Ça va ?

Alison, la voix un peu somnolente et néanmoins inquiète.

— Attends que je me gare.

Je me suis arrêté sur une aire de dégagement et j'ai coupé le moteur.

— Tu es sur les routes à une heure pareille ?

— On dirait, ouais.

— Moi je viens de me lever et j'ai eu ton message. Où es-tu ?

— Je ne sais pas.

— Comment, tu ne sais pas ? Mais qu'est-ce qui t'arrive, David ?

C'est là que j'ai craqué. Toute l'horreur de la situation m'est enfin apparue et je ne pouvais plus la nier, soudain. Alison a dû écouter mes sanglots pendant une bonne minute. Elle a attendu que je retrouve peu à peu mon calme :

— David, je t'en prie, dis-moi... Qu'est-ce qui s'est passé, enfin ?

Je lui ai tout raconté, tout. La nouvelle offensive de MacAnna, l'hostilité de Sally, la décision de la chaîne.

— Nom de nom de nom... Mais c'est le délire complet !

— Je... j'ai l'impression d'avoir ouvert une porte et d'être tombé d'un gratte-ciel.

— Bon, procédons par ordre. Tu sais où tu te trouves, actuellement ?

— Quelque part à L.A.

— C'est toujours L.A. ?

— Ouais... Je crois.

— Et tu es en état de conduire ?

— Je pense.

— Alors je veux que tu rentres chez toi. Entier, si possible. Si tu es encore en ville, tu devrais mettre une heure, environ. Dès que tu arrives, tu m'envoies cet article par e-mail. D'ici là, je devrais être arrivée à Kennedy... Parce que je vais essayer de prendre l'avion de neuf heures pour revenir, oui. Je regarderai ton message sur une console à l'aéroport et ensuite je t'appelle dans l'avion. Si tout se passe bien, je serai de retour à midi heure locale, donc tu pourrais me retrouver au bureau vers deux heures. Entre-temps, j'aimerais que tu fasses encore autre chose : dormir un peu. Tu as de quoi t'abrutir, à la maison ?

— Du Tylénol, je crois.

— Ne crois pas ce qu'ils écrivent sur la boîte. Prends-en trois, pas deux. Il faut vraiment que tu restes dans les vapes un moment.

— S'il te plaît, ne me dis pas que tout me semblera moins grave une fois que j'aurai dormi. Parce que c'est faux.

— Je sais. Mais au moins tu seras plus dispos. Et si tu me permets quand même une phrase toute faite, essaie de ne pas céder à la panique.

Je suis rentré en trois quarts d'heure. Pendant que j'envoyais mon e-mail à Alison, la porte de notre chambre s'est ouverte et Sally est apparue. Elle ne portait qu'une veste de pyjama. Ma première réaction a été de me dire qu'elle était belle à en tomber par terre ; la seconde de me demander si j'aurais encore la chance de la voir en si simple appareil.

— Tu as réussi : je m'inquiète. – Mes yeux sont revenus sur l'écran. – Tu pourrais m'expliquer où tu étais passé pendant les sept dernières heures ?

— Au bureau, et ensuite sur la route.

— Quelle route ?

— Juste la route.

— Tu aurais pu m'appeler. Non, tu aurais *dû* m'appeler.

— Désolé.

— Alors, qu'est-ce qui s'est passé ?

— Je te l'ai dit. J'ai roulé presque toute la nuit.

— Et avant ? Ils t'ont renvoyé ?

— Ils m'ont vidé, oui.

— Je vois, a-t-elle dit d'un ton froid.

— Tracy Weiss a filé à la trappe, elle aussi.

— Pour avoir donné l'exclusivité à son ex-petit ami ?

— Pour ce crime terrible, en effet.

— C'était un mauvais calcul de sa part.

— Mais la punition est peut-être un peu exagérée.

— C'est un milieu où l'on ne pardonne rien.

— Merci pour cette pénétrante observation.

— Que veux-tu que je te dise, David ?

— Je veux que tu t'approches, que tu me prennes dans tes bras et que tu me dises que tu m'aimes.

Elle a fini par rompre le silence qui s'était installé :

— Je retourne me coucher.

— Tu penses qu'ils ont raison de me saquer, n'est-ce pas ?

— Je pense qu'ils ont leurs raisons.

— Ah oui ? Pour deux ou trois emprunts inconscients ?

— Comme tu le sais pertinemment, ce métier est, de bout en bout, une question d'image.

— Et grâce à M. MacAnna, mon « image » est désormais celle d'un sale voleur. Tout ça pour avoir, au pire, resservi une ou deux vieilles blagues.

— C'est seulement une interprétation des faits. Une parmi d'autres.

Je me suis retourné pour la regarder bien en face.

— Je suis au courant, merci.

— Ils t'ont parlé de tes indemnités ?

— C'est le rayon d'Alison, ça. Et elle est à New York, pour l'instant.

— Mais elle est au courant ?

— On a parlé, oui.

— Et alors ?

— Elle veut que je dorme.

— Très bonne idée.

— Tu me donnes tort, hein ?

— Il est tard, David, je…

— Réponds à ma question, s'il te plaît. Maintenant.

— D'accord. Je pense que tu as tout fichu par terre. Et je suis très déçue, oui. Tu es satisfait ?

Je me suis levé.

— Bonne nuit.

Je l'ai contournée pour entrer dans la chambre. Je me suis déshabillé. Le Tylénol était dans le cabinet de toilettes. J'ai avalé quatre comprimés, parce que j'avais « vraiment » besoin de rester dans les vapes un moment. Je me suis mis au lit. J'ai réglé mon réveil sur une heure de l'après-midi, placé le téléphone en mode répondeur, tiré les draps au-dessus de ma tête. Et au revoir.

Quand le réveil a sonné, j'avais le cerveau tellement embrumé par le somnifère que je n'ai plus su où j'étais pendant quelques merveilleuses secondes. Et puis mes yeux sont tombés sur l'oreiller à côté de moi. Il y avait un mot : « Je repars à Seattle ce soir. Pour deux jours. Sally. »

De quoi me faire revenir dare-dare sur la terre ferme. Je me suis assis d'un bond dans le lit, j'ai pris la feuille de papier et je l'ai relue. Détaché. Distant. Le genre de mot qu'on laisse à la femme de ménage, et encore… Soudain, je me suis senti très seul, perdu, et j'ai eu terriblement besoin de voir ma fille. Ma main s'est abattue sur le téléphone. Aucun clignotant ne signalait d'appel mais j'ai tout de même vérifié le répondeur, refusant de croire qu'aucun ami ayant appris la nouvelle n'ait appelé pour manifester son soutien. La voix électronique l'a confirmé froidement : « Vous n'avez reçu aucun message… » J'ai compris, brusquement : ils avaient déjà tous téléphoné quinze jours plus tôt. Désormais plagiaire chronique, j'étais devenu infréquentable. Tant pis pour moi.

J'ai composé le numéro de Lucy à Sausalito. Je savais que Caitlin était à l'école mais elle avait enregistré le message d'accueil et je voulais juste entendre sa voix… Raté : on a décroché.

— Oh… Pardon, bonjour.

— Qu'est-ce qui te prend, d'appeler en plein après-midi ? Tu as oublié que Caitlin était scolarisée ?

— Je… je voulais juste laisser un message. Lui dire qu'elle me manque.

— Ah, on regrette soudain sa petite famille, maintenant qu'on est un auteur fini ?

J'étais tout à fait réveillé, d'un coup.

— Comment… Comment tu as su que…

— Quoi, tu ne lis pas de journal, le matin ?

— Je viens juste d'ouvrir les yeux.

— Eh bien, si j'étais toi, je continuerais à traîner au lit. Parce que tu fais la page trois du *San Francisco Chronicle* comme du *L.A. Times*. C'est du joli, David. Piquer les idées des autres.

— Je n'ai rien…

— Oui, tu as juste triché un peu. Comme tu as triché avec moi.

— Dis à Caitlin que je rappellerai.

J'ai raccroché. Je suis allé à la cuisine. Bien étalée sur le plan de travail, l'édition du jour du *L.A. Times* que Sally avait soigneusement laissée ouverte à la page en question : « Nouvelles accusations de plagiat contre le scénariste vedette de la FRT. » L'article, court mais dévastateur, était à l'évidence une resucée hâtive de la charge de MacAnna, rédigée une fois que les extraits du nouveau numéro de *Hollywood Legit* avaient commencé à être envoyés aux rédactions de nuit. Le « producteur Brad Bruce » était cité à la fin : d'après lui, cette nouvelle était « une tragédie pour David Armitage mais aussi pour toute la famille du feuilleton », et un communiqué officiel de la chaîne était à attendre dans la journée… Bien joué, Brad. On envoie d'abord les violons et les mouchoirs avant d'annoncer que j'ai été mis à la porte comme un malpropre.

J'ai couru à mon ordinateur pour consulter le site Internet du *San Francisco Chronicle*, où l'article de leur correspondant à Los Angeles était du même tabac. Mais ce qui m'a surtout mis sur les nerfs, c'est la dizaine de demandes d'interview qui s'étaient déjà accumulées dans ma boîte de messagerie électronique. J'ai repris le téléphone pour appeler mon bureau... Ou plutôt mon ancien bureau, où Jennifer, mon ex-assistante, s'est transformée en bloc de glace dès qu'elle a reconnu ma voix.

— J'ai reçu l'ordre d'emballer vos affaires, monsieur. Je suppose que vous les voulez livrées à votre domicile ?

— Jennifer ! On peut se dire bonjour, quand même !

— Bonjour. Donc à votre appartement demain matin. Et que dois-je faire des appels qui vous sont destinés ?

— Il y en a eu ?

— Quinze ce matin. Du *Hollywood Reporter* au *San Jose Mercury* en passant par le *Boston Globe*, le *New York Times*, le...

— Je vois.

— Dois-je vous envoyer la liste par e-mail ?

— Non merci. Et s'ils cherchent à me joindre, dites-leur que je suis... injoignable.

— Comme vous voudrez.

— C'est quoi, Jennifer ? On est revenu à l'ère glaciaire ?

— Il faudrait que je réagisse comment ? On m'a donné une semaine de préavis ce matin, alors...

— Oh non, c'est pas...

— Les platitudes sont inutiles.

— Je ne sais pas quoi vous dire. À part que je suis désolé, mille fois. Tout ça m'est tombé dessus entièrement par surprise, comme pour vous, et...

— Par surprise ? Vous deviez vous y attendre, à force de piller les autres !

— Je n'ai jamais pensé...

— Quoi ? Vous faire pincer ? En tout cas, vous m'avez bien eue, moi aussi.

Elle a raccroché. Violemment. Je me suis pris la tête dans les mains. Mon désastre personnel était déjà sidérant, mais l'idée d'avoir involontairement entraîné au moins deux personnes innocentes dans cette débâcle... Sans parler de la perspective d'une meute de journalistes cherchant à m'arracher un commentaire. Quelle histoire, pour eux ! Le créateur respecté devenu un objet de mépris du jour au lendemain. Par sa seule faute. Tout était inversé, brusquement : mon succès d'hier ne serait qu'une preuve de plus de ma soif insensée de briller, même en volant les bons mots des autres. Un cas idéal pour les habituelles homélies sur les errements de la société du spectacle, et patati, et patata... Mais la conclusion de ce verbiage éditorialisant était d'une douloureuse simplicité : ma carrière de scénariste était terminée.

Une heure quatorze à ma montre. Au bureau d'Alison, c'est Suzy, sa secrétaire, qui m'a répondu. Sans me laisser le temps de placer un mot, elle m'a dit, très émue :

— Je voudrais seulement que vous sachiez : je trouve ça horriblement injuste pour vous.

Ma gorge s'est serrée. Mes yeux picotaient.

— Merci, Suzy…

— Comment allez-vous ?

— Pas très bien.

— Vous allez venir ?

— Oui. Tout de suite.

— Bien. Elle vous attend.

— Je ne peux pas du tout lui parler, là ?

— Elle est en ligne avec la FRT.

— Ah… alors je serai chez vous dans une demi-heure.

Alison était assise seule dans son bureau à mon arrivée, les yeux perdus par la fenêtre. L'air d'un général après une bataille éprouvante, qui doit réunir ses forces pour la suivante. Elle s'est levée, est venue me prendre dans ses bras et m'a gardé ainsi une minute, sans un mot. Puis elle est allée ouvrir un petit placard.

— Du scotch, ça t'ira ?

— Quoi, ça va si mal que ça ?

Pas de réponse. Elle a posé une bouteille de J&B et deux verres sur la table. Elle nous a servis, largement, puis elle a allumé une cigarette, a pris une longue bouffée et a vidé la moitié de son whisky. J'ai fait de même avec mon verre, en tressaillant un peu.

— Voilà… On peut y aller, maintenant. Je ne t'ai jamais menti dans mon travail d'agente, David. Je ne vais pas commencer aujourd'hui. Donc, pour ne rien te cacher : à ce stade, les choses se présentent très, très mal.

J'ai terminé mon verre, qu'elle a rempli aussitôt.

— Quand j'ai lu la prose de MacAnna à l'aéroport, je me suis d'abord demandé comment Brad et Bob pouvaient prendre ces fadaises au sérieux. C'est de l'enculage de mouche, si tu me passes l'expression. On est dans la veine du « si je devais donner un dollar à tous les écrivains qui ont glané une blague ici ou là »… Quant à cette histoire de Tolstoï, c'est de la grosse merde et il le sait très bien. La phrase de Cheever, par contre…

— C'était un vrai « emprunt », oui. Et j'étais tout à fait conscient que ça n'irait pas jusqu'au tournage. MacAnna a mis la main sur le premier jet du script, c'est tout.

— Tu le sais, moi aussi. Le problème, c'est que, rajouté à l'affaire d'il y a quinze jours… Enfin, tu es assez intelligent pour comprendre.

— Oui. Coupable ou pas, je suis condamné.

— En gros, oui.

— Et donc tu as parlé aux gens de la FRT et il n'y a aucun moyen de les persuader que…

— Pas une chance. Pour eux, tu n'es plus persona grata. Mais ce n'est pas tout : à peine revenue ici, je me suis crêpé le chignon pendant une heure avec l'une de leurs avocates. Au téléphone, quoi. Apparemment, ils vont tout faire pour réduire tes indemnités à néant.

De pire en pire. J'ai cligné des yeux sous le choc.

— Mais je croyais qu'il y avait une clause…

— Oh oui, a-t-elle soupiré en tirant le dossier à elle. Une putain de clause, oui. Article 43b, précisément. Lequel stipule, pour résumer, que si tu as commis quoi que ce soit d'illégal ou de « délibérément criminel » en relation avec l'émission, ton intéressement financier à venir sera supprimé.

— Parce qu'ils veulent essayer de dire que j'ai fait quelque chose de délibérément criminel ?

— Ce qu'ils veulent essayer, c'est de te priver de tous tes droits d'auteur en soutenant que le plagiat est un délit.

— Quelle connerie !

— En effet. Mais ils sont décidés à vendre cette salade.

— Et ils le peuvent ?

— Je sors d'une conversation d'une demi-heure avec mon avocat. Il va regarder de près ton contrat ce soir mais, à première vue, « d'instinct », il pense qu'ils sont capables d'emporter le morceau.

— Donc pas d'indemnités, rien ?

— Ou pire… Ils m'ont laissé entendre qu'ils avaient l'intention de t'attaquer en justice pour récupérer les droits des trois épisodes en question, ceux dans lesquels tu as prétendument plagié.

— Mais… ils cherchent quoi ? À m'écorcher vif ?

— En fait, oui. Parce que bon, on parle de beaucoup d'argent, là. S'ils te dépouillent de tes droits, ils s'économisent dans les trois cent cinquante mille par saison. Et en admettant que la série continue encore un moment, comme tout le monde le croit… C'est facile, fais le calcul. À cent cinquante mille l'épisode, tu multiplies par trois et…

— On ne va quand même pas les autoriser à faire ça !

— Mon avocat me dit qu'ils te coincent avec une clause dans laquelle l'auteur s'engage à ce que tout son scénario soit une œuvre strictement personnelle. Mais enfin, je n'exclus pas qu'on arrive à négocier la somme.

— Attends. Tu veux dire que je vais devoir leur *rendre* de l'argent ?

— Si on doit en arriver là, oui. Ce que j'espère, car il y a un espoir, c'est que d'ici quelques jours, quand tout se sera calmé, ils oublieront de te poursuivre avec ces trois épisodes. Surtout s'ils savent qu'ils ont gagné sur la question des indemnités.

— Tu vas les laisser gagner ?

— David ! Est-ce qu'il y a une seule fois, une seule, où j'ai laissé un studio ou une chaîne maltraiter l'un de mes clients ? Tu connais la réponse : non. Mais là nous devons faire avec une situation où ils déforment tellement tout, au nom d'arguties juridiques, qu'à la fin tu es présenté comme si tu avais rompu le contrat, toi ! Et si mon conseiller à trois cent soixante-quinze dollars de l'heure, qui connaît toute la juridiction de l'audiovisuel sur le bout des doigts, me certifie qu'ils te tiennent par les noisettes, alors nous évoluons dans la sphère où il s'agit de limiter les dégâts, et basta. T'inquiète, va… Je prendrai un deuxième, voire un troisième avis juridique avant de revenir sur les requins de prétoire de la FRT… Sans parler de leurs homologues de la Warner, évidemment.

— Encore un verre, c'est possible ?

— Bonne idée, oui. Parce que j'ai encore du vilain à t'annoncer.

Je me suis servi un scotch bien tassé.

— Vas-y.

— À propos de Warner. Un de leurs avocaillons m'a contactée, justement. Ils mettent *Vol avec effraction* dans un tiroir.

— Quoi ? Ça signifie que la rencontre avec Soderbergh est à l'eau ?

— Non seulement ça. Ils t'ont donné deux cent cinquante mille à la signature pour le premier jet, n'est-ce pas ? Eh bien, ils les réclament, maintenant. Jusqu'au dernier dollar.

— Mais c'est... démentiel. Comment ils peuvent justifier une chose pareille ?

— Encore cette phrase de John Cheever que tu as « empruntée »... Ne me regarde pas comme ça, je sais que c'était seulement une ébauche ! Toujours est-il qu'ils jouent la même carte que les enflés de la FRT : rupture de contrat de ta part. Et il faut entendre comment ils se gargarisent avec Cheever, Cheever... Sans avoir jamais lu une ligne de lui, évidemment.

— Eh bien... Heureusement que le scénario de Fleck va couvrir toutes ces dettes.

Elle a allumé une nouvelle cigarette, oubliant celle qui se consumait dans le cendrier.

— J'ai eu aussi un appel d'un des avocats de Fleck, tout à l'heure...

— Non ! Ne me dis pas que...

— « M. Fleck est au regret de devoir suspendre toute négociation avec M. Armitage quant à ce projet, et cela en raison de la manière dont la réputation professionnelle de M. Armitage vient d'être mise publiquement en question. » Je cite mot pour mot ce faux derche.

J'ai contemplé le sol un moment.

— Je n'ai aucun moyen de leur rembourser cette somme. Aucun.

— C'est déjà dépensé ?

— En majeure partie, oui. Ces deux dernières années, avec le divorce, la pension alimentaire, tout ça, je n'ai pas vu l'argent passer.

— Mais tu n'es pas complètement à sec ?

— Je suis peut-être idiot mais je ne suis pas stupide, Ali. J'ai environ un demi-million placé par mon courtier, Bobby Barra. Le problème, c'est que j'en dois la moitié au cher oncle Sam. Alors, si la FRT et la Warner exigent leur fric en retour… je serai ruiné, oui.

— Attendons un peu avant d'aller au fond de l'abîme. Je vais la jouer serrée avec ces salauds. Exiger qu'ils réduisent leur demande, déjà. Toi, pendant ce temps, tu devrais demander à ton courtier et à ton comptable comment optimiser au maximum ce que tu as de côté…

— Parce que plus personne ne me donnera de travail ici, c'est ça ?

— Disons que ce sera difficile tant que l'affaire n'aura pas été réglée complètement.

— Je… je suis un paria, quoi.

— Pour l'instant, c'est à peu près ça.

— Et en admettant que la tache ne s'efface jamais ?

— Tu veux une réponse honnête ? Oui ? Eh bien, je ne sais pas. Mais encore une fois, chaque chose en son temps. Voyons ce que les prochaines semaines nous apportent. Dans l'immédiat, il faut que tu publies une mise au point dans laquelle tu défends ton honneur mais tu regrettes aussi ce qui s'est passé. J'ai contacté une attachée de presse que je connais bien. Mary Morse. Elle devrait être là dans une dizaine de minutes. Elle va travailler le texte avec toi et elle veillera à ce que tout le monde l'ait. Que les journalistes sachent ce que tu en penses. Si les choses empirent dans les jours à venir, il faudra qu'on en ait trouvé un d'assez ouvert pour donner ta version des faits.

— Bon, le gars de *Variety* est exclu, puisqu'il a été cassé, lui aussi. Et quand je pense à cette pauvre Tracy…

— Ce qui leur est arrivé à l'un et à l'autre n'est pas ta faute.

— Oui, mais sans mon histoire débile, ils…

— Ils sont majeurs, ce sont des pros, ils devaient se douter que le fait de s'envoyer en l'air finirait par se savoir.

— Mais elle a seulement essayé de m'aider.

— Oui, parce que c'était son boulot. Assez de te miner pour les autres. Tu as suffisamment à balayer devant ta porte, je pense.

— À qui le dis-tu…

Le lendemain, le scandale s'est encore étendu, bien sûr, et le communiqué de la chaîne annonçant que j'abandonnais la série n'a rien fait pour l'apaiser. Tous les grands journaux du pays en ont parlé tandis que le *Los Angeles Times*, en digne gazette de la capitale du show-biz, revenait dessus en première page, excusez du peu. Et les principaux talk-shows se sont intéressés à mon cas, également, tout en citant ma mise au point soigneusement balancée. Enfin, « citant »… Le soir, Bill Maher, l'animateur controversé de *Politiquement incorrect* sur ABC, allait lancer au cours de l'un de ses fameux monologues : « À Hollywood, la grande nouvelle du jour, c'est que David Armitage, le scénariste de *Vous êtes à vendre !*, a choisi la vieille méthode de défense à la Richard Nixon, "je ne suis pas un escroc", après avoir été éjecté pour plagiat par la FRT. Alors qu'on lui demandait si tout ce qu'il a écrit était cent pour cent Armitage, il a déclaré : "Je n'ai jamais eu de relations sexuelles avec cette femme…" »

Si Maher a déclenché l'hilarité générale avec cette pique, je ne l'ai pas trouvée drôle, moi. Allez savoir pourquoi. Le fait de regarder ça tout seul, peut-être, dans le loft déserté par Sally, partie à Seattle sans laisser d'adresse. Et elle ne m'avait pas téléphoné de la journée, non plus. Je savais qu'elle descendait au Four Seasons, d'habitude, mais je craignais de me montrer trop en demande si je prenais l'initiative de l'appel. Trop désespéré. Il ne me restait plus qu'à espérer qu'une fois ce vacarme étouffé elle se rappellerait pourquoi nous étions tombés amoureux l'un de l'autre et qu'alors elle… Quoi ? Qu'elle reviendrait se jeter dans mes bras en me jurant qu'elle serait toujours à mes côtés ? Comme… Lucy ? Parce que oui, pendant toute la traversée du désert, et même en ronchonnant parfois, Lucy ne m'avait jamais tourné le dos. Elle s'était résignée à un travail qui l'écœurait pour nous permettre de survivre, elle… Et comment l'avais-je remerciée pour sa constance ? Avec le coup classique du démon de midi, la séparation non moins prévisible qui suit un gros succès personnel. Pas étonnant qu'elle me méprise à ce point. Ni que je me sente aussi perdu, aussi angoissé. J'admettais enfin ce que j'avais perçu depuis des mois de cohabitation avec Sally : l'amour qu'elle me portait dépendait étroitement de mon prestige social, de ma popularité dans le milieu du spectacle et de la façon dont je lui permettais de briller plus encore dans cette cour de lycée multimilliardaire qu'est Hollywood.

Le « moment » dont elle avait parlé le soir où j'avais reçu mon prix était passé. Alors, tout ce que j'avais réussi si vite allait-il m'être enlevé en quelques jours ? « Eh, attendez un peu, je suis David

Armitage ! » ai-je eu envie de crier aux toits de Los Angeles que je surplombais de mes fenêtres. Mais voilà, quand on est tout en haut, on ne peut que tomber. À Hollywood, comme dans la vie réelle, le talent est éphémère, volatil, jamais définitif. Même les meilleurs sont soumis à cette loi essentielle : personne n'est unique, personne n'est irremplaçable. Tous, nous jouons selon la même règle du jeu : vous avez votre « moment » – à condition d'avoir assez de chance pour cela, évidemment – mais il dure ce qu'il dure.

Je n'arrivais pourtant pas à accepter que mon succès soit désormais à considérer au passé composé. Sally ne pouvait pas être cyniquement calculatrice au point de m'abandonner dans une passe si difficile. Je « devais » le croire, en tout cas, de même que je devais continuer à penser que je finirais par convaincre et Brad et Bob, et Jake Jonas à la Warner, et toutes les boîtes de production de cette fichue ville, que je valais leur confiance.

« Eh, attendez ! Je suis David Armitage ! Et je vous ai tous fait gagner de l'argent, non ? » Plus j'essayais en moi-même le ton de la bravade, plus je forçais sur l'optimisme, plus j'en venais à vérifier cette loi d'airain : le pire baratin, c'est celui que vous destinez à votre usage personnel.

Résultat ? J'ai ouvert une bouteille de single malt Glenlivet et j'ai regardé le niveau descendre. Je devais avoir vidé le cinquième verre d'un trait quand, pris par une inspiration qui m'a paru fantastique dans le marasme où je me trouvais, j'ai décidé d'ouvrir mon âme à Sally. De tout mettre sur la table, comme on dit. Elle allait répondre à ce cri du cœur, certainement... Je suis allé d'un pas vacillant à mon ordinateur et :

Ma chérie,

Je t'aime. J'ai besoin de toi. Terriblement. Ce qui m'arrive est trop affreux, trop injuste. Je t'en prie, je t'en supplie : ne tire pas un trait sur moi, sur nous. Je me sens proche du désespoir total, pour tout te dire. Appelle-moi, s'il te plaît. Reviens vite. Surmontons ce cauchemar ensemble, parce que c'est possible, parce que nous sommes faits l'un pour l'autre, parce que tu es celle avec qui je veux passer le reste de ma vie, dont je veux avoir des enfants, que j'aimerai toujours lorsque nous ne serons plus que l'ombre de nous-mêmes. Tu pourras toujours compter sur moi. S'il te plaît. S'il te plaît, fais que je puisse compter sur toi maintenant, à cet instant.

Sans me relire, j'ai cliqué sur « Envoyer », j'ai repris une rasade de Glenlivet et j'ai rejoint le lit au radar. Ensuite, il faisait jour et le téléphone sonnait. Avant que je réponde, il y a eu quelques secondes de flottement douloureux, pendant lesquelles des mots trépignaient dans ma tête. Une formule : « Quand nous ne serons plus que l'ombre de nous-mêmes. » Aussitôt, dans toute sa grotesque précision, le reste du message est remonté à la surface de ma mémoire désormais plus active. Tu n'es qu'un pauvre imbécile, ai-je eu le temps de me dire, mais déjà ma main avait saisi le combiné.

— David Armitage ?

Très alerte, la voix.

— Oui, hélas.

— Ici Fred Bennett, du *Los Angeles Times*.

— Mais… Quelle heure il est, bon sang ?

— Dans les sept heures et demie.

287

— Je… n'ai… rien… à… dire…

— Juste une minute, monsieur Armitage ?

— Comment vous avez eu mon numéro personnel ?

— Il y a plus difficile à trouver.

— J'ai publié un communiqué qui résume…

— Oui, mais est-ce que vous êtes au courant de la motion déposée devant l'Association des auteurs de télévision et de cinéma hier soir ?

— Quoi ? De quoi ?

— Une motion qui vous accuse publiquement d'être un plagiaire, vous prive du statut de membre de l'Association et demande qu'aucun travail de création ne vous soit confié pendant au moins cinq ans… Encore que certains exigent que ça soit à vie, d'après ce que je sais…

J'ai arraché le fil de sa prise. Le téléphone s'est mis à sonner dans la pièce d'à côté. Je me suis enfoui sous les draps, essayant d'abolir cette journée qui n'avait même pas commencé. Impossible de me rendormir, cependant. Trois comprimés d'Advil n'ont pas réussi à neutraliser le marteau piqueur qui s'acharnait dans mon cerveau. Finalement, je me suis levé et, non sans appréhension, je suis allé affronter mon ordinateur. Treize messages, dont douze provenant d'expéditeurs du genre rkincaid@nytimes.com et qui, je ne le savais que trop bien, me demandaient une interview, une confession déchirante et le nom de la clinique spécialisée dans les dépressions nerveuses où j'avais certainement réservé une place. Ouais, mais le centre Betty Ford pour voleurs de blagues, excusez, ça n'existe pas encore. Le treizième, celui que je redoutais par-dessus tout, provenait de sbirmingham@fox.com :

David,

Je déplore autant que toi la situation dans laquelle tu t'es retrouvé, et la catastrophe professionnelle que cela signifie. Mais je ne peux pas oublier qu'elle est entièrement de ton fait. Pour des raisons qui t'appartiennent, tu as décidé de précipiter ta chute. Ce qui m'oblige à me demander si je t'ai jamais connu, en fait. Et ton message n'en est que plus inquiétant. Je constate que tu es gravement déstabilisé par ce qui t'arrive, mais tu sais aussi qu'il n'y a rien de plus rebutant que de quémander l'amour de l'autre. Surtout quand on a soi-même sapé la confiance sans laquelle cet amour ne peut exister. Même si je comprends ton désarroi, je pense qu'il ne justifie pas ce sentimentalisme larmoyant. Quant à la plus que douteuse évocation de « l'ombre de nous-mêmes », je préfère ne pas en parler.

Je me sens encore plus heurtée et perplexe, maintenant. Triste, tout simplement. Je crois qu'un répit de quelques jours rendra peut-être l'atmosphère plus respirable et les choses plus claires. J'ai décidé d'aller passer le week-end à Vancouver. Je serai de retour lundi, et nous pourrons parler. D'ici là, mieux vaut éviter d'ajouter à la confusion. Et j'espère que tu vas considérer sérieusement la possibilité d'obtenir une aide qualifiée sur le plan psychologique. Si ton message a un sens, c'est d'abord d'être un pathétique appel à l'aide.

Sally.

Ah, extraordinaire ! Mieux que ça encore : la catastrophe absolue. Dans un contexte où il fallait marcher sur des œufs, j'avais chaussé des bottes qui pesaient trois tonnes et j'avais tout bousillé. J'avais « précipité ma ruine », et comment…

Le téléphone s'est remis à sonner. Je l'ai ignoré. Mon portable s'est joint au vacarme. J'ai vérifié le numéro entrant. C'était Alison. J'ai répondu immédiatement.

— Quelle voix tu as… Tu as passé la nuit à boire ?

— On ne peut rien te cacher.

— Tu es debout depuis longtemps ?

— Depuis qu'un type du *Times* m'a appelé pour m'annoncer que l'AATC avait l'intention de m'interdire de travail à vie.

— Quoi ?

— C'est les infos qu'il a. À une réunion d'urgence de leur Politburo hier soir, ils ont décidé de m'expédier au goulag pour… pour ce que tu sais.

— On nage en plein délire. Et ça ne va pas s'arranger.

— Mais encore ?

— Je viens d'apprendre que Theo MacAnna va passer en direct au *Today Show*.

— Je devine le thème de l'interview.

— En effet.

— Bon Dieu, ce mec n'arrêtera jamais…

— Il est comme n'importe quel plumitif de la presse à scandale : sans aucun scrupule. Pour lui, tu n'es qu'un faire-valoir. Très payant, puisque tu lui vaux les honneurs d'une émission pareille.

— Il ne sera content qu'en me voyant cloué sur la croix.

— J'en ai peur, oui. Et c'est pour ça que j'ai voulu te prévenir. Tu ferais bien de le regarder, au cas où il lâcherait une telle énormité qu'on pourrait coincer ce petit salaud pour diffamation.

Theo MacAnna n'avait rien de petit, en fait. C'était ce que l'on appelait avant les euphémismes du politiquement correct un gros lard, mais plutôt dans le style Churchill. La quarantaine, il devait avoir traversé l'Atlantique une dizaine d'années plus tôt car son accent british perçait encore sous l'élocution nasillarde californienne. Son visage flasque complété de lunettes rondes teintées et d'un triple menton m'a fait penser à un morceau de camembert laissé trop longtemps au soleil. Il s'en tirait bien, cependant, rachetant ce physique ingrat par une élégance de bon goût avec son costume à rayures gris perle, sa chemise blanche à grand col et une cravate noire à pois très discrète. Tout en supposant qu'il devait sans doute s'agir de son unique costard, vu l'obscur journal pour lequel il travaillait, j'étais forcé d'admirer secrètement cette image de dandy anglo-américain expert en linge sale hollywoodien. Et il l'avait visiblement soignée au plus haut point, ce jour-là, puisque l'interview en direct était aussi une audition qui devait lui servir à décrocher quelque contrat juteux dans un journal de ragots plus important que *Hollywood Legit*.

Katie Couric, qui menait le show depuis New York, n'avait cependant pas l'air impressionnée par son personnage de T. S. Eliot mâtiné de Tom Wolfe.

— Theo MacAnna, à Hollywood, on dit que vous êtes le journaliste le plus redouté de la ville.

— Je suis très flatté, a-t-il répondu de sa voix la plus onctueuse, un sourire satisfait sur ses lèvres poupines.

— On dit aussi que vous cherchez systématiquement le scandale et que vous n'hésitez pas à détruire les carrières ou les mariages.

Il a pâli sous le choc avant de retrouver son assurance :

— Oui, certaines personnes le voient sans doute ainsi. Mais pour une raison simple : l'une des grandes règles de Hollywood, c'est de se serrer les coudes, même quand il s'agit de couvrir les pires turpitudes.

— Et c'est dans cette catégorie que vous placez l'affaire de plagiat qui vient de coûter à David Armitage sa position à la FRT ?

— Absolument. Plagier, c'est voler.

— Le vol, en l'occurrence, concerne visiblement une petite scène ressortie d'une très ancienne comédie et quelques bons mots présents dans d'autres scénarios. Vous pensez qu'il méritait une sanction aussi sévère ? Pour ce qui paraît être un dérapage mineur ?

— Tout d'abord, Katie, ce n'est pas moi qui ai décidé de la sanction. La responsabilité en revient à ses chefs à la FRT. Quant à la caractérisation de « mineur », j'estime que le plagiat est un grave délit. Un vol, je répète.

— Ce que je vous demandais, monsieur MacAnna, c'est si vous pensiez qu'emprunter une plaisanterie à un...

— Il s'est également annexé une intrigue de Tolstoï !

— Mais dans sa mise au point publiée hier, David Armitage a expliqué qu'il s'agissait d'une pièce qui n'a jamais été montée et qui assumait explicitement l'influence de Tolstoï.

— C'est ce qu'il prétend maintenant, oui. Mais j'ai ici une copie du texte original… – La caméra a fait un zoom sur les feuillets jaunis de *Riffs*, qu'il brandissait dans sa main droite. – Comme vous le voyez, la page de titre indique bien « *Riffs*, un drame de David Armitage ». Je ne vois pas la mention « D'après *La Sonate à Kreutzer* de Léon Tolstoï », alors que l'histoire est rigoureusement la même. Ce qui pose une question encore plus importante : pourquoi quelqu'un ayant le talent et les capacités de David Armitage ressent-il le besoin d'aller piller d'autres auteurs ? Tout le monde veut connaître la réponse, à Hollywood. Comprendre les raisons d'une attitude aussi suicidaire, aussi désespérément malhonnête. C'est un archétype de la tragédie hollywoodienne, si vous voulez : après des années de vache enragée, un ambitieux obtient ce qu'il désirait mais se met aussitôt à tout saccager autour de lui. Tout le monde sait, ainsi, que juste après avoir remporté un grand succès avec sa série il a abandonné femme et enfant pour une étoile montante de la production télévisuelle. Avec cette conduite d'échec et de double jeu, il a malheureusement fini par scier la branche sur laquelle…

J'ai envoyé la télécommande contre un mur. En quelques secondes, j'avais attrapé ma veste et dévalé les étages. Sur les chapeaux de roues, j'ai atteint les studios de la NBC en une demi-heure. Je comptais sur le fait que l'immonde salopard s'était attardé dans le salon des VIP après avoir fait démaquiller sa tête à claques. J'avais calculé juste : il s'apprêtait à monter dans une limousine de courtoisie lorsque je suis arrivé en trombe. Crissement de pneus, arrêt en plein milieu de la chaussée : la totale, ce qui n'a pas manqué d'affecter son expression papelarde.

— Sale con de Rosbif de merde !

MacAnna m'a regardé débouler sur lui avec des yeux gros comme des soucoupes, les bajoues tremblantes d'effroi. Il voulait s'enfuir, à l'évidence, mais il était tétanisé. L'instant d'après, j'avais saisi le connard par les revers et je le secouais en hurlant un chapelet d'injures incohérentes dans lequel on distinguait vaguement : « Voulu me détruire hein… me traite de voleur… salir ma femme et ma fille… te péter les doigts des deux mains un par un, fils de… »

Deux facteurs peu positifs pour moi mais dont je n'avais évidemment pas conscience sont alors intervenus : un, la présence d'un photographe free-lance qui traînait dans le hall de la NBC et qui, attiré dehors par mes hurlements, m'a mitraillé en pleine action ; deux, l'arrivée en force derrière moi d'un gros bras de la sécurité, qui s'est jeté sur nous en criant : « Hé, hé, ça suffit ! » avant de m'arracher à ma proie et de me tordre un bras dans le dos.

— Ce type vous a agressé ? a-t-il lancé à MacAnna.

— Il… il a essayé.

— Vous voulez que j'appelle les flics ?

Le fouille-merde m'a contemplé un instant avec un sourire qui disait : « Ah, je te tiens, mon salaud ! »

— Il s'est déjà assez mis dans le pétrin. Jetez-le dehors, ça suffira.

Puis il est allé vers le photographe, lui a demandé son nom, sa carte de presse. « Vous avez pu tout avoir ? » l'ai-je entendu lui demander. Mais le garde m'entraînait de force vers mon véhicule.

— C'est votre Porsche, ça ? – J'ai fait oui de la tête. – Belle caisse. Vous avez dû travailler dur pour vous payer ça, alors pourquoi vous cherchez les emmerdes ?

— Il a écrit...

— Je me fous de ce qu'il a écrit. Vous l'avez agressé dans l'enceinte de la NBC, ce qui signifie que vous devriez être remis à la police. Mais je vais être gentil, pour la première et dernière fois : vous montez là-dedans, vous disparaissez et surtout, surtout, qu'on ne vous revoie pas par ici.

— Je ne reviendrai pas.

— J'ai votre parole ?

— Oui.

— Très bien. – Il m'a relâché progressivement. – Voyons si vous tenez vos promesses.

Je me suis mis au volant et j'allais démarrer quand il a tapé à ma vitre. J'ai appuyé sur la commande d'ouverture.

— Dernier point. Ça serait peut-être judicieux de vous changer, si vous devez continuer à traîner dans les rues aujourd'hui.

J'ai baissé les yeux : j'étais encore en pyjama.

3

On ne se baigne jamais deux fois dans le même fleuve. On n'échappe pas à ses actes. Surtout lorsqu'un photographe est sur place au moment où l'on était en train de maltraiter un journaliste devant un lieu public. Et surtout lorsqu'on le fait en pyjama. Donc, deux jours après avoir eu la une du *Los Angeles Times*, je me suis retrouvé en vedette de l'édition du samedi, avec une grande photo en page quatre où l'on me voyait secouer Theo MacAnna comme un prunier, le visage déformé par la colère, et dans l'étrange tenue que l'on sait. Un pyjama, dès que l'on sort de la chambre à coucher, évoque irrésistiblement l'asile d'aliénés ; quand il est porté par un individu visiblement hors de lui, devant l'entrée d'une chaîne de télévision et en plein jour, il suggère que l'individu en question aurait besoin au plus vite de l'attention médicale subséquente. Si j'avais été capable de considérer ce cliché d'un œil impartial, ma conclusion aurait été sans appel : ce mec a pété les boulons.

En dessous, l'article était un modèle de sobriété journalistique : le film des événements à la NBC, un bref rappel du rôle joué par MacAnna dans ma disgrâce et des divers crimes contre l'humanité dont j'étais coupable, et la touche finale précisant que le service de sécurité m'avait laissé partir parce que le digne journaliste avait décidé de ne pas porter plainte contre moi. MacAnna était cité, d'ailleurs, affirmant qu'il avait « seulement voulu dire la vérité, comme toujours », et que mon état justifiait selon lui que je fasse « appel aux conseils d'un psychothérapeute sans tarder ».

Réveille-toi, Freud, ils sont devenus fous... Oui, j'assume, c'est une formule que j'ai déjà vue quelque part. Mais je n'avais pas vraiment le temps de m'attarder sur les considérations psycho-trucs de MacAnna. Des problèmes autrement plus sérieux m'attendaient, parce que le pigiste en question avait réussi à vendre sa pellicule aux agences de presse et que l'histoire avait donc fait le tour du pays. « Hier célèbre, aujourd'hui bon pour la camisole de force » : tout le monde adore ce genre de nouvelles, non ? Elle avait même atteint les immensités glaciales du Canada, et plus précisément les pluvieux confins de la Colombie-Britannique, puisque Sally l'a lue dans une feuille de chou locale. Elle n'a pas trouvé ça drôle. Si peu qu'elle m'a téléphoné à neuf heures et demie le samedi matin et, sans même un bonjour, m'a déclaré tout de go :

— Je suis au courant, David. Entre nous, c'est terminé.

— Je peux m'expliquer ?

— Non.

— Tu n'as pas vu comment il m'a traité sur N...

— Justement si, je l'ai vu. Et franchement, je n'ai pu qu'approuver la majeure partie de ce qu'il a raconté. Quant à ta réaction, c'est de la folie. Au sens clinique du terme. Folie furieuse. Or je ne peux pas continuer à vivre avec un déséquilibré qui...

— Oh, bon Dieu, Sally ! J'ai perdu patience, d'accord, mais...

— Non, tu as perdu la tête. Autrement, comment tu te serais retrouvé devant la NBC en pyjama ?

— Je... j'ai un peu craqué.

— Un peu ? Je ne pense pas, non.

— Écoute, chérie, mettons les choses au point avant que...

— C'est hors de question. Et je souhaite que tu aies quitté l'appartement d'ici mon retour demain soir.

— Hé, une minute ! Tu ne peux pas me jeter dehors comme ça. Nous sommes colocataires, je te rappelle. Il y a nos deux noms sur le bail et...

— Oui, mais d'après mon avocat...

— Hein ? Tu as déjà parlé de ça à ton avocat ? Un samedi matin ?

— Il n'était pas encore parti à la shoul. Mais quoi qu'il en soit, puisque c'était une situation de crise, j'ai jugé que...

— Oh, arrête tes mélodrames à la con, tu veux ?

— Et tu prétends ne pas être fou à lier ?

— Je suis fou de rage, oui.

— Pas autant que moi. Mais selon la loi, en Californie, c'est toi qui constitues une menace potentielle pour l'intégrité physique de ta colocataire, ce qui l'autorise à réclamer une décision judiciaire d'urgence qui t'interdit d'occuper les locaux en question.

Je suis resté sans voix un long moment, avant de murmurer :

— Tu ne vas pas faire une chose pareille ?

— Non. Je ne saisirai pas le juge à condition que tu me promettes d'avoir quitté les lieux avant demain soir six heures. Dans le cas contraire, j'appelle immédiatement Mel Bing et je lui demande de lancer la procédure judiciaire contre toi.

— Je t'en prie, Sally…

— Nous n'avons plus rien à nous dire.

— C'est injuste, c'est…

— Tu l'as cherché. Et maintenant je te conseille de t'en aller. Ne te complique pas encore les choses en te retrouvant avec un ordre du tribunal.

Elle a raccroché. Je me suis assis, le souffle coupé, un poinçon dans le cœur. D'abord mon nom traîné dans la boue, ensuite ma carrière détruite, ma photo dans les journaux comme si j'auditionnais pour le rôle d'un Ezra Pound à la petite semaine, et enfin cet avis d'expulsion, non seulement de mon foyer mais de la relation pour laquelle j'avais massacré mon mariage. Quelle allait être la calamité suivante ?

Elle est venue de ma chère ex, Lucy, par le truchement de son propre conseiller en sales coups légalistes, Alexander McHenry. Il m'a appelé environ une heure après le charmant coup de fil de Sally :

— Monsieur Armitage ? a-t-il commencé d'une voix professionnelle. Ici Alexander McHenry, du cabinet Platt, McHenry & Swabe. Vous vous rappelez sans doute que nous avons représenté votre…

— Je m'en souviens parfaitement, oui. Et je sais que si vous téléphonez un samedi matin, ce n'est pas pour me communiquer des nouvelles agréables.

— Eh bien…

— Allons droit au fait, McHenry. Qu'est-ce qui a encore mis Lucy de méchante humeur ? ai-je demandé tout en imaginant la tête de mon ex-moitié lorsqu'elle avait dû découvrir ma photo dans le *San Francisco Chronicle*.

— Je crains que votre ex-épouse ne soit très alarmée par votre conduite au siège de la NBC à Los Angeles, hier. Et elle est bien entendu atterrée par le retentissement qu'a eu ce… hmm, cet incident, en particulier pour les conséquences que cela pourrait avoir sur l'équilibre de, hmm, Caitlin.

— J'avais l'intention d'en parler moi-même à ma fille tout à l'heure.

— J'ai peur que ce ne soit impossible, monsieur Armitage.

Impossible d'avaler ma salive, tout d'un coup.

— Qu'est-ce que vous venez de dire ?

— J'ai dit qu'au vu de votre conduite d'hier votre ex-épouse estime que vous représentez un danger potentiel pour elle-même et pour votre fille.

— Comment ose-t-elle ? Je n'ai jamais, vous entendez, jamais levé la main sur…

— Mais le fait demeure que vous avez attaqué ce M. MacAnna sur le parking de la NBC. Comme le fait demeure que la chaîne FRT vous a libéré de votre contrat pour cause de plagiat répété. C'est une expérience traumatisante susceptible d'affecter l'équilibre mental de nombre d'individus, comme un psychologue pourrait le confirmer. Bref, la probabilité que vous représentiez un risque sérieux pour elles est indéniable.

— Ce que je voulais dire, avant que vous m'interrompiez, c'est que je n'ai jamais levé la main sur ma femme ni sur mon enfant. C'est inconcevable, pour moi. Hier, j'ai perdu mon calme, je le reconnais, point final.

— Il n'est malheureusement pas final du tout, monsieur Armitage. Car sur les directives de votre ancienne épouse nous avons obtenu un arrêté de la cour vous interdisant de tenter d'entrer en contact, directement ou par téléphone, avec Lucy et Caitlin.

— Vous ne pouvez pas m'empêcher de voir ma fille !

— C'est déjà fait. Et mon devoir est de vous informer qu'en contrevenant à cet ordre vous risquez une arrestation, voire l'emprisonnement préventif. Vous avez bien saisi, monsieur Armitage ?

J'ai raccroché brutalement, en arrachant une nouvelle fois la prise du mur. Mais je suis allé plus loin : j'ai jeté le poste par terre et je me suis acharné dessus jusqu'à le pulvériser. Pour éclater en sanglots aussitôt après. Ils pouvaient me dépouiller de tout, me prendre tout ce que j'avais de plus cher, mais pas Caitlin. Ils ne pouvaient pas faire une chose pareille. M'empêcher de la voir. De lui parler, même ! C'était impossible, impensable.

On a frappé à la porte, fort. Sans doute un voisin avait-il appelé les flics en m'entendant. Mais je n'allais pas me laisser embarquer facilement. Ni ouvrir cette foutue porte, d'ailleurs. Les coups se sont faits plus insistants, plus bruyants, et une voix que je connaissais bien s'est élevée de l'autre côté du battant :

— Allez, David, sors de ta tanière à la noix, je sais que tu es là !

Alison.

J'ai entrouvert la porte. J'ai senti le regard incrédule d'Alison sur mes traits hagards, mes yeux rouges et bouffis.

— Qu'est-ce que tu fais ici ? ai-je murmuré.

— Je crois que ce ne serait pas exagéré de dire que je suis venue te sauver.

— Je vais très bien.

— Mais oui. Et la photo dans le journal de ce matin, très réussie. J'aime beaucoup ton pyjama. Exactement la tenue dans laquelle un agent a envie de voir son client pendant qu'il essaie de tordre le cou à un...

— Je n'ai pas voulu...

— Oh, alors tout est parfait. Bon, tu me fais entrer ou pas ?

Je me suis reculé, elle m'a suivi à l'intérieur de l'appartement. Je suis tombé sur le canapé, les yeux au sol. Elle fixait le téléphone en miettes sur le sol.

— C'est... pardon, c'était un Bang et Olufsen, non ?

— Si.

— Joli. Dommage qu'il soit fichu.

— Je m'en fous. Je m'en fous de tout.

— C'est à cause des suites de ton raid à la NBC ?

Je lui ai alors raconté tout ce qu'elle ignorait, l'ordre d'expulsion venu de Sally, l'interdiction d'entrer en contact avec ma fille... Alison est restée un long moment silencieuse. Elle a fini par me couper alors que je me déclarais à nouveau responsable de tout ce gâchis.

— Je t'évacue de là.

— Quoi ?

— Je t'emmène dans un endroit au calme, où tu ne pourras plus rendre les choses encore plus compliquées qu'elles ne le sont.

— Tout va bien, Alison.

— Non. Et plus tu traîneras à L.A., plus tu auras de tentations de te donner en spectacle.

— Merci.

— C'est la vérité. Que ça te plaise ou non. Tu as perdu les pédales, David, et si tu continues à fournir autant de copie aux journaux, tu peux définitivement renoncer à retrouver le moindre travail dans cette…

— Je suis déjà grillé, Ali.

— Je ne discuterai même pas de ça. Quand Sally veut-elle que tu aies déguerpi ?

— Avant six heures du soir demain.

— Très bien. Pour commencer, donne-moi la clé d'ici.

— Pourquoi ?

— Parce que je reviendrai emballer toutes tes affaires demain.

— Je peux m'en charger.

— Non, tu ne peux pas. D'ici une demi-heure, on sera partis.

— Comment, partis ?

— Je t'emmène dans un endroit où tu pourras récupérer un peu. Ce qu'il te faut, avant tout, c'est du sommeil et du temps pour réfléchir.

J'ai poussé un soupir. En moi-même, pourtant, je devais convenir qu'elle avait raison. J'étais plus tendu qu'une corde de piano et je me demandais vraiment si j'allais pouvoir arriver au bout de ce week-end sans commettre quelque stupidité irréparable. Sauter par la fenêtre, par exemple.

— D'accord... Je t'écoute.

— Prépare un sac ou deux. Pas besoin de livres ni de disques, il y en a plein là où nous allons. Emporte ton portable, par contre, si tu veux te connecter. Ensuite, prends une douche et rase-toi, pour l'amour du ciel. Tu commences à ressembler sérieusement à l'Unabomber.

Dans le temps imparti, douché, rasé, convenablement habillé, deux gros sacs marins et mon ordinateur portable dans la malle arrière, je me tenais devant Alison sur le trottoir.

— Voilà le programme, David. On va remonter l'autoroute de la côte pendant environ deux heures. Je prends ma voiture, toi la tienne. À une condition, évidemment : que tu ne me fasses pas le coup de t'évaporer brusquement dans la nature.

— Tu me prends pour qui ? Jack Kerouac ?

— Non, je dis juste que...

— C'est promis, je te suis.

— D'accord. Mais si jamais on se perd de vue, tu m'appelles sur le cellulaire.

— Je vais te filer mieux qu'un privé.

Nous sommes en effet restés l'un derrière l'autre jusqu'à ce qu'elle sorte à Meredith, une petite ville dont l'unique rue était bordée de magasins, parmi lesquels j'ai noté une librairie et une modeste supérette. Ensuite, il y a eu une route secondaire puis un chemin de terre qui serpentait dans la forêt jusqu'à un chalet en bois délavé, tout simple, donnant sur une plage de galets. La vue sur l'océan était à couper le souffle et j'ai remarqué avec plaisir un hamac suspendu entre deux arbres, qui promettait quelques heures de repos dans la contemplation du Pacifique.

— Pas mal… C'est ton jardin secret ?

— J'aimerais bien, mais non, l'heureux propriétaire s'appelle Willard Stevens. Le veinard.

C'était un scénariste et un client d'Alison qui, tout comme Wanamaker, avait été très en vue dans les années soixante-dix mais devait maintenant se contenter de petits jobs de rewriting.

— Et où est-il, en ce moment ?

— À Londres. Il a été pris sur le tournage du nouveau James Bond. Il est parti trois mois.

— Trois mois de rewriting ?

— Je crois qu'il va faire un saut sur la Côte d'Azur, puisqu'il est là-bas. Enfin, il m'a donné la clé, je ne suis venue qu'une fois depuis, et puisqu'il ne rentre pas avant deux mois et demi…

— Je ne vais pas passer tout ce temps ici !

— Comme tu veux, hé ! Ce n'est pas une prison. Tu as ta voiture, tu fais ce que tu veux. Je te demande seulement de rester au moins une semaine. Un break, disons. De quoi oublier ce merdier. Tu es d'accord ?

— Je n'ai pas vu l'intérieur.

Dès que je suis entré, pourtant, j'ai accepté tacitement ce délai minimal. Murs en bois brut, sol en pierre, un vaste canapé et un gros fauteuil crème, une petite cuisine très pratique, des étagères de livres et de CD, avec une sélection parfaite de jazz et de musique classique. Une collection de cassettes vidéo près d'une télé et d'un magnétoscope. La chambre avait la même confortable simplicité, avec un grand lit d'époque et une baignoire à pattes de lion.

— C'est… parfait.

— Contente que tu aimes. Tu promets de ne pas détruire les téléphones et autres objets ?

— Écoute, je ne suis pas le mec de *Shining*, quand même.

— Ouais. De toute façon, il n'y en a qu'un, de téléphone. Et la télé n'a pas d'antenne, je te préviens : Willard veut seulement regarder des vieux films quand il vient ici. Mais sa collection est excellente. Et tu as vu que, côté lecture et musique, tu es servi. La radio marche, elle. Tu as repéré les magasins tout à l'heure, il y a aussi une grande surface à une vingtaine de kilomètres mais je pense que tu trouveras tout ce dont tu as besoin en ville.

— Tout ira très bien, j'en suis sûr.

Elle s'est assise sur le canapé, m'a fait signe de prendre place dans le fauteuil :

— Et maintenant, j'attends certains engagements de ta part.

— Je ne vais pas saccager cette maison. Je ne vais pas rejouer James Mason dans la scène finale d'*Une étoile est née* et disparaître dans l'océan. Je ne vais pas…

— Et tu ne vas pas remettre les pieds à Los Angeles pour l'instant. Et tu ne vas appeler ni la FRT, ni la Warner, ni personne de la profession. Et le plus important : tu ne vas pas chercher à parler ni à Sally, ni à Lucy, ni à Caitlin.

— À ma fille ? Tu attends de moi que je coupe les ponts avec ma propre fille ?

— Tu lui parleras, oui. Mais seulement si tu me laisses me charger de ça. Comment s'appelait ton avocat pour le divorce, déjà ?

— Oublie ce minable. Il a laissé la mégère embauchée par Lucy m'étriper sur place.

— Okay, dans ce cas je vais demander à mon gars de nous trouver un vrai nazi. Mais je dois encore insister sur ce point : si...

— Je sais ! Si j'appelle Caitlin moi-même, ce sera l'apocalypse.

— Voilà. Autre chose : il faut que je parle à ton comptable. C'est toujours Sandy Meyer ? J'ai besoin d'un relevé de situation complet, avec statut fiscal en cours et autres joyeusetés. Demain, avant six heures, j'aurai mis tes affaires au garde-meubles. Ensuite, je verrai avec Sally pour les détails triviaux, du genre ta part dans la caution, le mobilier que vous avez acheté ensemble, etc.

— Je lui laisse tout.

— Pas question.

— C'est moi qui ai tout fichu par terre avec elle. Comme avec tout le monde, chaque fois. Et maintenant, je...

— Maintenant tu vas passer au moins une semaine à changer d'air ici, à lire, à faire du hamac et à essayer de réduire tes libations à un ou deux verres de bon vin par jour. On est d'accord ?

— Oui, docteur.

— À propos de docteur... Pas de hurlements, s'il te plaît. Demain matin, vers onze heures, un certain Matthew Simms va t'appeler. C'est un psychothérapeute. Je l'ai loué pour cinquante minutes. Si le courant passe avec lui, tu peux avoir une séance tous les jours au téléphone. Fais-moi confiance : pour quelqu'un de sa profession, il ne raconte pas n'importe quoi.

— Parce que c'est… le tien ?

— Ne prends pas cet air hébété.

— Non ! C'est juste que… je ne te voyais pas…

— Je suis agente à Hollywood, mon cœur. Donc j'ai un analyste, évidemment. Ce type est très bon au téléphone. Et tu te rends compte que tu dois parler à quelqu'un sans attendre.

— D'accord, d'accord…

— Bon.

— Mais… Alison ?

— Oui ?

— Tu n'avais pas besoin de faire tout ça pour moi.

— Ouais. Je pense que si, pour ma part.

— Je suis salement honteux de tout ce…

— Ferme-la.

— Très bien.

— Bon, je vais devoir y aller, maintenant. J'ai un rancart sérieux, ce soir.

— Ah, quelqu'un d'intéressant ?

— Ancien cadre sup de l'un de nos chers studios. Soixante-trois balais. Probable qu'il a eu un triple pontage il n'y a pas longtemps et qu'il est guetté par Alzheimer. Mais enfin, un peu d'action, je ne vais pas faire la difficile.

— Eh ben…

— Écoutez-moi ce père la morale. J'ai beau avoir cinquante-sept ans, je ne suis pas ta mère. Donc laisse ma vie sexuelle tranquille et je…

— Mais j'ai rien dit !

— Mais oui, mais oui, a-t-elle lancé avec un sourire en coin.

Soudain, elle s'est penchée et m'a pris les deux mains :

— Je veux que tu ailles bien, David.

— On va essayer.

— N'oublie jamais : quels que soient les ennuis de carrière, d'argent, de tout, on survit. La vie a ça d'incroyable : elle continue, toujours. OK ?

— OK.

— Va te mettre dans ce hamac.

J'ai obtempéré aussitôt après son départ, non sans attraper un Dashiell Hammett dans la bibliothèque de Stevens. *Un homme mince* a beau être l'un de mes romans policiers préférés, j'ai succombé immédiatement à la fatigue et à la tension accumulées les derniers jours. À mon réveil, la fraîcheur du soir était tombée et le soleil était bas sur l'océan. J'avais froid, je ne savais même plus pourquoi je me trouvais là, et puis tout le terrifiant scénario qu'était désormais ma vie est revenu défiler dans ma tête. Ma première impulsion a été de courir téléphoner à Lucy, de lui dire qu'elle avait choisi la plus méprisable des répliques et d'exiger de pouvoir parler à ma fille. Je me suis maîtrisé en me rappelant les conséquences qu'avait eues le choix de la confrontation avec Theo MacAnna, et en reconnaissant que tout serait perdu si je m'avisais de transgresser la décision de justice. Je suis retourné dans la maison, j'ai passé un peu d'eau sur mon visage et j'ai enfilé un pull. Les placards de la cuisine étaient vides. J'ai sauté dans ma voiture pour aller faire quelques courses à Meredith.

La supérette avait un rayon traiteur, ce qui, comme la boutique d'à côté qui vendait des bougies parfumées et des sels de bain hors de prix ou les chemises Ralph Lauren dans la devanture du magasin de vêtements, prouvait que la petite ville était une destination de week-end pour les citadins aisés, et donc certainement le genre d'endroit où les relations restaient courtoisement distantes.

Et en effet, lorsque j'ai réuni quelques produits de base pour la maison et choisi une portion de pâtes au pistou pour mon dîner au comptoir des plats à emporter, la patronne – la cinquantaine élégante et décontractée, typique de ce genre d'établissement – ne m'a pas demandé comment je trouvais la charmante cité de Meredith, ni si j'étais là pour le week-end ou pour plus longtemps. Tandis qu'elle préparait rapidement mon compte, son seul commentaire a été :

— C'est un bon choix, le pesto. Je le prépare moi-même.

Cela s'est révélé exact, surtout avec le pinot noir Oregon que j'ai ouvert pour l'occasion et dont je n'ai pris que deux verres, scrupuleusement. À dix heures, j'étais au lit mais, comme je n'arrivais pas à trouver le sommeil, je me suis relevé pour regarder l'un de mes Billy Wilder favoris, *La Garçonnière*. Je l'avais déjà vu une bonne douzaine de fois mais cela ne m'a pas empêché de me mettre à pleurer sans en avoir honte lorsque Shirley McLaine court dans les rues de Manhattan pour aller clamer son amour à Jack Lemmon… Bon, j'étais légèrement émotif, dans la dernière période. À la fin, je ne me sentais pas plus capable de dormir et je suis donc resté fasciné par une formidable comédie des années trente, un James Cagney méconnu, *Jimmy the Gent*. Ce deuxième film terminé, il était trois heures du matin. Je suis tombé sur le lit et me suis endormi instantanément.

Pour ne pas changer le rituel de ces éprouvantes semaines, c'est le téléphone qui m'a réveillé. Matthew Simms, l'analyste qu'Alison avait chargé de m'appeler sans me demander mon avis, avait le ton calme et posé de sa profession. Il m'a demandé s'il m'avait réveillé, j'ai répondu que oui et il m'a aimablement proposé de m'accorder une vingtaine de minutes, si je le désirais, puisque nous étions un dimanche et que son programme était donc assez flexible. J'ai eu le temps d'aller préparer du café et d'en boire deux tasses avant d'entamer pour de bon l'entretien, et de constater qu'Alison ne m'avait pas trompé : sans baratin compatissant, sans théories fumeuses, Matthew Simms m'a amené à lui raconter les événements de la semaine précédente, à décrire le désarroi absolu dans lequel ils m'avaient laissé, et le sentiment de culpabilité qui me rongeait, cette idée que tout était ma faute… Il a voulu creuser cette dernière remarque :

— Vous voulez dire que, consciemment ou non, vous avez vous-même recherché tous ces ennuis ?

— Inconsciemment, oui.

— Vous en êtes convaincu ?

— Pourquoi tous ces emprunts dans mes textes, autrement ?

— Et s'ils étaient purement fortuits, David ? Répéter un bon mot entendu ailleurs en étant persuadé qu'on l'a inventé, c'est assez courant, non ?

— Ou bien c'est que je m'acharnais à ce qu'on finisse par découvrir la vérité sur mon compte.

— Quelle vérité ?

— Le fait… le fait que je suis une supercherie ambulante.

— Vous en êtes sûr ? Même après le succès mérité que vous avez rencontré ces derniers temps ?

— C'est la conclusion à laquelle je suis parvenu maintenant.

C'était la fin de la séance, aussi. Nous sommes convenus de reprendre le lendemain matin à onze heures.

J'ai passé le reste de la journée à somnoler dans le hamac ou à marcher sur la plage, la tête pleine de conversations silencieuses avec Lucy et Sally, cherchant à trouver les meilleurs arguments. Ou bien je me voyais répondre aux questions de Charlie Rose sur la chaîne PBS et démentir les accusations de MacAnna avec une telle force de conviction que Brad Bruce me téléphonait pour me dire : « On a été idiots, David. Viens te remettre à la suite de la série. »

Dans mes rêves, oui ! Ce que j'avais détruit ne reviendrait plus. Ce constat m'a évidemment entraîné dans la logique des « si seulement ». Si seulement je n'avais pas perdu mon sang-froid dès la première attaque de cette crapule. Si seulement j'avais ravalé ma fierté, voire écrit une lettre à MacAnna en le remerciant d'avoir signalé ces erreurs somme toute mineures. Mais j'avais été guidé par un mélange de frayeur et d'arrogance, la même désastreuse combinaison qui avait présidé au début de ma relation avec Sally Birmingham, quand la peur d'être découvert et de perdre la sécurité domestique s'était combinée à l'exaltation de mes récents succès et à l'orgueil d'avoir « décroché » une femme pareille. Et d'ailleurs, « si seulement » j'étais resté avec Lucy, je n'aurais jamais réagi aussi violemment à l'interview de MacAnna, puisque c'était sa perfide allusion à mon divorce qui avait fait déborder le vase...

Mais assez ! Le bon sens de l'expression consacrée m'a paru plus que jamais incontestable : ce qui est fait est fait. Et je la complétais désormais d'une formule tout aussi définitive : quand on est baisé, on est baisé. Cela n'empêchait cependant pas la question la plus torturante, la plus insidieuse, de revenir sans cesse : ne l'avais-je pas cherché depuis le début ? À force de ne pas vouloir croire à ma chance, n'avais-je pas moi-même précipité ma chute, ainsi que Sally le soutenait ?

Je l'ai répétée à voix haute le lendemain, cette question, et Matthew Simms a réfléchi quelques secondes avant de me demander :

— Vous voulez dire que vous ne pouvez pas vraiment vous faire confiance ?

— Qui le peut ?

— Mais encore ?

— Est-ce que nous ne sommes pas tous tentés, fascinés par l'autodestruction ?

— Peut-être. Mais dans l'immense majorité des cas nous ne passons pas à l'acte.

— Eh bien moi, si.

— Vous paraissez convaincu d'être le seul responsable de tout ce qui vous est arrivé, David.

— En fait... Je ne sais pas.

Ce thème a occupé l'essentiel de nos échanges, les jours suivants. Les sales coups peuvent se produire sans qu'on les ait cherchés, me remontrait Simms. Quand on est sous pression, on a tendance à réagir plus violemment, ce qui n'excuse pas mais peut expliquer un choix erroné.

— On n'est plus soi-même, comme on dit. Et, en outre, vous n'avez rien commis d'irréparable. Concrètement, vous ne l'avez pas blessé, ce type.

— Oui, mais j'ai saboté ma situation.

— D'accord. C'était une grosse erreur. Et maintenant, quoi ?

— Je... je ne sais pas.

À nouveau ce constat révélateur, qui disait tout et rien à la fois.

Les conversations téléphoniques avec Simms étaient devenues le moment fort de ma journée. Le reste du temps, je lisais, je marchais, je regardais de vieux films, je résistais à la tentation de passer certains coups de fil, d'envoyer certains messages électroniques. Je n'ai même pas pensé acheter un journal et, quand Alison m'appelait tous les soirs à six heures, je ne lui demandais même pas si on parlait encore de moi, « là-bas », me bornant à la laisser me tenir informé des derniers développements. Le lundi, elle m'a ainsi appris que toutes mes affaires étaient en sûreté au garde-meubles ; le mardi, qu'elle avait pris les services d'un avocat spécialisé en droit familial, un certain Walter Dickerson, et que les cinq mille dollars qu'elle avait réussi à arracher à Sally pour ma part dans la caution de l'appartement et l'achat de mobilier serviraient à couvrir ses honoraires.

— Comment elle a réagi, Sally ?

— Pas gentiment du tout, au début. « Comment osez-vous me réclamer de l'argent ? », ce genre-là... À quoi j'ai répondu : « Et vous, comment osez-vous démolir le mariage d'un type puis le laisser tomber dès qu'il se retrouve dans une mauvaise passe ? »

— Hein ? Tu lui as dit ça ?

— Un peu, oui !

— Et alors ?

— Alors elle a continué ses cris d'orfraie jusqu'à ce que j'ajoute que je n'étais pas la seule à penser ça d'elle, que tout Hollywood était de mon avis. Bon, j'exagérais peut-être un brin, là, mais en tout cas ça l'a ramenée sur terre et elle a pris son chéquier. Il a encore fallu parlementer sur la somme. J'ai exigé sept mille cinq, au départ, et puis on est arrivées à ce compromis.

— Ah... Alors je dois te remercier... Je crois.

— Le plaisir est pour moi. Maintenant qu'elle s'est révélée sous son vrai jour, autant que je sois franche : j'ai toujours pensé que c'était une petite arriviste et que tu étais seulement un barreau de l'échelle pour elle.

— C'est maintenant que tu le dis.

— Tu le sais depuis le début, David.

— Oui, ai-je murmuré. Sans doute que oui.

Le mercredi, Alison m'a appris que Sandy Meyer, mon comptable, n'arrivait pas à joindre Bobby Barra afin de préparer un état global de mes finances. Il était en voyage d'affaires en Chine, visiblement. En train de leur faire acheter leur propre Grande Muraille, à tous les coups... Le jeudi, la nouvelle était que Walter Dickerson était entré en contact avec Alexander McHenry, l'avocat de Lucy, et qu'il pensait avoir quelque chose à nous dire au début de la semaine suivante.

— Mais enfin, pourquoi il ne m'a pas appelé d'abord, ce Dickerson ?

— Parce que je lui ai demandé de ne pas le faire.

— Tu quoi ?

— Je lui ai expliqué la situation, je lui ai donné le numéro de McHenry et je lui ai dit de lui secouer les puces. Qu'est-ce que tu aurais voulu ajouter ?

— Rien... C'est juste que...

— Comment ça va, côté sommeil ?

— Plutôt bien, en fait.

— Tant mieux. Et tu continues à parler à Simms tous les jours ?

— Absolument.

— Des progrès ?

— Oh, tu sais comment c'est, une thérapie : tu répètes sans arrêt les mêmes stupidités jusqu'au jour où tu en as tellement marre de t'entendre que tu décides « Ça y est, je suis guéri ».

— Et c'est le cas ?

— Oh non. Le petit bonhomme est encore fragile.

— Mais mieux qu'avant, non ?

— C'est sûr.

— Alors pourquoi ne pas rester encore un peu où tu es ?

— Pourquoi pas ? Où j'irais, de toute façon ?

Mon deuxième week-end est passé comme le premier. Le lundi, je venais de terminer ma séance quotidienne avec Matthew Simms quand le téléphone a sonné. Walter Dickerson, mon avocat, s'exprimait avec une placidité où perçait une pointe d'agressivité résiduelle, évocatrice d'une enfance pas vraiment rose et d'une redoutable fermeté en affaires.

— Je vous dis les choses comme elles sont, David. Pour des raisons qui lui appartiennent, votre ex-femme a décidé de faire tout un drame de cette histoire. Même son avocat estime qu'elle a poussé le bouchon un peu loin, puisqu'il n'y a pas de précédents d'abus domestique dans votre dossier et qu'à part une unique occasion vous avez toujours exercé raisonnablement votre droit de visite. Il le lui a expliqué, mais n'empêche : votre ex veut vous punir. Dans le métier, on appelle ça une fixation. D'après mon expérience, quand quelqu'un a atteint ce degré de colère, contre-attaquer en justice ne peut que rendre les choses encore plus pénibles. Nous pouvons aller devant un juge et arguer que le type en question cherchait à vous détruire professionnellement, que vous ne lui avez même pas laissé une égratignure, et que donc ce baratin de danger potentiel pour votre fille est seulement un mauvais prétexte. À mon sens, le résultat, c'est qu'elle sera encore plus furieuse et qu'elle montera encore la mise en vous accusant de tout et de n'importe quoi. Que vous apparteniez à une secte satanique, que vous pratiquiez le vaudou dans votre chambre, que…

— Elle n'est pas folle à ce point.

— Peut-être, mais elle est très, très fâchée. Et si nous apportons de l'eau au moulin de sa colère, le prix que vous aurez à payer émotionnellement et financièrement sera énorme. En conséquence, voici ce que j'ai décidé avec McHenry. Ce n'est pas l'idéal, mais c'est mieux que rien. Il pense qu'il peut réussir à convaincre votre ex-femme d'accepter un appel téléphonique quotidien à Caitlin…

— Et c'est… tout ?

— Eh bien, étant donné qu'elle a la ferme intention de vous interdire tout contact avec votre fille, je pense qu'un accord de ce genre serait un progrès.

— Mais est-ce que je pourrai revoir Caitlin, au moins ?

— Oh, je suis convaincu que oui. Cela demandera du temps, certes. Mais d'ici deux ou trois mois...

— Deux ou trois mois ! Écoutez, maître Dickerson...

— Je ne suis pas un faiseur de miracles, David. Et je dois tenir compte de ce que mon collègue me dit quant à la disposition d'humeur de sa cliente. Or, selon lui, un appel par jour pourrait être considéré comme la manne tombée du ciel, dans le contexte actuel. Évidemment, il reste toujours l'option du recours en justice, je vous l'ai indiqué. Mais nous parlons de vingt-cinq mille minimum, là, et aussi du risque de... publicité que cela peut entraîner. D'après Alison, on vous a beaucoup vu dans les journaux, ces derniers temps. Ce n'est jamais bon, quand on marche sur des œufs comme ici.

— D'accord, d'accord... Obtenez-moi un appel par jour.

— Sage décision. Je vous recontacte dès que j'ai une réponse. Et aussi, je voulais vous dire que je suis un fan de votre série.

— Euh... Merci.

Sandy Meyer m'a également téléphoné ce jour-là pour m'informer que les deux cent cinquante mille dollars que je devais aux impôts étaient à verser dans les trois semaines et que la situation de mes finances était préoccupante, pour ne pas dire plus.

— Environ vingt-huit mille sur votre compte chèque à BankAmerica. Soit de quoi assurer la pension alimentaire de votre ex et les versements pour votre fille pendant deux mois, mais après ça...

— Comme vous le savez, Sandy, tout le reste de mon argent est bloqué par Bobby Barra.

— Oui. J'ai regardé les derniers relevés trimestriels, justement. Il n'a pas mal bossé pour vous, puisque le capital et les intérêts atteignaient 533 245 dollars il y a deux mois. Le problème, David, c'est qu'à part ce portefeuille vous n'avez pas d'autres liquidités.

— Le problème, c'est que j'aurais dû toucher dans les deux millions cette année, si le ciel ne m'était pas tombé sur la tête. Et maintenant, disons que... disons qu'il n'y a pas d'entrées prévues. Quant à mes réserves précédentes, vous savez mieux que personne où elles sont passées, en gros.

— Oui. Votre ex et le fisc.

— Que Dieu les bénisse tous les deux.

— Donc, visiblement, il va falloir réaliser la moitié de votre portefeuille pour payer les impôts. Mais Alison m'a aussi expliqué que la FRT et Warner vous demandent de rembourser un demi-million. S'ils vont vraiment jusqu'au bout...

— Dans ce cas, je suis fichu, je sais. Seulement, Alison ne désespère pas de leur faire réduire leurs exigences de moitié.

— Alors tout ce que vous avez mis de côté y passera. Et ensuite, vous me dites qu'il n'y a plus d'entrées. Où allez-vous trouver les onze mille mensuels pour Lucy et Caitlin ?

— En devenant cireur de godasses ?

— Oh, Alison vous trouverait sûrement un contrat ou deux.

— Vous n'êtes pas au courant, alors ? Je suis censé être un affreux plagiaire. Personne ne veut de quelqu'un comme ça pour scénariste.

— Et il n'y a pas d'autres biens dont je ne connaîtrais pas l'existence ?

— Ma voiture.

Je l'ai entendu farfouiller dans ses papiers.

— Une Porsche, c'est ça ? Elle doit valoir dans les quarante mille, non ?

— Ouais, sans doute.

— Vendez-la.

— Et avec quoi je me déplace ?

— Avec quelque chose de moins cher. Et entretemps, reste à espérer qu'Alison va parvenir à les persuader, parce que sinon... Bon, on n'est pas encore dans la fosse aux serpents. Chez Bobby Barra, on me dit qu'il doit revenir à la fin de la semaine. J'ai demandé qu'il me rappelle au plus vite. Je vous conseille de lui laisser un message dans le même sens. Les impôts n'attendront pas, et ça prend du temps, de réaliser la moitié d'un portefeuille.

— Je vais vous le retrouver, ce petit con.

Le lendemain, j'ai évidemment abordé le sujet de mes ennuis financiers avec Matthew Simms, sans lui cacher que j'étais mort de peur.

— OK, envisageons le pire des cas possibles, David : vous perdez tout, vous déclarez faillite, votre compte en banque est à zéro... Ensuite ? Vous êtes certain que vous ne pourrez plus jamais travailler ?

— Mais si. Un job où le plus intelligent que j'aurai à dire sera : « Vous voulez des frites avec votre milk-shake ? »

— Allez, David ! Quelqu'un d'aussi brillant que vous...

— Quand on devient persona non grata à Hollywood, ça ne signifie plus rien.

320

— C'est passager, sans doute.

— Ou pour toujours. Et c'est ça qui me fait le plus peur : que je ne sois plus jamais capable d'écrire.

— Bien sûr que si, vous pourrez !

— Ouais. Mais personne ne voudra acheter ce que j'écrirai. Je suis comme quatre-vingt-dix-neuf pour cent des écrivains, moi, à part J. D. Salinger : j'existe pour mon public, que ce soit des lecteurs ou des spectateurs. Écrire, c'est tout ce que je sais bien faire. J'ai été un mari nul, je suis un père à peine potable, j'ai passé quatorze ans à essayer de convaincre tout le monde que j'avais une plume. Et j'ai remporté le pari, mieux que dans mes rêves les plus fous, et maintenant on me retire tout, tout.

— Vous voulez dire… Vous êtes convaincu que votre ex-femme va vous enlever votre fille pour toujours ?

— Elle fait tout ce qu'elle peut, en tout cas.

— Mais vous pensez vraiment qu'elle va y arriver ? Que vous ne reverrez plus jamais votre fille ?

Pour la cinquième fois – ou la sixième, je ne comptais plus –, la séance s'est conclue sur le même aveu :

— Je ne sais pas.

Cette nuit-là, j'ai mal dormi. Je me suis levé tôt, assailli par une angoisse revenue en force. Le téléphone a sonné. Alison. Un peu chiffonnée, je l'ai senti tout de suite. Pour ne pas dire plus.

— Tu as vu les journaux ?

— Je n'en ai pas ouvert un seul depuis que je suis ici. Qu'est-ce qui se passe, encore ?

— Bon, on revient à notre classique « bonnes nouvelles-mauvaises nouvelles ». Par quoi je commence ?

— Les mauvaises. Mauvaises à quel point, d'ailleurs ?

— Tout dépend.

— Dépend de quoi ?

— Si tu tenais à ton Emmy ou non.

— Ils veulent me reprendre ça aussi, les salauds ?

— Exact. Comme le rapporte le *Los Angeles Times* ce matin, l'Académie des arts et des sciences de la télévision a adopté hier soir une motion qui te retire ton prix sur la base de…

— Je connais les raisons, merci.

— Je suis désolée, David.

— Pas de quoi. Elle est à chier, cette statue. Tu l'as prise avec le reste, à l'appartement ?

— Évidemment.

— Eh bien, renvoie-la-leur et qu'ils se la mettent… OK, et les bonnes nouvelles ?

— Toujours dans le même article. Hier soir, à son assemblée mensuelle, l'AATC a approuvé une motion qui te condamne pour…

— C'est ce que tu appelles une bonne nouvelle ?

— Attends ! La condamnation est passée, comme il fallait s'y attendre. Mais ils ont repoussé aux deux tiers la demande qui voulait que tu sois interdit de travail à titre définitif.

— Super. N'importe quel studio, n'importe quel producteur foireux le fera sans avoir besoin de motions de l'AATC.

— Écoute, je sais que je vais te paraître d'un optimisme ridicule mais le fait est qu'ils t'ont donné une petite tape sur la main, rien de plus. À mon avis, c'est bon signe. Cela prouve que dans le milieu qui t'importe, dans ta profession, les gens prennent cette histoire pour ce qu'elle est, c'est-à-dire une fumisterie.

— Pas les types des Emmy, en tout cas.

— Ça, ce n'est qu'un jeu de relations publiques. Dès qu'ils vont voir que tu es revenu...

— Je ne crois pas en la réincarnation, Ali. Et je te rappelle ce que Scott Fitzgerald a écrit dans l'un de ses rares moments de sobriété, pas longtemps avant de passer à la trappe : « Dans une vie américaine, il n'y a pas de deuxième acte. »

— Oui. Moi, je m'en tiens à un axiome différent : la vie est courte mais la carrière d'un écrivain est toujours plus longue qu'on ne s'y attendait. Tu devrais te reposer plus, David. Tu as l'air dans un sale état, à nouveau.

— C'est le cas.

Le soir, au lieu de dormir, j'ai regardé la *Trilogie d'Apu*, une saga familiale indienne des années cinquante, six heures de grand cinéma, certes, mais que seul un insomniaque chronique comme moi pouvait enchaîner en pleine nuit. Quel jour étions-nous, mercredi, jeudi ? Le temps n'avait plus d'importance, désormais. Après le rythme trépidant des derniers mois, cette vacuité était renversante. J'avais cravaché dur parce que je chevauchais une vague, et quand on a le vent en poupe, on ne va pas...

Le téléphone m'a brutalement ramené au monde.

— David ? Ici Walter Dickerson. Je vous réveille ?

— Quelle heure est-il ?

— Midi et quelques. Bon, je peux rappeler, si vous...

— Non. Vous avez du nouveau ?

— Oui.

— Alors ?

— C'est assez encourageant.

— Mais encore ?

— Votre ex-épouse a accepté le principe d'un contact téléphonique avec Caitlin.

— Ah. C'est un progrès, je suppose.

— Absolument. Cela étant, elle a posé ses conditions : vous ne pourrez appeler que tous les deux jours, et pas plus d'un quart d'heure chaque fois.

— Elle a vraiment exigé ça ?

— Oui. Et d'après son avocat cela n'a pas été facile à décrocher. Elle reste très, très en colère.

— Je ne suis pas étonné. Bon, quand est-ce que je peux appeler ma fille ?

— Ce soir. Votre ex-femme propose que vous téléphoniez à sept heures précises, dans tous les cas. Cela vous convient ?

— Bien sûr, ai-je répondu en pensant que mon agenda n'était pas précisément contraignant. Mais, maître Dickerson... Walter... dans combien de temps pensez-vous que je pourrai voir Caitlin ?

— Très honnêtement, cela dépend de votre ex. Si elle a l'intention de continuer à vous... casser les couilles, pardonnez-moi l'expression, les choses peuvent traîner des mois et des mois. Si c'était le cas, et si vous avez les reins assez solides financièrement, nous pourrions demander le procès. Il vaut mieux espérer qu'elle finira par se calmer et acceptera de négocier. Ce qui prendra du temps, également. Vous avez dû vous rendre compte que, dans ce pays, un divorce à l'amiable est impensable. Surtout lorsqu'il y a un ou des enfants en jeu. Mais vous pouvez parler à votre fille. C'est un bon début.

À l'heure dite, j'ai téléphoné à Sausalito. Lucy avait dû la prévenir car ma fille a décroché à la première sonnerie.

— Papa ! Où tu étais passé pendant tout ce temps ?

— J'ai dû faire un voyage pour… pour le travail.

— Alors tu n'as plus envie de me voir ?

J'ai fermé les yeux. Du sang-froid. Surtout ne pas craquer, maintenant.

— Je rêve de te voir. Seulement… C'est juste que je ne peux pas, en ce moment.

— Pourquoi ?

— Parce que… Parce que je suis loin. Pour ce travail.

— Maman dit que tu as eu des ennuis.

— C'est vrai… Mais ça va mieux.

— Alors tu vas venir bientôt ?

— Dès que je peux, ai-je soufflé en me mordant la lèvre. Et d'ici là on se parlera au téléphone tout le temps.

— Mais c'est pas pareil !

— Caitlin…

J'ai dû m'arrêter.

— Papa ? Qu'est-ce qu'il y a ?

— Rien. Tout va bien, bien, bien… – Je m'étais approché du précipice mais j'avais pu reculer, in extremis. – Raconte-moi ce que tu fais à l'école.

Le reste du temps qui m'avait été imparti, nous avons parlé du spectacle de Pâques dans lequel elle allait jouer un ange, de ce qu'elle pensait de Big Bird – pas gentil – et de Cookie Monster – trop cool –, de la nouvelle Barbie qu'elle avait vue dans un magasin…

J'avais réglé le chronomètre de ma montre sur quinze minutes. À la seconde près, j'ai entendu la voix de Lucy derrière Caitlin :

— Dis à papa qu'il faut arrêter.

— Papa ? Il faut arrêter.

— D'accord, chérie. Tu me manques terriblement.

— Toi aussi, tu me manques.

— Je t'appelle vendredi. Maintenant, est-ce que je peux dire un mot à ta mère ?

— Maman ! Papa veut te parler. Au revoir, papa.

— Au revoir, chérie.

J'ai entendu le combiné changer de mains. Sans proférer un seul mot, Lucy a raccroché.

Ma séance du lendemain avec Simms a évidemment été accaparée par les derniers développements d'un divorce déjà catastrophique.

— Lucy me méprise tellement qu'elle ne me laissera plus jamais revoir Caitlin.

— Mais elle vous a autorisé à l'appeler, ce qui est un progrès considérable par rapport à la semaine dernière, non ?

— Encore une fois, je me dis que tout ça est ma faute, uniquement.

— Quand est-ce que vous avez quitté Lucy, David ?

— Il y a deux ans.

— D'après ce que vous m'avez appris à notre premier contact, vous avez été plus que généreux, pour la séparation des biens.

— Elle a pris la maison, sans aucune dette puisque j'ai tout payé.

326

— Et depuis, vous avez versé ce à quoi vous vous étiez engagé, vous avez été un bon père pour Caitlin, vous n'avez rien tenté qui puisse nuire à votre ex-épouse.

— Je crois, oui.

— Eh bien, si elle continue à éprouver toute cette hostilité à votre égard au bout de deux années, c'est son problème, pas le vôtre. Et si elle se sert de l'enfant que vous avez eue ensemble pour vous faire du mal, en empêchant du même coup une petite fille de voir son père, la honte est sur elle, non sur vous. Tôt ou tard, elle sera forcée d'admettre qu'elle a agi par pur égoïsme. Parce que votre fille se chargera de le lui dire.

— J'espère que vous avez raison. Mais il n'empêche que je ne peux m'empêcher d'être hanté par l'idée que...

— Que quoi ?

— Que je n'aurais jamais dû les abandonner. Que j'ai commis une erreur monstrueuse.

— Vous voudriez reprendre votre ancienne vie, vraiment ?

— C'est exclu. Il y a trop de cadavres dans le placard, trop de larmes et de cris. Mais l'erreur vient de moi, et elle est terrible.

— Avez-vous déjà envisagé de dire à Lucy ce que vous venez de me confier ?

Lorsque j'ai appelé Caitlin le vendredi, pourtant, non seulement Lucy a refusé de me parler mais elle avait déjà expliqué à notre fille qu'elle devrait raccrocher d'elle-même au bout du fatidique quart d'heure. Même chose le dimanche, à cette différence près que j'ai pu laisser le numéro de mon refuge à Caitlin, en lui demandant de prévenir Lucy que j'allais y rester encore quelques semaines.

Cette dernière décision avait été facile à prendre : je n'avais pas d'autre toit en vue, de toute façon, et puis Willard avait opportunément décidé de rester six mois de plus à Londres.

— Il a obtenu un autre gros boulot de rewriting, m'a appris Alison lors de l'un de ses appels. Par ailleurs, la grisaille de cette ville a l'air de lui convenir. Enfin, tu peux rester jusqu'à Noël, il est très content que quelqu'un s'occupe de la maison et il ne te demande pas un rond, sauf l'eau et l'électricité.

— Ça me semble très honnête.

— Il m'a aussi demandé de te dire qu'il trouve ton histoire scandaleuse. Il a même écrit au jury des Emmy pour leur déclarer qu'ils s'étaient conduits comme une bande de merdeux.

— Il a vraiment écrit ça ?

— En gros, oui.

— Quand tu l'auras, remercie-le. C'est le premier truc sympa que j'entends depuis des lustres.

Ma bonne étoile a brillé peu de temps : le lendemain, lorsque j'ai enfin réussi à parler à Bobby Barra, une bombe de quelques mégatonnes m'est tombée dessus.

En reconnaissant ma voix – je l'appelais sur son portable –, il a semblé plus qu'hésitant.

— Ah, vieux… Comment ça marche ?

— On a vu mieux.

— Ouais… J'ai su que tu avais eu des pépins.

— Gros à quel point, tu es au courant ?

— Tu as été dans les journaux à Londres, à Paris et même à Hong Kong.

— Quelle renommée internationale ! Je suis flatté.

— Où tu es, là ?

J'ai dû lui expliquer ma disgrâce auprès de Sally, la cabane qu'Alison m'avait trouvée.

— Hé, c'est un peu la cata, non ?

— Un peu.

— Ah, désolé, vieux. Bon, je sais que tu as cherché à me joindre. J'étais à Shanghai pour cette start-up Internet. Je comprends que tu te sois inquiété pour l'IPO qui a mal tourné.

— Hein ? Qu'est-ce que cette introduction en Bourse a à voir avec moi ?

— Pardon ? Mec, t'as la mémoire qui flanche ? C'est bien toi qui m'as dit de placer tout ton porte-feuille dessus !

— Jamais de la vie !

— Quoi, tu ne te rappelles plus cette conversation qu'on a eue, il y a deux mois à peu près ?

— Si, si.

— Et qu'est-ce que je t'ai demandé ?

Si je voulais investir gros dans une IPO béton, l'introduction en Bourse d'un nouveau moteur de recherche qui allait devenir à tous les coups numéro un en Chine et en Asie du Sud-Est. Comme je retenais toujours les détails les plus accablants, je me souvenais parfaitement de notre échange, « Yahoo avec les yeux bridés », et ma réponse lorsqu'il m'avait proposé d'y aller franco : « Tu ne m'as jamais donné de mauvais tuyaux, jusqu'ici. » Merde, merde et remerde ! Il avait sincèrement cru que je lui accordais le feu vert…

— Mais enfin, je ne t'ai pas dit d'y mettre tout mon putain de fric !

— Tu n'as pas dit le contraire non plus. Pour moi, quand on y va, on y va.

— Et pour moi, tu ne pouvais pas toucher à mes actions sans un ordre écrit de ma part.

— Foutaises ! Et tu le sais pertinemment. Comment tu crois que ça marche, la Bourse ? En s'envoyant des lettres sur papier parfumé ? Ça bouge toutes les trente secondes, le marché, alors quand on me dit de vendre, moi, je…

— C'est illégal !

— Illégal que dalle. Si tu relis le contrat que tu nous as signé quand tu es devenu client, tu verras que pour ce genre de transactions un accord verbal est suffisant. Enfin, si tu veux porter ça devant la Commission de contrôle, n'hésite pas. Tu sortiras de là sous les huées.

— Ah, je n'arrive pas à y croire, je…

— Hé, c'est pas la fin du monde ! D'ici neuf mois, je te garantis que le prix de l'action aura quadruplé. Ce qui te permettra non seulement de récupérer les cinquante pour cent de perte initiale mais…

— Quoi ? Qu'est-ce que tu viens de dire ?

— J'ai dit qu'en raison de la baisse momentanée des valeurs technologiques, l'IPO n'a pas donné les résultats escomptés. Et la moitié de tes actions sont parties en fumée, du coup.

— Non ! C'est impossible !

— Ce sont des choses qui arrivent. C'est comme la roulette, la Bourse. J'essaie de minimiser tes risques, évidemment, mais parfois le marché devient dingue à l'improviste. Mais je répète, vieux : on est loin de la catastrophe. Très loin. D'ici un an, en gros, je t'assure que tu vas palper dans les…

— D'ici un an, en gros, je serai en taule pour non-paiement de dettes ! Les impôts me demandent un quart de million, la FRT et Warner à peu près la même chose. Tu comprends ce qui m'est arrivé, ou non ? Tous mes contrats sont à l'eau. Je suis un paria à Hollywood. Mon seul argent, c'est celui que je t'avais confié, et maintenant tu me dis que…

— Ce que je te dis, c'est de garder ton calme.

— Ouais ? Avec la note des impôts à cracher dans les dix-sept jours ? N'importe qui dans ce pays sait que s'il y a des gens chez qui Crédit est mort pendu, c'est bien le fisc américain. Il n'y a pas plus vache au monde.

— Alors, qu'est-ce que tu veux que je fasse ?

— Que tu me récupères tous mes fonds.

— Ah, faudra être patient, pour ça.

— Je ne peux pas, bordel !

— Dans l'immédiat, c'est infaisable.

— Et qu'est-ce qui est faisable ?

— Réaliser la valeur actuelle de ton portefeuille. Qui doit tourner dans les deux cent cinquante…

— Petit Rital à la con, je…

— Hé, on n'a pas gardé les cochons ensemble !

— Tu m'as mis en faillite et il faut que je m'écrase ?

— D'après moi, tu t'es mis en faillite tout seul. Et pour la énième fois, si tu gardes cet argent où il est pendant neuf mois, tu…

— J'ai pas neuf mois, j'ai dix-sept jours, merde ! Une fois les impôts payés, il me reste quoi ? Zéro ! Et encore…

— Pff… Quand on joue, on sait perdre.

— Si tu avais été réglo avec moi, je…

331

— J'ai été réglo, branleur ! – Il était furax, soudain. – Parce que pour être tout à fait clair, si tu n'avais pas été jeté de ta télé après avoir piqué les idées des autres…

— Enculé, salaud, fils de…

— Suffit. Terminé. Je ne veux plus m'occuper de ton fric. Je ne veux plus entendre parler de toi.

— Ouais, maintenant que tu m'as baisé par…

— J'ai dit suffit. Je n'ai plus qu'une seule question : est-ce que tu veux réaliser ton avoir ?

— J'ai pas le choix !

— Donc c'est oui ?

— Oui !

— Parfait. Tu auras le tout sur ton compte courant demain. Et terminé !

— Ne t'avise pas de m'appeler, jamais !

— Pour quoi faire ? Je traite pas avec les ratés, moi…

Lors de la séance du lendemain, l'attention de Matthew Simms a naturellement été attirée par cette ultime réplique de Barra.

— Vous, vous pensez que vous êtes un raté ?

— Et vous ?

— À vous de me dire, David.

— Je suis plus qu'un raté. Je suis une zone sinistrée à moi tout seul. Tout, absolument tout ce que j'avais m'a été enlevé. Et uniquement à cause de ma bêtise, de mon…

— Ça y est, vous repartez dans la haine de soi ?

— Avec ce qui s'est passé avant, il ne me manquait plus que de perdre l'argent que j'avais mis de côté.

— Et vous ne vous jugez pas assez intelligent pour vous sortir de cette mauvaise passe ?

332

— Par quel moyen ? Le suicide ?

— Ce n'est pas le genre de plaisanterie que l'on sort à son analyste, il me semble.

Mon comptable ne s'est pas montré plus prompt à la rigolade quand je lui ai rapporté mon explication avec Barra.

— Bon, je n'aime pas les « Je vous avais prévenu », mais c'est un fait que je vous avais déconseillé de tout placer entre les mains d'un seul courtier.

— Je sais, Sandy, je sais... Mais il avait bien travaillé pour moi, jusque-là. Et de toute façon j'étais censé gagner tellement d'argent, cette année...

— C'est vrai. Bon, je crois qu'on devrait la jouer comme ça : un, les deux cent cinquante kilos d'actions partent direct à l'oncle Sam ; deux, les trente mille actuellement sur votre compte vont servir à couvrir vos découverts de cartes de crédit, qui s'élèvent à vingt-huit mille ; trois, cela vous laisse deux mille en liquide, mais Alison me dit que vous ne payez pas de loyer.

— C'est vrai, et je fais ceinture, aussi. Quand je dépense deux cents dollars dans la semaine, c'est un maximum.

— D'accord. Mais reste le problème des onze mille pour Lucy et Caitlin. J'en ai parlé à Alison. Il paraît que vous avez un nouvel avocat qui ne se laisse pas marcher sur les pieds. Je suis sûr qu'il pourrait arriver à faire notablement baisser les pensions mensuelles, compte tenu de vos revenus... très réduits.

— Non, je ne veux pas. Ce ne serait pas juste.

— Permettez, David. Si je me rappelle bien, Lucy perçoit un très bon salaire, maintenant. Dès le départ, la pension alimentaire et l'allocation mensuelle pour votre fille étaient largement surévaluées, d'après moi. D'accord, vous vous faisiez un million annuel, à l'époque. Mais ça avait un côté « j'ai honte, donc je raque », si je peux dire.

— Plus qu'un côté. C'était exactement ça.

— Oui. Eh bien, c'est un luxe que vous ne pouvez plus vous permettre, de vous sentir coupable. Une somme pareille est totalement au-dessus de vos moyens.

— Je peux vendre ma voiture dans les quarante mille.

— Et vous prendrez quoi ?

— Une vieille guimbarde qui m'en coûtera sept, maximum. Avec le reste, je peux assurer trois mois de pension.

— Et après ?

— Pas la moindre idée.

— Il faudrait qu'Alison vous trouve un contrat quelconque.

— Elle a beau être le meilleur agent de la ville, elle n'obtiendra rien.

— Ouais… Si vous n'êtes pas contre, je vais lui en toucher deux mots, quand même.

— À quoi bon ? Je suis une cause perdue.

Quelques jours après, Alison m'a téléphoné :

— Salut, Cause perdue !

— Je vois que tu as parlé à mon cher comptable.

— À lui et à plein de monde. Dont les gus de la FRT et ceux de la Warner.

— Et alors ?

— Alors c'est balancé, comme toujours. Du bon et du moins bon. Le moins bon, c'est qu'ils tiennent dur comme fer à récupérer des droits, les uns et les autres.

— Ce qui signifie que je suis fini.

— Pas si vite ! La chaîne comme le studio acceptent de réduire de moitié leurs exigences. Ce qui nous ramène à cent vingt-cinq mille fois deux.

— Ouais. Et je suis déjà ruiné, à l'heure qu'il est.

— Sandy m'a tout expliqué, oui. Mais l'autre bonne nouvelle, c'est que je les ai convaincus d'accepter un paiement échelonné, avec dispense pendant les six premiers mois.

— Trop gentil. Le seul hic, c'est que je n'ai pas le début de cette somme. Ni le moindre travail en vue.

— Ça, c'est faux.

— Comment, faux ?

— Je t'en ai trouvé un, moi.

— Un travail... où il s'agit d'écrire ?

— Mais oui ! Pas follement sexy, je reconnais, mais honnête. Et bien payé, vu le temps que ça va te demander.

— Vas-y.

— Bon, tu ne vas pas commencer à râler...

— Vas-y, s'il te plaît !

— Il s'agit de faire une novellisation.

J'ai retenu un grognement, comprenant immédiatement ce dont il était question : on vous donne le scénario d'un film qui va bientôt sortir et vous en tirez un petit « roman », si le mot n'est pas exagéré, facile à lire, jetable et bien présenté dans la plupart des grandes surfaces. Professionnellement parlant, c'est le genre de corvée que l'on accepte parce qu'on n'a plus aucune estime pour son propre talent ou lorsqu'on a atteint le fond et que le moindre dollar est le bienvenu. Comme je répondais aux deux conditions, j'ai ravalé mon humiliation :

— Le film, c'est quoi ?

— Essaie de ne pas hurler, cette fois aussi. Un nouveau truc pour ados, production New Line.

— Ça s'appelle comment ?

— *Rien ne va plus*.

Là, j'ai été obligé de grogner.

— Attends que je devine. C'est l'histoire de deux copains de lycée boutonneux, seize ans, qui comprennent qu'ils n'ont plus d'autre choix que de perdre leur virginité.

— Bien vu. Sauf qu'ils en ont dix-sept.

— Attardés, en plus.

— Non, c'est très in de rester puceau, de nos jours. Surtout quand on a un problème d'acné.

— Le nom des héros ?

— Tu vas adorer : Chip et Chuck.

— On croirait un couple de castors dans une bédé. Et je parie que ça se situe dans un univers suburbain d'une tragique banalité, genre Van Nuys ?

— Tu brûles : Orange County.

— Et l'un des deux a des pulsions de meurtre sanguinolent, non ?

— Non. Ce n'est pas *Scream*. Mais il y a quand même un rebondissement incroyable dans l'intrigue, parce que la fille que Chip finit par sauter n'est autre que la demi-sœur de Chuck.

— Dont le pauvre Chuck ne connaissait même pas l'existence.

— Dans le mille. Enfin, il se trouve qu'Avril…

— Elle s'appelle Avril, la demi-sœur ?

— C'est ce genre de film, oui. Donc, Avril est le fruit du coup que le père de Chuck, divorcé, a tiré avec sa dentiste sans en parler à personne.

— Très XVIIe siècle, tout ça.

— Ah non ! Ç'aurait été le cas si c'était Chuck qui avait sauté Avril. Comme dans *Dommage qu'elle soit une putain*.

— Ah, tu me bluffles, là.

— Ben quoi ? John Ford a été l'un de mes premiers clients. Et je ne parle pas de celui de la *Femme sauvage*.

— Donc c'est ça, le scénario en question ?

— Ouais. En gros.

— C'est de la merde, Alison.

— Exactement. Mais ils proposent vingt-cinq mille pour l'adaptation littéraire. À condition que ce soit prêt dans quinze jours.

— Je prends.

J'ai reçu le texte par Federal Express le lendemain matin. Comme je m'y attendais, c'était atroce : complaisant, bourré de blagues lourdingues à propos d'érection, de clitoris et de flatulences, avec des personnages sans épaisseur et tous les clichés prévisibles – dont l'inévitable pipe administrée à l'arrière de la voiture paternelle –, y compris la bagarre entre Chip et Chuck lorsque ce dernier apprend qui est la fille, puis la réconciliation larmoyante entre les deux copains, entre Chuck et son cachottier de père, entre Chip et Avril, qui lui apprend que c'était la « première fois » pour elle aussi, et que même si elle ne recherche pas une « relation sérieuse » elle veut qu'ils restent de bons amis. Après avoir parcouru cette saleté, j'ai appelé Alison, décidé à lui épargner des remarques aigres-douces du style « C'est donc à ça que j'en suis réduit, maintenant… ».

— Alors, tu penses pouvoir le faire en deux semaines ?

— Pas de problème.

— Parfait. Max Michaels, l'éditeur, m'a demandé de te donner les précisions suivantes : il ne faut pas dépasser les deux cent vingt feuillets, ni oublier que c'est destiné à un lectorat de crétins, donc pas de mots compliqués, pas de longues phrases, et des scènes de cul qui doivent être « chaudes mais non torrides », pour reprendre son expression. C'est clair ?

— Très.

— Dernier point : il sait que c'est toi qui écris la version roman.

— Il n'a pas tiqué ?

— C'est un éditeur new-yorkais, David. Il trouve assez ridicule tout ce foin qu'ils ont fait ici. Mais nous sommes convenus que, pour lui comme pour toi, il valait mieux que tu utilises un pseudonyme. Tu n'as rien contre ?

— Tu plaisantes ? Je ne voudrais surtout pas voir mon nom associé à une débilité pareille.

— Réfléchis à un pseudo, alors.

— Qu'est-ce que tu penses de John Ford ?

— Pourquoi pas ! Enfin, je compte sur toi. Tu sais que c'est du n'importe quoi, et moi aussi, et l'éditeur aussi, mais j'espère que…

— Ce sera du travail impeccable, t'inquiète.

— C'est comme ça que je t'aime, mon grand.

Aussitôt, j'ai établi mon plan de bataille. À partir du lendemain, quand j'aurais un découpage chapitre par chapitre bien défini, il me restait treize jours. Dix-sept feuillets quotidiens. C'était une cadence contraignante mais il ne s'agissait pas exactement de grande littérature non plus… Je pouvais écrire vite, sans trop me triturer le cerveau et cependant en soignant le résultat. Parce que c'était tout de même un travail, d'autant plus respectable qu'il n'y en avait pas beaucoup d'autres en perspective. Non seulement j'étais déterminé à tenir les délais mais je voulais un texte fluide, des enchaînements qui roulent.

Je me suis tenu à l'emploi du temps rigoureux que je m'étais fixé. Lever à sept heures du matin ; petit déjeuner, rapide promenade sur la plage, démarrage à huit heures et demie pour avoir sept feuillets à la pause déjeuner ; ensuite, même volume jusqu'à six heures du soir, une collation, puis la dernière ligne droite de la journée, puis un bain chaud et un film, et coucher à minuit. Les seules interruptions que je m'accordais étaient mes trois coups de fil hebdomadaires à Caitlin et ma courte séance quotidienne avec Simms.

— Vous semblez moins abattu, a constaté ce dernier alors que j'avais atteint la moitié de ma rédaction.

— Parce que je m'occupe. Le travail, c'est la santé… Même quand c'est un boulot pourri.

— J'admire votre concentration, tout de même.

— J'ai besoin de cet argent. Et j'ai besoin d'avoir l'esprit accaparé par autre chose que mes ennuis.

— En d'autres termes, vous assumez vos responsabilités, vous n'avez pas renoncé à votre vie professionnelle.

— Ce n'est pas vraiment ainsi que je la voyais.

— Mais c'est un début. Et qui n'est pas scandaleusement mal payé. Alors, pourquoi ne pas voir ça comme un nouveau départ, un encouragement ?

— Parce que écrire ce genre de machin ne peut jamais être encourageant.

Et pourtant je m'accrochais, je respectais mon quota sans bâcler. Le résultat, plus qu'honorable à mes yeux, est parti par Fedex le jour dit, une bonne heure avant la fermeture du dépôt local. J'avais fait trois copies, une pour l'éditeur à New York, une autre pour Alison et la troisième que j'ai conservée pour moi. Ensuite, quarante minutes de route jusqu'à un bon italien de Santa Barbara, mon premier restaurant depuis que j'avais quitté le monde. J'en ai eu pour soixante dollars, une petite fortune pour mon frugal budget hebdomadaire mais aussi une récompense que je jugeais méritée après ce pensum. Et puis tout m'a enchanté dans cette sortie, alors que je n'y prêtais presque plus attention au temps où je dînais dehors cinq soirs par semaine. Après, j'ai marché un long moment sur la plage, au clair de lune, fatigué mais content de m'en être assez bien tiré.

Et même plus, visiblement. Trois jours plus tard, Alison m'a téléphoné pour m'annoncer que Max Michaels, l'éditeur, était ravi par mon texte.

— Tu sais ce qu'il m'a dit ? « Ce gars a reçu de la merde en barre et il en a fait de la merde en lingots ! » Il est très impressionné, vraiment. Par la qualité et par le fait que tu aies tenu des délais aussi contraignants. Ça ne se rencontre pas à chaque coin de rue, des auteurs qui respectent les deadlines. Enfin, la très bonne nouvelle, aujourd'hui, c'est que Max publie un bouquin de ce genre par mois. D'habitude, il confie les adaptations au coup par coup, mais il a eu des mauvaises surprises, aussi bien sur la qualité d'écriture que sur le respect du programme. Là, il te propose un contrat pour six novellisations. Mêmes conditions financières – vingt-cinq mille – et même rythme, à savoir un par mois.

— Et je peux garder le même pseudonyme, aussi ?

— John Ford. Pas de problème. Tu te rends compte qu'avec ce contrat tu éponges tes dettes soit avec la FRT, soit avec la Warner ?

— Tu oublies la pension de Lucy.

— Non, Sandy m'en a reparlé. Il faut que Walter Dickerson t'obtienne une réduction de charge. C'est de la folie, une somme pareille dans ta situation. Lucy peut très bien assumer...

— Ne parlons pas de ça, je t'en prie.

— Comme tu voudras, David.

— En tout cas, c'est génial, Alison ! Je n'aurais jamais cru que je me sentirais aussi bien à l'idée de devoir broder des romans sur des scénarios de chiottes, mais c'est un fait.

— Et c'est nettement mieux que rien du tout.

Après une bonne nuit de sommeil, je me suis réveillé dans une forme et avec un optimisme qui m'ont surpris. D'accord, le travail qu'on me confiait n'avait rien d'exaltant. C'était une chute vertigineuse après les sommets enivrants que j'avais atteints en écrivant pour une chaîne qui s'adressait aux secteurs les plus branchés de la société. Et cet humble labeur ne m'occuperait que la moitié du temps pendant six mois. Mais j'allais pouvoir commencer à faire face à mes obligations financières, et peut-être Max Michaels finirait-il par m'embaucher comme scribouillard maison ? En tenant compte de la commission d'Alison et des impôts, je serais en mesure de continuer à payer la pension alimentaire et à liquider mes dettes envers la FRT et la Warner en l'espace de deux ans.

— Vous avez l'air d'avoir repris du poil de la bête, m'a dit Matthew Simms lors de la séance suivante. Je suis content.

— Et moi, je suis content de ne plus être à genoux.

Une semaine s'est écoulée. Le chèque de Michaels, transmis par Alison, a été aussitôt transféré sur le compte de Lucy. Je l'ai accompagné d'un e-mail – car je m'étais enfin décidé à renouer contact avec le monde en connectant mon ordinateur à la ligne téléphonique – dans lequel je lui annonçais l'arrivée de deux mois de pension, ajoutant : « Ce serait bien de pouvoir te parler un de ces jours mais la décision te revient entièrement. »

Le lendemain soir, à la fin de ma conversation avec Caitlin, je lui ai demandé si elle pouvait me passer sa maman.

— Pardon, papa, elle dit qu'elle est occupée.

Je n'ai pas insisté.

Au bout de quelques jours, ne voyant pas venir le nouveau scénario de Max Michaels, j'ai interrogé Alison par e-mail à ce sujet. Elle m'a répondu que tout allait bien et qu'elle s'attendait à recevoir le contrat le lendemain. Lorsqu'elle m'a téléphoné un jour plus tard, cependant, elle avait sa voix des mauvaises nouvelles.

— Je ne sais pas comment t'annoncer ça, David… – Incapable de proférer ne fût-ce qu'un « Quoi, encore ? », j'ai gardé le silence. – Max a annulé le contrat.

— Il a… Pour quel motif ?

— Notre vieille connaissance. Theo MacAnna.

— Oh non !

— Je te lis son papier. Ce n'est pas long :

Ah, grandeur et décadence ! David Armitage, le créateur de Vous êtes à vendre ! *limogé par la FRT pour avoir pillé d'autres auteurs et montré du doigt publiquement après avoir agressé le journaliste qui avait découvert ce forfait, à savoir votre serviteur, n'a trouvé que le plus pitoyable exercice littéraire pour survivre. Selon un informateur bien placé aux éditions Zenith de New York, celui que le jury des Emmy avait il y a peu récompensé avant de comprendre sa bévue, en est réduit à pondre des novellisations de films grand public. Pour entamer sa nouvelle carrière, notre ancien petit génie du feuilleton yuppie a planché sur* Rien ne va plus, *une comédie éléphantesque pour adolescents attardés devant laquelle, d'après la rumeur,* American Pie *pourrait passer pour du Bergman tardif. Mais ce qui est franchement cocasse, c'est le pseudonyme derrière lequel Armitage a choisi de se cacher : John Ford, excusez du peu ! Est-ce une allusion mégalomaniaque au cinéaste légendaire ou au dramaturge anglais du* XVIIe *siècle qui nous a laissé* Dommage qu'elle soit une putain ? *Encore que, dans le cas considéré, le titre soit plutôt* Dommage qu'il soit un plagiaire.

Je n'ai pas réagi. Je ne me sentais ni effondré, ni révolté, ni rien de ce que j'avais éprouvé en des occasions précédentes. J'étais tout simplement comme un boxeur qui vient de recevoir l'uppercut final et dont l'organisme ne peut plus réagir que par la catatonie.

— David ? Tu ne sais pas à quel point je…

— Donc Michaels a lu ça et il a décidé de renoncer au contrat ? ai-je demandé d'une voix étonnamment calme.

— Oui. Pas de gaieté de cœur, je t'assure. Il était emballé par l'idée de travailler avec toi. Mais tout son conseil d'administration lui est tombé dessus sous prétexte que…

— Qu'il publiait un fraudeur patenté ?

— C'est… c'est ça.

— Très bien.

— Attends, David… J'ai déjà contacté un avocat que je connais, un type très fort, on envisage un recours contre MacAnna pour diffamation et…

— Pas la peine.

— Non, ne dis pas ça !

— Je sais reconnaître quand j'ai perdu, Alison. Et là, c'est la défaite totale.

— On peut facilement obtenir justice sur…

— Inutile, Alison. Avant que je raccroche, je voulais te dire une chose : tu n'es pas seulement une agente hors pair, tu es la meilleure amie qu'on puisse imaginer.

— Qu'est-ce que tu veux dire, bon sang ? David ?

— Rien de plus que…

— Tu ne vas pas commettre je ne sais quelle idiotie, au moins ?

— Comme d'envoyer ma Porsche dans un arbre ? Non. Je ne ferai pas ce plaisir à MacAnna. Mais je renonce à me battre.

— Ne parle pas comme ça.

— Et pourtant.

— Je t'appelle demain.

— Si tu veux.

J'ai raccroché. Très posément, très rationnellement, j'ai rangé mon ordinateur portable dans sa sacoche, j'ai sorti les papiers de ma voiture et j'ai téléphoné au concessionnaire Porsche de Santa Barbara, que j'avais déjà contacté une dizaine de jours plus tôt. On m'a dit que le chef des ventes pouvait me recevoir dans l'heure suivante. Je suis parti aussitôt. Le vendeur est sorti m'accueillir sur le parking, m'a proposé un café que j'ai refusé. Il m'a dit qu'il aurait une proposition de prix dans les deux heures après une inspection générale de mon véhicule. Je l'ai prié de m'appeler un taxi, qui est arrivé rapidement. « Le prêteur sur gages le plus proche », ai-je indiqué au chauffeur. Celui-ci m'a jeté un regard méfiant dans son rétroviseur mais il a obéi. Nous nous sommes garés devant le magasin et je lui ai demandé de m'attendre. La vitrine était en verre blindé, une caméra de surveillance surplombait la porte quatre points à laquelle j'ai sonné. À l'ouverture automatique, j'ai pénétré dans un petit hall au sol couvert d'un lino usé, éclairé par des néons. Derrière le guichet grillagé, le propriétaire était un gros type d'une quarantaine d'années, aux yeux inquiets, qui n'a cessé de mordre nerveusement dans un sandwich tout en s'adressant à moi.

— Qu'est-ce qu'vous avez ?

— Un portable Toshiba Tecra dernier modèle, Pentium III, 128 mégas de RAM, DVD, grand écran, cinq mille cinq cents dollars.

— Passez-le par ici, a-t-il commandé en soulevant un peu le guichet à guillotine.

Il l'a examiné en hâte, l'a allumé. Après un bref regard sur l'écran de démarrage de Windows, il a haussé les épaules :

— Le problème de ces gadgets-là, c'est qu'ils sont dépassés six mois après leur sortie sur le marché. Et d'occase, ça vaut plus grand-chose. Quatre cents.

— Mille.

— Six cents.

— Vendu.

À mon retour chez Porsche, le vendeur avait eu l'inspection demandée et il m'a annoncé son prix : 39 280 dollars.

— Franchement, je m'attendais à quarante-deux, quarante-trois…

— Quarante, ce serait le maximum, pour moi.

— Vendu.

Le chèque en poche, et dans un autre taxi qu'il m'avait commandé, je me suis rendu à l'agence Bank America de la zone. Après avoir montré patte blanche, patienté le temps d'un coup de téléphone interminable à ma banque de West Hollywood – même compagnie, mais allez comprendre… –, rempli des tas de formulaires, j'ai réussi à leur faire accepter d'encaisser le chèque pour moi et de virer sur-le-champ trente-trois mille dollars à Lucy. Muni de sept unités en liquide, j'ai repris un taxi et je suis reparti vers un garage que j'avais repéré non loin du concessionnaire Porsche, spécialisé dans les occasions bas de gamme.

Pour cinq mille dollars cash, j'ai pu avoir une Golf bleu marine, année 1990, avec « seulement cent soixante mille » au compteur et six mois de garantie. Le garagiste m'a permis de téléphoner de son bureau. Mon assureur a été quelque peu surpris d'apprendre ce changement de véhicule pour le moins spectaculaire.

— Eh bien, vous aviez neuf mois payés pour la Porsche, et comme la police sera à peine le tiers du prix pour une Golf, ça suppose que nous vous devons… euh, cinq cents dollars.

— Envoyez-moi un chèque, s'il vous plaît, l'ai-je prié en lui donnant mon adresse à Meredith.

Dans ma nouvelle vieille voiture, j'ai gagné une zone de Santa Barbara plus animée et je me suis arrêté à un cybercafé où, avec un cappuccino basses calories, je me suis installé devant un moniteur pour me connecter sur mon serveur et envoyer un e-mail à Lucy : « Tu as maintenant cinq mois de pension d'avance. Je continue à espérer que nous pourrons nous reparler, un jour. D'ici là, je voudrais simplement que tu saches que j'ai eu tort, que je l'ai enfin compris et que j'en suis désolé. »

Ensuite, je suis allé à une cabine et j'ai appelé mes services de cartes bancaires, American Express, Visa, MasterCard. Les comptes étaient à zéro chez les trois, puisque j'avais suivi les conseils de Sandy. Je n'ai pas vacillé lorsqu'ils ont tous essayé de me dissuader de fermer définitivement mes comptes ainsi que je l'avais décidé :

— Mais pourquoi, monsieur Armitage ? a minaudé la fille d'American Express ; un aussi bon client que vous, nous ne voudrions pas le perdre…

Avant de quitter le café, j'ai demandé au barman s'il avait de gros ciseaux. J'ai soigneusement découpé mes cartes Gold en deux, puis en quatre, sous son regard intrigué :

— Ils vous ont passé à Platine ou quoi ?

Avec un rire sincèrement amusé, j'ai plaqué les bouts de plastique dans sa paume, j'ai dit au revoir et je suis ressorti.

Sur le chemin du retour à Meredith, je me suis livré à de rapides calculs dans ma tête. Mille sept cents dollars sur mon compte courant, deux mille six en poche, cinq cents qui me parviendraient bientôt. Cinq mois de pension alimentaire payés, cinq mois de logement gratuit grâce à l'ami Willard, qui pourrait peut-être décider de prolonger encore son séjour à Londres – mais inutile de voir aussi loin… Pas de dettes immédiates, pas de facture en souffrance, d'autant que la divine Alison avait tenu à se servir de sa commission sur mon tout dernier contrat pour couvrir les honoraires de Matthew Simms, en prétendant qu'elle s'était tellement engraissée sur moi durant mes deux fastueuses années qu'elle pouvait bien payer ma note de psy. Je pouvais me passer des services de Simms, désormais, et j'avais neuf mois d'assurance maladie devant moi. Je n'avais besoin ni de vêtements, ni de livres, ni de stylos coûteux, ni de CD, ni de DVD, ni de coiffeur à soixante-quinze dollars, ni de plan annuel de détartrage chez le dentiste – coût total : deux mille –, ni de vacances hors de prix dans quelque charmant petit hôtel de la côte californienne sud… Toutes ces agréables futilités qui avaient occupé ma vie étaient exclues, désormais. Je pesais quatre mille huit cents dollars. Les frais de la maison de Willard atteignaient à peine les trente dollars par semaine, je ne téléphonais presque pas. Des repas simples, une bouteille de vin bon marché de temps à autre, un pack de six à l'occasion : j'étais capable de me maintenir à mon budget de deux cents dollars hebdomadaires. En d'autres termes, j'avais vingt-quatre semaines assurées devant moi.

C'était une curieuse sensation, d'avoir tout réduit à ce point dans mon existence. Pas vraiment la libération promise par les baratineurs de la simplicité zen, mais une sorte de dépouillement indiscutable, et donc bien moins complexe. Ces renoncements nécessaires ne m'amenaient pas à me croire enrichi spirituellement, soudain touché par je ne sais quelle grâce. Pour dire vrai, l'hébétude qui s'était emparée de moi lorsque Alison m'avait appris le dernier coup de MacAnna continuait à me paralyser. Plus que jamais, j'étais comme quelqu'un qui vient de subir un terrible accident, un séisme, mais je n'en étais même plus vraiment conscient : je continuais sur ma lancée par réflexe, c'était le pilote automatique plus que moi qui prenait les décisions. Celle de détruire mes cartes de crédit, par exemple. Ou de vendre mon ordinateur portable. Ou d'entrer à la librairie de Meredith un beau matin en demandant s'ils auraient un job pour moi.

Books and Company était une perle rare, un petit paradis livresque qui avait réussi à survivre et à garder son indépendance dans le monde des supermarchés et de la culture unique. Poutres apparentes, parquet, étagères en bois massif, tout dégageait un fort relent d'encaustique dans cette échoppe qui proposait le mélange habituel de romans difficiles, de best-sellers passables, de livres de cuisine et d'ouvrages pour enfants, qu'on trouvait ici en abondance. Les dernières semaines, une note dans la vitrine avait informé les braves citoyens de Meredith qu'un vendeur-vendeuse était demandé, et que toute personne intéressée était priée de prendre contact avec le directeur, Les Pearson.

La cinquantaine bien entamée mais élégante avec sa barbe bien entretenue et ses lunettes rondes, tout de jean vêtu, Les avait dû être le baba complet dans son jeune temps. Désormais, cependant, il irradiait le calme et la mesure dignes d'un commerçant d'une station balnéaire de bon goût. Quand je suis entré, il était derrière le comptoir. Il m'a reconnu, car j'étais déjà passé quelques fois.

— Je peux vous aider ?

— En fait, je viens pour l'emploi.

— Ah vraiment ? a-t-il fait en me regardant plus attentivement. Vous avez une expérience en librairie ?

— Connaissez-vous Book Soup à Los Angeles ?

— Évidemment !

— J'y ai passé treize ans.

— Mais vous vivez ici, maintenant. Je vous ai déjà vu chez nous, n'est-ce pas ?

— J'habite le cottage de Willard Stevens, oui.

— En effet, j'ai entendu dire que la maison était occupée en ce moment. Comment l'avez-vous connu, Willard ?

— On a eu la même agente littéraire.

— Vous êtes écrivain ?

— Je l'ai été.

— Ah. Eh bien, je suis Les Pearson et...

— David Armitage.

— Je... Ce nom doit m'évoquer quelque chose ?
– Comme je n'avais répondu que par un haussement d'épaules, il a continué : – Et vous êtes réellement intéressé par ce poste de vendeur ?

— J'aime les librairies. Je connais le travail.

— Semaine de quarante heures, du mercredi au dimanche, de dix à sept avec une heure pour déjeuner. En tant que libraire indépendant, je ne peux pas offrir plus de sept dollars de l'heure, ni payer la couverture médicale, ni rien de tous les avantages des salariés de grosses boîtes. Mais le café est gratuit et il y a une remise de cinquante pour cent sur tout ce que vous voudrez acheter. Mille cent vingt de salaire mensuel, cela vous conviendrait ?

— Oui. Sans problème.

— Et si j'avais besoin de quelques références, je pense que...

Sortant mon stylo et mon calepin, j'ai noté le nom et le téléphone d'Andy Barron, le patron de Book Soup, le sachant assez discret pour ne pas aller répéter à la terre entière que je postulais à des emplois de vendeur de librairie. J'ai ajouté les coordonnées d'Alison.

— Voilà. Andy m'a employé, Alison m'a représenté. Et si vous voulez me contacter...

— J'ai le numéro de Willard dans mon agenda, a-t-il dit en me tendant la main. Je vous appelle, d'accord ?

Dans l'après-midi, le téléphone a sonné au cottage.

— Qu'est-ce que c'est, ce merdier ? Tu veux vraiment bosser dans une foutue librairie ?

— Bonjour, Alison. Comment va la vie à Los Angeles ?

— Polluée. Réponds, s'il te plaît ! Quand ce Les Pearson m'a appelée, j'ai failli tomber de ma chaise !

— Tu m'as recommandé, aussi ?

— Qu'est-ce que tu crois, David ? Mais pourquoi, pourquoi tu…

— Il faut que je travaille, Ali.

— Oui ? Et pour quelle raison tu n'as pas répondu à un seul de tous les e-mails que je t'ai envoyés ces derniers jours ?

— Parce que je me suis séparé de mon ordinateur.

— Oh, Seigneur ! Mais pourquoi ?

— Je ne suis plus dans l'écriture, donc je n'en ai plus besoin.

— Ne dis pas ça !

— Je le dis parce que c'est vrai.

— En cherchant encore, je suis sûre qu'on trouve-rait quelque…

— Quoi ? Récrire des feuilletons pour la télé serbe ? Une relecture de scénario pour un film de vampires mexicain ? Même sous un pseudo, un éditeur qui produit de la bouillie pour les chats a honte de m'employer. Alors qui le ferait ? Personne !

— Pas dans l'immédiat, peut-être, mais…

— Jamais, Alison. Tu te souviens de cette fille du *Washington Post* à qui on a retiré son prix Pulitzer quand on s'est aperçu que son reportage était entièrement bidonné ? Dix ans après, tu sais ce qu'elle fait ? Elle vend des shampooings dans un grand magasin. C'est ce qui arrive toujours quand on a trompé son monde avec ses écrits : on finit dans le commerce.

— Comparé à la journaliste dont tu parles, tu n'as rien commis de scandaleux, David !

— Theo MacAnna a réussi à convaincre tout le pays du contraire. Donc je passe à autre chose.

— David ? Je n'aime pas que tu aies l'air aussi… calme.

— Mais je le suis pour de bon. Calme et content de vivre.

— Tu ne marches pas au Prozac, j'espère ?

— Pas même à la tisane du père Machin.

— Et si je te rendais une petite visite, disons après…

— Laissons passer quelques semaines, tu veux bien ? Comme disait Mme Garbo, « che feux rester tout seul, là ».

— Tu es sûr que tout va bien ?

— Mieux que jamais.

— Ah, ça ne me plaît pas du tout…

Une heure plus tard, nouvel appel. C'était Les Pearson, cette fois.

— Eh bien, David, vos références sont impressionnantes. Et vous habitez tout près, en plus ! Donc, pour résumer : quand voulez-vous commencer ?

— Demain, si ça vous va.

— Dix heures, alors. Ah, et puis… J'ai vraiment été navré d'apprendre tout ce qui vous est arrivé.

— C'est du passé, pour moi. Mais merci quand même.

J'ai débuté le lendemain, comme convenu. C'était simple : du mercredi au dimanche, la librairie était sous ma seule et unique responsabilité. J'étais celui qui aidait les clients dans leurs recherches, celui qui tenait les comptes et passait les commandes, celui qui balayait après la fermeture, épousetait les étagères, nettoyait les toilettes, comptait la recette et allait la déposer à la banque tous les soirs.

C'était un travail facile, aussi, et qui me permettait même de lire une heure ou deux par jour, assis derrière la caisse. En semaine, seuls les habitants du coin passaient ; le week-end, avec les citadins venus de L.A., cela s'animait sans devenir harassant. Je n'ai jamais su si quiconque à Meredith était au courant de mes mésaventures. Je ne cherchais pas à le savoir, d'ailleurs, et personne n'a jamais tenté la moindre insinuation, ni même laissé peser sur moi un regard curieux. La discrétion était une règle d'or, dans cette petite ville, et cela me convenait parfaitement. Quant aux visiteurs du week-end, je n'ai pas eu l'occasion de tomber sur quelqu'un du « métier » : la station attirait surtout les professions libérales et, pour ces avocats, ces médecins ou ces dentistes en villégiature, j'étais seulement le « gars de la librairie ». Même mon apparence physique avait commencé à changer, d'ailleurs.

Pour commencer, j'ai perdu près de dix kilos en plusieurs semaines, conséquence du stress, bien sûr, mais aussi du fait que j'avais encore réduit ma consommation d'alcool, que je mangeais peu mais sainement et que j'avais pris l'habitude de courir sur la plage tous les jours, arrivant à la distance de sept kilomètres au bout de quelques semaines. Comme j'avais arrêté de me raser le matin et que mes cheveux recommençaient à pousser avec vigueur, au bout de deux mois à la librairie je ressemblais à un rescapé des années soixante, filiforme, barbu et chevelu. Ni mon employeur, ni personne à Meredith n'a fait de commentaires sur mon nouveau physique. J'étais efficace, ponctuel, bien disposé, toujours poli. À l'aise dans ma routine.

Les, de son côté, rendait les choses aisées. Ce n'était pas un patron envahissant, loin de là : après s'être chargé de la boutique les lundi et mardi, mes jours de congé, il passait le reste de son temps à faire de la voile et à jouer en Bourse sur Internet. Au cours de nos rares conversations, il avait laissé entendre qu'un héritage survenu une dizaine d'années plus tôt lui avait permis de réaliser un vieux rêve qu'il avait caressé pendant des décennies de carrière publicitaire à Seattle : ouvrir une librairie sur la côte pacifique, mais là où le soleil brillait. Il avait aussi mentionné en passant qu'il était divorcé et qu'il vivait avec sa petite amie, que je n'ai pas vue une seule fois. Dès le début, je lui avais indiqué que je devais appeler ma fille tous les deux jours à sept heures et il avait aussitôt proposé que je le fasse de la librairie, en refusant catégoriquement que je lui paie les communications :

— Disons que c'est un avantage maison, avait-il plaisanté.

Comme Lucy refusait toujours de m'adresser la parole, malheureusement, j'ai contacté Walter Dickerson au bout de deux mois en lui demandant s'il pouvait essayer de négocier un droit de visite, même limité, « même si sa mère exige que cela se passe avec témoin ».

Au bout de quelques jours, il m'a retéléphoné :

— Ça ne bouge pas, David. D'après son avocat, votre ex reste « hésitante » à ce sujet. Le positif, cependant, c'est que, toujours selon lui, Caitlin ne cesse de vous réclamer. Et aussi j'ai obtenu, non sans mal, que vous puissiez appeler tous les jours.

— C'est bien.

— Accordez-lui encore un peu de temps, David. Continuez à vous comporter le mieux possible. Tôt ou tard, Lucy devra lâcher du lest.

— Merci pour ce progrès, en tout cas. Vous savez où m'envoyer la note ?

— Celle-là est offerte par la maison...

Je me suis donc installé dans un train-train somme toute agréable. Le jogging matinal, le travail chez Books and Company, le coup de fil à Caitlin après la fermeture, un livre ou un film de retour chez moi. Occasionnellement, une sortie au cinéma, puis dîner dans un modeste mexicain de Santa Barbara. J'essayais de ne pas penser à ce qui allait se produire deux mois plus tard, lorsqu'il faudrait trouver encore onze mille dollars pour la pension alimentaire. Ni à la dette qui me liait toujours à la FRT et à la Warner. Ni à ce qu'il adviendrait de moi lorsque Willard rentrerait de Londres. Pour le moment, j'étais décidé à vivre au jour le jour, parce que je savais qu'en envisageant l'avenir je rouvrirais la porte à l'angoisse.

Alison a continué à m'appeler chaque semaine. Elle n'avait pas de nouvelles à me donner, pas de pistes pour de nouveaux contrats, pas d'entrées de droits directs ou dérivés à me signaler, puisque tout cela avait été effacé de ma vie. Tous les samedis matin, cependant, elle téléphonait pour voir comment je m'arrangeais avec le monde. Et ma réponse était invariablement : très bien.

— Tu sais, je préférerais que tu me dises que c'est la merde, m'a-t-elle confié une fois.

— Mais ce n'est pas le cas.

— Ouais. Ou plutôt tu es en plein déni, à un point rare. Jusqu'au jour où ça va te tomber dessus comme King Kong se jetant du gratte-ciel.

— Pour l'instant, ça va.

— Ouais. Mais enfin, David, tu me feras peut-être la surprise de me téléphoner toi-même, un de ces quatre ?

C'est arrivé deux semaines plus tard. Il était dix heures du matin, je venais d'ouvrir la librairie, de me faire un café et de regarder le courrier. Comme il n'y avait pas de client, j'ai décidé de jeter un coup d'œil au *Los Angeles Times*, car j'arrivais de nouveau à lire un journal. Et là, dans le cahier « Arts et Spectacles », un encadré m'a sauté à la figure :

Philip Fleck, le milliardaire ermite, reprend son fauteuil de cinéaste cinq ans après la sortie de son premier film, La Dernière Chance, *qui lui avait coûté la bagatelle de quarante millions de dollars mais que la critique avait accablé de quolibets. Loin de cet essai ambitieux et franchement raté, Fleck a annoncé qu'il revenait avec une œuvre plus grand public, une comédie intitulée* Duo de dingues. *L'action met en scène deux anciens du Vietnam qui, lassés de tirer le diable par la queue à Chicago, se lancent avec succès dans les attaques de banque. Cette fois encore, Fleck va entièrement financer le film, dont il a écrit lui-même le scénario et qui selon lui ne sera pas sans rappeler l'humour acide des grands films du Robert Altman des années soixante-dix. Le richissime cinéphile promet aussi un casting*

étonnant, qui devrait être rendu public d'ici peu.
Il ne reste qu'à espérer que Philip Fleck, dont
la fortune est évaluée à quelque vingt milliards
de dollars, n'abandonnera pas la veine comique
pour nous servir à nouveau quelque sombre
réflexion post-bergmanienne. D'autant que le
doute existentiel, à Chicago, cela ne passe pas
vraiment...

J'ai posé le journal, je l'ai repris, les yeux hors de la tête, incapable de croire ce que je venais de lire. « Dont il a écrit lui-même le scénario... » Le salaud. L'infâme, le monstrueux salaud. Son absence de talent n'avait d'égal que son infernal toupet : non seulement il venait de me voler mon scénario encore une fois mais il n'avait même pas pris la peine de trouver un autre titre !

J'avais déjà attrapé le téléphone.

— Alison ?

— Ah, j'allais t'appeler.

— Tu as vu, alors ?

— Ouais. J'ai vu.

— Il ne pense quand même pas...

— Quand on pèse vingt milliards, David, on peut penser toutes les conneries qu'on veut.

4

— Ne te mine pas pour ça, a poursuivi Alison.

— Mais comment veux-tu que je ne me « mine » pas ? Il m'a piqué mon scénario, du titre à la dernière ligne ! Merde, mais c'est le paradoxe du siècle, du millénaire ! J'ai été mis par terre à cause de trois phrases suspectes et le nabab arrive et signe tranquillement cent huit pages que j'ai écrites, moi !

— Il ne s'en tirera pas comme ça.

— Je te crois, oui !

— Et je vais te dire pourquoi, précisément. Parce que tu as déposé ce manuscrit à l'AATC, en son temps. Un seul coup de fil suffira pour qu'ils confirment que tu es l'auteur de *Duo de dingues*. Un deuxième appel à mon avocat et c'est un missile qui part sur M. Fleck sous la forme d'une demande d'assignation. Tu dois te rappeler qu'il t'a proposé un million quatre pour ce texte ? Eh bien, c'est cette somme qu'il va devoir cracher s'il ne veut pas se voir traiter de sale voleur d'ici jusqu'au cap Horn !

— Je veux que tu le coinces, oui, et bien ! Voilà un type qui ne sait plus quoi faire de son argent. Pour lui, une brique quatre, c'est un paquet de chewing-gum. Et cette absence totale de principes ! Chercher à me baiser juste quand je suis au trente-sixième dessous !

Alison a laissé échapper l'un de ses rires que la cigarette rendait plus rocailleux.

— Ça fait plaisir de te voir aussi en forme !

— Qu'est-ce que tu racontes, « en forme » ?

— Tous ces derniers temps, tu nous la jouais zen et détaché. J'ai fini par croire que tu allais revivre le Livre de Job jusqu'au bout avant de succomber au choc, finalement. Donc c'est sympa de constater que tu as retrouvé ton mordant.

— J'ai le choix ? C'est encore pire que tout ce que j'ai déjà subi, c'est…

— N'aie crainte, mon ami. Il va payer, le pignouf.

La journée du lendemain a passé sans nouvelles, la suivante itou. Le troisième jour, j'ai fini par lui téléphoner mais son assistante m'a dit qu'elle était sortie et qu'elle me recontacterait le lendemain. J'ai attendu en vain, puis le week-end est arrivé. Je lui ai laissé trois ou quatre messages chez elle, sans réponse. Et c'est seulement le mardi matin qu'elle s'est manifestée.

— Qu'est-ce que tu fais de beau, aujourd'hui ?

— Merci d'avoir réagi à mes appels.

— Ah, j'ai été un peu débordée…

— Tu as des nouvelles ?

— Oui… Oui. Mais il vaudrait mieux qu'on en discute de vive voix.

— Quoi, tu ne peux pas me… ?

— Tu es libre à déjeuner ?

— Oui.

— OK. Je t'attends au bureau vers onze heures.

J'ai pris une douche, je me suis habillé, j'ai sauté dans la Golf et mis cap au sud. Je suis arrivé en ville en moins de deux heures – ma première visite à Los Angeles en près de quatre mois – et, tout en descendant Wiltshire Avenue, j'ai été étonné de constater à quel point ce chaos urbain m'avait manqué. Cette ville qu'il est de bon ton de décrier pour sa laideur – le « New Jersey avec un peu de soleil », ainsi que l'un de mes amis de Manhattan croyait malin de résumer – m'attirait par son hallucinante démesure, par le télescopage de la désolation industrielle et du luxe le plus opulent, par sa beauté féroce et cynique, par cette impression constante de paradis esquinté et pourtant surchargé de potentialités.

Suzy, la secrétaire d'Alison, ne m'a pas du tout reconnu.

— Vous cherchez quelqu'un ? m'a-t-elle demandé d'un ton plutôt crispé quand je suis apparu, avant de se rendre soudain compte : Oh mon Dieu ! David ! Bonjour !

Alison, qui venait de sortir de son bureau, a dû elle aussi s'y reprendre à deux fois pour me retrouver dans ce fil de fer barbu à queue de cheval. Elle m'a posé un rapide bécot sur la joue, s'est reculée pour m'observer encore :

— Si j'entends parler d'un concours de sosies de Charles Manson, je t'inscris tout de suite. Tu seras dans les premiers.

— Également content de te voir, Ali.

— Quelle sorte de régime tu as suivi, dis-moi ? Macronévrotique ?

J'ai fixé sans répondre le gros dossier qu'elle portait sous le bras.

— Qu'est-ce que tu as là ?

— Des… preuves, disons.

— Preuves de quoi ?

— Viens avec moi, m'a-t-elle commandé.

Je l'ai suivie dans son bureau. Elle m'a fait signe de m'asseoir en face d'elle.

— On pourrait aller quelque part, dans un endroit cool, mais…

— Mais tu préfères parler ici ?

— Absolument.

— C'est sérieux à ce point ?

— En effet. Alors on se fait livrer un casse-croûte ?

J'ai approuvé d'un signe. Par l'interphone, elle a demandé à Suzy de commander chez Barney Greengrass un plateau de leur meilleur saumon fumé, accompagné de leurs fameux bagels et des condiments habituels.

— Et deux sodas au céleri, pour qu'on se croie vraiment à New York, a-t-elle ajouté puis, en me regardant : Je crois comprendre que tu ne bois plus ?

— Ça se voit tant que ça ?

— Tu respires la bonne santé de l'anorexique de base.

— Pourquoi, j'aurais besoin d'un verre avant que tu lâches le morceau, tu penses ?

— Très possible.

— Je m'en passerai.

— Remarquable.

— Bon, le suspense était excellent, Alison. Vas-y.

— D'accord, a-t-elle déclaré en ouvrant le dossier. Tout d'abord, je voudrais que tu te replaces à l'époque où tu venais de finir *Duo de dingues*. À l'automne 1995, si mes infos sont correctes.

— Novembre, exactement.

— Et tu es tout à fait certain d'avoir déposé le scénario à l'AATC ?

— Bien sûr ! Je l'ai toujours fait avec mes textes, automatiquement.

— Et ils t'ont envoyé une lettre de confirmation comme d'habitude ?

— Ouais.

— Tu l'as, ce courrier ? Pour ce scénario en particulier ?

— Ça m'étonnerait.

— Oui ou non ?

— Écoute, la paperasse, ça n'a jamais été mon fort, tu le sais bien. Je jetais tout ce qui n'était pas important.

— Une lettre d'enregistrement de l'AATC, ce n'est pas important ?

— Pas une fois que je suis sûr qu'ils l'ont bel et bien enregistré, non... Bon sang, où tu veux en venir, Alison ?

— Au fait que l'Association des auteurs de la télévision et du cinéma a un scénario portant ce titre dans ses registres, mais qu'il a été déposé il y a seulement un mois, et au nom de son auteur : un certain Philip Fleck.

— Hein ? Mais ils ont certainement la trace de mon copyright, aussi ! En novembre 1995 !

— Non, pas du tout.

— Impossible !

— Je te crois, je te crois. Et non seulement ça, mais je me suis débrouillée pour retrouver le manuscrit original de la version de 1995.

Elle a sorti de la chemise cartonnée une liasse de feuilles jaunies et froissées. Sur la première, on pouvait lire : « *Duo de dingues*, scénario de David Armitage (version initiale : novembre 1995). »

— Eh bien la voilà, la preuve que tu cherchais, ai-je proféré en posant un doigt sur la date.

— David, si quelqu'un disait que tu as truqué cette page de garde il y a peu de temps, dans le but de dérober ce script à Philip Fleck et de t'en attribuer la paternité ?

— Mais… De quoi tu es en train de m'accuser, là ?

— Tu ne m'écoutes pas bien. Moi, je sais que tu as écrit ce texte, comme je sais que tu n'es pas un falsificateur, comme je sais que tu n'es pas plus atteint au cerveau que tous les auteurs que je représente. Mais je sais aussi que l'AATC n'a aucune trace de ton enregistrement et…

— Comment en es-tu si sûre ?

— Parce que, quand ils m'ont dit la semaine dernière que le seul scénar de ce nom était signé Philip Fleck, j'ai appelé mon avocat, qui m'a mis en relation avec un détective privé, qui…

— Comment ? Tu as engagé un privé ?

— Eh bien, oui. Pourquoi pas ? On parle de vol qualifié, là, et de quelque chose qui pourrait valoir près d'un million et demi ! Oh, tu aurais dû le voir, ce type. Trente-cinq ans, acnéique à un point impensable, un costard qui avait l'air d'avoir été piqué dans une mission mormone… Pas du tout la lignée Sam Spade, crois-moi. Mais malgré sa dégaine il s'est montré plus acharné qu'un inspecteur du fisc, ce petit. Et quand il m'a ramené « ça »…

Elle a encore fouillé dans le dossier pour en ressortir l'avis d'enregistrement de *Duo de dingues* au nom de Fleck, puis la liste complète de mes copyrights, avec chacun de mes épisodes de *Vous êtes à vendre !* et le scénario que je destinais à la Warner. Rien de ce que j'avais déposé dans les années quatre-vingt-dix, cependant.

— Donne-moi le titre d'un autre de tes textes de l'époque, David.

— Euh… *Avis de tempête* ? ai-je avancé, repensant à ce projet de comédie de genre où des terroristes islamistes s'emparaient du yacht sur lequel naviguaient les trois enfants du président des États-Unis.

Alison a posé un formulaire devant moi.

— Enregistré le mois dernier. Au nom de Philip Fleck. Comme tous les autres, David. Tous ceux qui n'ont jamais été produits. Tous sans exception.

— Ça… Et ton privé est certain qu'il n'y a plus aucune preuve qu'ils ont d'abord été déposés sous mon nom ?

— Sûr et certain.

— Mais comment ? Comment Fleck a-t-il pu magouiller un truc pareil ?

— Ah, mais c'est un génie, quand il veut. Un génie de la filouterie.

Elle m'a tendu la photocopie d'une notule parue quatre mois auparavant dans le *Hollywood Reporter* :

La Fondation Fleck offre 2 M $ à la Caisse de solidarité de l'AATC.

La porte-parole de la Fondation, Cybill Harrison, a annoncé aujourd'hui que ce don était

un hommage à l'action exemplaire de l'Associa-
tion des auteurs de la télévision et du cinéma en
vue de la promotion et de la protection du travail
des scénaristes, mais aussi de son soutien sans
faille aux auteurs en difficulté. Selon le président
de l'AATC, James LeRoy, cette donation prouve
que « Philip Fleck est le Médicis de l'Amérique
contemporaine ». Et de conclure : « Tout écri-
vain devrait avoir un ami aussi précieux que
M. Fleck. »

— Excellente formule, je trouve.

— N'est-ce pas ? Mais l'essentiel, c'est qu'il s'est acheté la « perte » de toutes les preuves concernant tes scénarios non produits. Et la possibilité de se les annexer ni vu ni connu.

— Mais enfin, à part *Duo de dingues*, ils n'ont rien de si formidable, ces scénars !

— Mais ils sont tout de même malins, bien ficelés…

— Évidemment ! C'est moi qui les ai écrits !

— Voilà. Fleck a désormais dans sa poche quatre bons scénarios qui tiennent la route. Et l'un d'eux la tient si bien que d'après le *Daily Variety* de ce matin il a réussi à convaincre… Peter Fonda et Dennis Hopper de jouer les deux anciens du Vietnam ! Avec, cerise sur le gâteau, rien de moins que Jack Nicholson dans le rôle de…

— Richardson, leur avocat ?

— Exact.

— Fabuleux casting ! me suis-je exclamé, pris par mon enthousiasme. Toute la génération d'*Easy Rider* va se précipiter pour le voir, ce film !

— C'est évident. Et c'est pourquoi, dans le même article, nous apprenons que Columbia-TriStar a accepté de le distribuer.

— Hé, c'est vraiment « gros », alors !

— Il y a aussi le fric de Fleck derrière tout ça, n'oublie pas. Mais le problème, c'est que ton nom ne sera nulle part au générique.

— Enfin, il doit bien y avoir un recours juridique quelconque pour…

— J'ai tourné et retourné la question avec mon avocat. Sa conclusion, c'est que Fleck a monté le coup en escroc parfait. Il est devenu officiellement l'auteur de tes scénarios et il n'y a aucun moyen de prouver le contraire. Si nous décidons de le dénoncer publiquement, tu vois très bien quelle carte il va jouer : « C'est un falsificateur maladif, etc. » Ils ont certainement leur version des faits déjà toute prête : Fleck t'invite sur son île au temps où tu étais encore « respectable », il te propose de travailler pour lui, il se rend compte que tu es dangereusement secoué et il t'envoie bouler. Et toi, évidemment, dans ton délire mégalomaniaque bien connu, tu finis par te persuader que tu es l'auteur de *Duo de dingues*, quand toutes les preuves tangibles établissent que non.

— Doux Jésus…

— C'est fou ce qu'on peut faire avec de l'argent.

— Attends ! On ne peut pas le coincer sur le fait qu'il les a tous déposés le mois dernier ?

— Et pourquoi ? Il peut parfaitement soutenir qu'il les a écrits depuis longtemps, mais qu'il s'est dit qu'il ferait mieux de les faire enregistrer quand l'un d'eux, *Duo de dingues*, est passé en phase de production.

— Mais tous ceux à qui je les avais envoyés, ces textes, et qui les ont lus, à l'époque ? Les chefs de projet des studios, les…

— Il y a cinq ans et plus, tu veux dire ? Ah, David, David… Tu as oublié la règle numéro un de ce milieu ? « Quand on fait l'impasse sur un projet, on l'oublie dans les trois minutes suivantes ! » Et, même si l'un ou l'une de ces messieurs-dames se rappelle les avoir lus, en effet, tu crois peut-être qu'ils vont choisir ton camp contre celui de notre nouveau Médicis ? Surtout avec la réputation que tu te traînes actuellement… Non, je t'assure que nous avons envisagé toutes les répliques, avec l'avocat et le privé. Et nous n'avons rien trouvé. Fleck a absolument tout verrouillé. Il en est même admiratif, mon avocat. Il dit qu'une perfidie pareille, ça ne se voit pas tous les…

J'ai baissé les yeux sur les papiers qui couvraient la table d'Alison, essayant toujours de me repérer dans ce jeu de miroirs démentiel où j'avais été entraîné. Il n'y avait pas d'issue, non. Fleck s'était annexé mon travail et je ne pouvais rien faire, rien dire.

— Il faut que je t'annonce encore quelque chose, a repris Alison. Lorsque j'ai raconté au détective privé comment Theo MacAnna a démoli systématiquement ta carrière, il a été intrigué au point de continuer un peu son enquête de ce côté-là. – Elle a sorti quelques photocopies de la chemise. – Tiens. Il y en a plein d'autres.

J'avais dans la main un relevé de compte de la Banque de Californie. Titulaire : Theodore MacAnna, 1158 King's Road, West Hollywood.

— Bon sang, comment il a pu obtenir ça ?

— Je n'ai pas demandé. Je ne veux pas savoir. Qui cherche trouve… Bon, regarde dans la colonne crédit au 14 de chaque mois. Tu vois ? Un virement de dix mille dollars en provenance d'une boîte obscure, Lubitsch Holdings. Comme mon petit privé ne laisse rien au hasard, il a fouiné un peu, jusqu'à découvrir qu'il s'agit d'une société écran basée aux îles Caïman. Qui est derrière, mystère. En fait, MacAnna se fait péniblement trente-quatre mille annuels en tant que salarié de *Hollywood Legit*, plus cinquante qu'il extorque à un canard britannique pour distiller son venin en direct de Hollywood. Il ne vient pas d'une famille riche, il ne perçoit pas de rentes, rien. Mais soudain, au cours des six derniers mois, il devient le petit chouchou d'une boîte plus que louche qui s'appelle… Lubitsch.

Elle s'est arrêtée un instant.

— Tu m'as dit que Fleck était dingue de cinéma, non ?

— La plus grande collection privée du pays.

— Tu connais beaucoup de gens qui s'appellent Lubitsch, à part… un ?

— Ernst Lubitsch, bien sûr. L'un des maîtres des années trente.

— Et seul un cinéphile acharné trouverait très drôle de donner à une société bidon d'un paradis fiscal le nom d'une légende de Hollywood, pas vrai ?

Je suis resté un long moment sans voix.

— Fleck ? Fleck a payé MacAnna pour trouver de quoi me démolir ?

— Ah… Là encore, nous n'avons pas de preuves irréfutables, parce qu'il a effacé ses traces comme le pro qu'il est. Mais on est d'accord, avec le privé : ça en a tout l'air.

Je me suis radossé à ma chaise, le cerveau en ébullition. Soudain, les pièces d'un puzzle effrayant commençaient à s'assembler dans ma tête. Jusqu'alors, j'avais attribué ma débâcle à l'œuvre aveugle du destin, à l'effet domino de la malchance, quand une catastrophe en précipite une autre qui en provoque à son tour une suivante, et le sens aigu de ma culpabilité avait encore exacerbé ce fatalisme. Brusquement, je découvrais que tout avait été au contraire orchestré, manipulé, fomenté... Pour Fleck, je n'étais rien de plus qu'une marionnette sans valeur dont il se croyait autorisé à tirer les cordes telle une divinité aussi malveillante qu'inatteignable.

— Tu sais ce qui me sidère le plus, dans cette histoire ? a chuchoté Alison. C'est qu'il ait eu ce besoin de te piétiner, de te réduire en miettes. S'il s'était contenté de vouloir signer seul ton scénario en l'achetant au prix fort... Merde, je suis certaine qu'on aurait pu s'entendre ! Mais non, il voulait te couper la gorge... et le reste. Est-ce que tu lui as donné une raison de te haïr à ce point ?

J'ai secoué la tête tout en pensant : « Non, mais le courant est terriblement passé entre sa femme et moi. » Et puis j'ai réfléchi. Qu'y avait-il eu, en fin de compte ? Une soirée trop arrosée, quelques baisers enfiévrés, rien d'autre. Et tout cela loin des yeux indiscrets. À moins que l'autre cinglé n'ait installé des caméras dans les palmiers, évidemment... Assez ! Assez de délire paranoïaque ! D'ailleurs, Martha et lui étaient techniquement séparés, non ? Que notre escapade sur la plage ait pris un tour un peu trop tendre ne pouvait pas l'avoir atteint. Ou si ? Sans doute, car autrement quel motif aurait-il eu de m'infliger ce cauchemar ?

À moins que… Ce film qu'il avait tellement tenu à me montrer, *Salo ou les Cent Vingt Journées de Sodome*. Je me suis rappelé ma perplexité, ensuite. J'avais cherché, sans trouver, sa raison de m'infliger ce petit supplice. Et sa péroraison en défense du film m'est revenue à l'esprit, à ce moment : « Pasolini a dépeint le fascisme dans sa version prétechnologique la plus pure : la conviction d'avoir le droit, le privilège de prendre complètement le contrôle sur quelqu'un au point de lui dénier plus encore que ses droits, son humanité, au point de le réduire à l'état d'objet jetable une fois qu'il a été utilisé jusqu'à ses ultimes ressources. Depuis, les aristocrates déments du film ont été détrônés par des sources de pouvoir encore plus puissantes, États, multinationales, banques de données… Mais le monde dans lequel nous vivons reste marqué par cette pulsion fondamentale de domination. Tous, nous voulons imposer nos vues aux autres. N'est-ce pas ? »

Quelle était la finalité de toute cette perverse entreprise ? Avait-il voulu mettre en pratique ce qu'il pensait être son « droit », son « privilège » ? Est-ce que Martha était entrée à son insu dans l'équation, son élan d'affection envers moi ayant convaincu son mari que je serais la victime idéale de ses pulsions manipulatrices ? Ou bien était-ce simplement l'envie, la jalousie la plus mesquine et la plus radicale qui le poussait à détruire la carrière d'autrui pour mieux supporter son évidente médiocrité ? Sa fortune était tellement irréelle, sa puissance tellement… totale que l'ennui avait dû s'installer en lui. Blasé d'avoir tous ces Rothko devant les yeux, blasé de toujours boire le meilleur champagne, blasé de savoir que l'un des appareils de sa flotte pouvait l'emmener n'importe où dans le monde, à tout moment, avait-il cru pouvoir transcender ses milliards en commettant l'acte gratuit le plus original, le plus audacieux, le plus « pur » qui soit ? Assumer un rôle existentiel auquel seul un homme qui avait « plus que tout » oserait prétendre, mener la tentative créatrice extrême : se prendre pour Dieu ?

Je n'avais pas de réponse et je n'en voulais pas. Fleck pouvait avoir toutes les raisons du monde, un seul constat m'importait : il était derrière tout ça. Il avait conçu ma chute comme un général mènerait le siège d'une place forte, d'abord en sapant les fondations puis en regardant toute la structure s'effondrer. Il était l'instigateur, l'artisan et le bénéficiaire de mon malheur.

La voix d'Alison m'a brutalement tiré de ces divagations :

— David ? Tu es là ?

— Hein ? Oui, j'étais en train de penser à deux ou trois…

— C'est énorme, je sais. Le choc que ça représente.

— Ali ? Je peux te demander quelque chose ?

— Tout ce que tu veux.

— Est-ce que Suzy pourrait me photocopier tous les documents que ton privé a pu glaner ?

— Tu comptes en faire quoi ?

— Jouer un sale tour, moi aussi.

— Je n'aime pas ça !

— Non, écoute ! Je ne vais pas alerter la presse, ni essayer de casser la gueule de MacAnna, ni me planter devant la résidence de Fleck à Malibu en attendant que cette vermine montre son nez. J'ai simplement besoin de ces papiers, et de l'original de mon scénario.

— Tu m'inquiètes vraiment.

— Fais-moi confiance, Ali.

— D'accord, mais donne-moi au moins une petite idée de ce que…

— Non.

Elle m'a observé avec une réelle inquiétude.

— Si tu te mets encore plus dans le caca sur ce coup-là, David…

— Quoi ? Je serai encore plus dedans, et voilà. À mon stade, ça signifie que je n'ai rien à perdre.

Sans me quitter des yeux, Alison a appelé Suzy sur l'interphone. Quand elle est entrée, elle lui a dit :

— Ma belle, je voudrais une copie complète de ce dossier, d'accord ?

Une demi-heure plus tard, tout était prêt et j'avais en plus un sandwich au saumon fumé et pickles dans ma poche. Je me suis penché pour embrasser Alison avant de filer vers la sortie.

— S'il te plaît, David, pas de bêtise, OK ?

— Si ça arrive, tu seras la première informée.

Je me suis jeté dans ma voiture, le dossier à côté de moi sur le siège passager. Après m'être assuré que j'avais bien certaines coordonnées dans mon carnet d'adresses, j'ai roulé jusqu'à une librairie de West Hollywood, acheté le livre que je cherchais, puis continué sur Doheny pour m'arrêter à un cybercafé que j'avais repéré à force de passer par là. Installé devant l'un des moniteurs, j'ai tapé l'adresse que j'avais vérifiée, scriptdoc@cs.com. Dans la case de l'expéditeur, j'ai entré le site de la librairie où je venais de m'arrêter, books&co.wirenet.com, avant de recopier ces lignes du livre dont j'avais fait l'acquisition :

Deux fois ma vie fut close avant sa fin.
Il reste encore à voir
Si l'Immortalité
Dévoile un autre événement

Inconcevable, immense,
Autant que ceux du passé.
Séparation : seul souvenir du Ciel,
Suffisant tourment de l'Enfer[1].

... À propos, ce serait merveilleux d'avoir de vos nouvelles.
Vôtre,

Emily D.

J'ai cliqué sur le bouton d'envoi tout en priant pour que cette adresse corresponde à une destination strictement personnelle. Si ce n'était pas le cas, si Fleck continuait à surveiller les moindres faits et gestes de Martha, il pourrait tout de même prendre ce message pour une page de publicité envoyée par un libraire fanatique d'Emily Dickinson. Ensuite, j'ai traîné encore un moment à West Hollywood. J'ai pris un café

1. Emily Dickinson, *Poèmes*, traduit de l'américain par Guy Jean Forgue, Aubier, 1970.

à une terrasse, puis j'ai traîné aux abords de l'immeuble où j'avais vécu avec Sally, encore étonné d'avoir cessé de la regretter aussi rapidement... Si jamais elle m'avait manqué depuis la rupture, d'ailleurs. Elle n'avait pas tenté une seule fois de me joindre. Comme convenu, elle avait adressé un chèque de cinq mille dollars à Alison, veillé à ce que mon courrier soit réexpédié chez mon agente. Sans doute avait-elle enregistré un nouveau message sur le répondeur, informant froidement les correspondants que je n'habitais plus là... Non que j'aie dû recevoir beaucoup d'appels, puisque j'avais disparu de la circulation quand j'avais jugé que mes « problèmes » m'avaient retranché du reste de l'humanité. En ralentissant devant la façade bien connue, pourtant, j'ai senti l'ancienne cicatrice se rouvrir et je me suis posé à nouveau la question : « Qu'est-ce que tu croyais, vraiment ? » Sans trouver la réponse, ce jour-là non plus.

J'étais de retour à Meredith vers six heures. Les a été surpris de me voir entrer dans la boutique.

— Les jours de congé, ça ne vous plaît pas ?

— C'est juste que j'attends un e-mail. Ça ne vous dérange pas si...

— Je n'ai même pas allumé cette satanée machine de la journée. Allez-y.

Passé dans le petit bureau, j'ai mis en route le Macintosh de la librairie, je me suis connecté, j'ai surveillé la boîte d'entrée en retenant mon souffle et...

Lettre à Emily D, scriptdoc@cs.com.

J'ai ouvert le message :

Attendre une Heure – est long –
Si l'Amour est en vue –
Attendre l'Éternité – est bref –
Si l'Amour est au bout [1] *–*

Je pense que vous connaissez l'auteur... Et vous savez que la personne qui vous écrit serait ravie de vous redécouvrir. Une adresse de librairie ? Vous piquez ma curiosité. Appelez-moi sur mon portable, 917 555 3739. Je suis la seule à répondre dessus, si vous voyez ce que je veux dire...
J'attends.
À bientôt,

La Belle d'Amherst.

— Je peux me servir du téléphone ? ai-je crié à Les.
— Bien sûr !
J'ai fermé la porte avant de composer le numéro que Martha m'avait donné. Elle a répondu aussitôt. Je me suis senti étonnamment ému en entendant sa voix.
— Bonsoir.
— David ? Où es-tu ?
— Dans une boutique de Meredith. Books and Company. Tu connais ce coin ?
— Sur l'autoroute de la côte, au nord ?
— Voilà.
— Tu as acheté une librairie là-bas ?
— C'est une longue histoire...

---

1. Emily Dickinson, *Une âme en incandescence*, poèmes traduits et présentés par Claire Malroux, José Corti, 1998.

— J'imagine. Et je sais que j'aurais dû t'appeler il y a déjà longtemps, quand tu t'es retrouvé au milieu de toute cette horreur. Mais c'est parce que ça m'a paru tellement dérisoire, tellement stupide... Je l'ai dit à Philip tout de suite, d'ailleurs : si j'avais dû recevoir un dollar chaque fois que je voyais une citation inconsciente ou un emprunt dans tous les manuscrits qui me sont passés entre les mains, je...

— Tu serais aussi riche que lui, maintenant ?

— Non, personne ne le peut, à part une dizaine de personnes dans le monde entier. Mais franchement je suis désolée, écœurée par tout ce que tu as subi. Surtout la campagne haineuse de cette vermine de MacAnna. Enfin, c'est heureux que Philip ait pu te donner de quoi souffler, avec la jolie somme qu'il a payée pour ton scénario...

Prudence, prudence.

— En effet, ai-je répondu d'un ton neutre.

— C'est grâce à ça que tu as acheté cette librairie ?

— C'est une longue histoire, je t'ai dit.

— Bien sûr. Oh, à propos, je l'aime vraiment beaucoup, ce scénario. Futé, très dans le coup mais subversif aussi, et pour de bon. Quand on va se revoir, pourtant, je compte bien te faire revenir sur ta décision de laisser tout le crédit à Philip.

Là encore, il fallait marcher sur des œufs.

— Tu sais comment ça se passe...

— Oui, je sais. Philip m'a expliqué tes réticences à cause de la publicité négative que le film recevrait si ton nom apparaissait quelque part. Mais dès qu'il sera sorti, je ne le lâcherai pas tant qu'il ne t'aura pas rendu hommage dans les interviews et autres...

— Si les critiques sont excellentes, seulement.

— Elles vont l'être. Parce que ce coup-ci, Philip part sur une idée très, très forte. La tienne. Et puis tu dois avoir appris le casting qu'il s'est trouvé…

— Le rêve.

— Enfin, c'est tellement bon d'avoir de vos nouvelles, monsieur Armitage ! J'avoue que je me suis posé des questions, après ce que tu sais…

— On n'a rien fait de si répréhensible.

— Hélas ! Et ton amie, comment ça va ?

— Aucune idée. C'est l'un des nombreux revers que j'ai subis lorsque…

— Ah, désolée. Et ta fille ?

— En pleine forme. Sauf que depuis ma rencontre en chair et en os avec MacAnna, et le foin qu'ils ont fait autour, sa mère a obtenu d'un juge l'interdiction que je m'approche d'elle. Sous prétexte que je suis un danger public.

— Oh, mais c'est affreux !

— Oui. On peut le dire.

— Mmm… J'ai l'impression que tu aurais besoin d'un déjeuner sympa.

— Ce serait super, oui. Quand tu veux, si tu passes dans le coin.

— Je vais être à la résidence de Malibu pour une semaine et quelques.

— Et Philip ?

— À Chicago, en repérage. Le tournage commence pour de bon dans deux mois, exactement.

— Ça se déroule bien, entre vous deux ? ai-je risqué en gardant un ton dégagé.

— Il y a eu un petit moment de détente, assez agréable, mais ça s'est terminé il y a peu. Retour au statu quo, depuis.

— Désolé.

— Ah, *che sára, sára…*

— Comme on dit à Chicago.

Elle a eu un petit rire.

— Bon, si tu es libre à déjeuner demain…

Nous sommes convenus de nous donner rendez-vous chez Books and Company à une heure. Dès que j'ai raccroché, je suis allé demander à Les s'il pouvait trouver quelqu'un pour me remplacer quelques heures le lendemain.

— C'est un mercredi. Complètement mort. Prenez votre après-midi, si vous voulez.

— C'est gentil.

Ce soir-là, il m'a fallu trois somnifères pour sombrer dans le sommeil. La conversation avec Martha repassait inexorablement dans ma tête. Je mesurais désormais la férocité dont Fleck avait été capable pour amasser tous ses milliards. En termes de stratégie d'annihilation et de machiavélisme, c'était un artiste, oui. Son unique talent était là, dans la poursuite implacable du but qu'il se fixait.

Martha est arrivée à l'heure. Je dois dire qu'elle était splendide, simplement vêtue d'un pantalon et d'un blouson en jean, d'un tee-shirt noir. Malgré cette tenue à la Lou Reed, elle irradiait une distinction naturelle, une élégance patricienne de la côte est qui venaient peut-être de ses longs cheveux auburn ramassés en chignon, dégageant un cou flexible et des pommettes dignes d'un portrait de Bostonienne bien née par John Singer Sargent, vers 1870. Ou étaient-ce les lunettes à monture en écaille bon marché dont elle n'avait pas vraiment besoin mais qui contrastaient joliment avec sa tenue de motarde californienne et avec

379

son compte en banque ? J'ai remarqué que la branche gauche avait été rafistolée avec un bout de Scotch. Tout un programme, en soi : une manifestation d'indépendance, une touche de cet humour caustique qui m'avait d'emblée attiré, chez elle.

Elle m'a lancé un regard impersonnel, comme si j'étais l'employé lambda alors qu'elle voulait le patron, elle.

— Bonjour. Est-ce que M. Ar... – Elle a ouvert de grands yeux. – David ?

— Bonjour, Martha.

J'allais l'embrasser sur la joue mais je me suis ravisé et je lui ai tendu la main. Elle l'a prise tout en me considérant d'un air à la fois stupéfait et amusé.

— C'est vraiment toi, derrière toute cette...

— Oui, j'ai la barbe un peu broussailleuse, je reconnais.

— Et les cheveux idem. Bon, le look retour à la nature, je connaissais. Mais « retour à la librairie » ?

J'ai ri de bon cœur.

— Toi, en tout cas, tu es superbe.

— Je n'ai pas dit que j'étais déçue, David. Mais c'est que... Tu n'as pas seulement changé. Tu es transformé. Comme ces jouets d'enfant, tu sais ?

— Le soldat qui devient un dinosaure ?

— Voilà.

— Oui, c'est le nouveau David Armitage. Un dinosaure.

Elle a ri, à son tour.

— Et qui vend des livres, en plus... – Elle a lancé un regard circulaire, passé une main sur le bois luisant d'une étagère. – Je suis épatée. C'est vraiment mignon, ici. Intello en diable.

— Que ce ne soit pas dans une galerie marchande avec un fast-food à côté, ça en fait déjà un vestige du XIXe siècle, c'est vrai.

— Comment tu l'as trouvée ? Raconte !

— C'est long à expliquer. Ou plutôt non, c'est très simple.

— Bon, tu vas tout me dire pendant le déjeuner.

— Compte sur moi.

— Ton e-mail a été une grande surprise pour moi. Je croyais que…

— Quoi ?

— Ah, je ne sais pas… Que tu m'avais cataloguée comme folle à lier après cette soirée.

— Mais ce genre de folie, c'est merveilleux.

— Non, vraiment, tu le penses ?

— Bien sûr.

— Tant mieux. Parce que moi… Moi, je me suis sentie assez idiote, après.

— Bienvenue au club.

— Eh bien ! a-t-elle lancé, pressée de changer de sujet. Où puis-je t'emmener ?

— J'avais pensé qu'on aurait pu aller chez moi, un cottage que j'ai en ce moment.

— Tu loues quelque part ?

— En fait, c'est la maison de l'un des clients de mon agente. Willard Stevens.

— Le scénariste ?

— Exact.

Elle m'a dévisagé, cherchant à mettre ces informations bout à bout.

— Donc, si je comprends bien, tu as découvert cette ville, cette librairie, et il y avait une maison qui

381

se trouve appartenir à Willard Stevens, lequel a le même agent que toi...

— Je t'ai prévenue. C'est une longue histoire.

— Je vois, oui.

— Alors on y va ?

J'ai entrepris de fermer boutique, expliquant à Martha qu'en l'honneur de sa visite j'avais résolu de prendre mon après-midi.

— Je suis flattée mais je ne voudrais pas te faire perdre des clients, David.

— Ne t'inquiète pas. Le mercredi, c'est plus que calme, et Les a tout de suite accepté que...

— Les ? Qui c'est ?

— Le propriétaire de la librairie.

— Mais... je croyais que c'était toi ?

— Je n'ai jamais dit ça. C'est...

— Une longue histoire, je sais !

La voiture de Martha, une grosse Range Rover noire, était garée devant.

— On prend le monstre ? m'a-t-elle demandé.

— Avec la mienne, ça ira, ai-je répondu en lui montrant ma Golf valétudinaire.

Elle a paru surprise, une nouvelle fois, mais n'a fait aucun commentaire.

Le démarreur m'a donné du fil à retordre, comme toujours : une des nombreuses imperfections que j'avais découvertes après l'achat de ce tas de ferraille. Nous sommes partis en pétaradant.

— Quelle voiture...

— Je m'en sers pour le strict minimum.

— Oui. Et je présume qu'elle va avec cette dégaine d'étudiant attardé que tu veux te donner, maintenant.

Je me suis contenté de hausser les épaules. Cinq minutes plus tard, nous étions « chez moi ».

Martha a été fascinée par la vue sur l'océan, par la sobriété du cottage, le calme simple qui y régnait.

— Je comprends que tu te sentes bien, ici. C'est la retraite d'écrivain idéale. Où est-ce que tu travailles, d'ailleurs ?

— À la librairie.

— Très drôle. Non, je parle du « vrai » travail.

— Écrire, tu veux dire ?

— Cette queue de cheval tire trop sur les neurones ? Étant donné que tu es un auteur, il est logique que…

— Non. J'étais.

— Allons, tu as toute ta carrière devant toi !

— Derrière.

— Écoute-moi. Je n'arrive même pas à imaginer ce que cela a dû représenter, d'être traîné dans la boue comme ça. Et ce qui s'est passé avec la FRT… Mais ce qui demeure, c'est que Philip va tourner ton scénario, avec un casting hallucinant et l'un des plus gros distributeurs mondiaux. Comme j'ai voulu te le dire hier, dès que les gens vont savoir que tu es l'auteur, tu vas crouler sous les propositions. Tu n'auras pas le temps de te retourner que tu seras enchaîné à ton ordinateur, en train de…

— Impossible.

— Et pourquoi ?

— Parce que je l'ai vendu, mon ordinateur.

— Tu… quoi ?

— Je l'ai vendu. Mis au clou, en fait. Chez un prêteur de Santa Barbara.

— Tu plaisantes ?

383

— Pas du tout. Je sais que je ne gagnerai plus ma vie en écrivant, et comme j'avais besoin d'un peu de cash...

— Attends, attends ! – Elle semblait réellement affolée, d'un coup. – À quel jeu tu joues, là ?

— Je ne joue pas.

— Alors qu'est-ce que c'est, toutes ces salades ? Que tu travailles dans une librairie, que...

— C'est la vérité. Avec un salaire de mille deux cents dollars, ce qui n'est pas mal du tout quand on sait qu'une grosse boîte comme Borders paie ses employés sept dollars de l'heure, également.

— Il continue ! Sept dollars de l'heure ! Quand Philip t'a donné un million quatre pour ton texte !

— Non. Il ne m'a rien donné.

— Mais il me l'a dit, enfin !

— C'est un mensonge.

— Je... je ne te crois pas, David.

Sans un mot, je suis allé prendre le gros dossier de photocopies qu'Alison m'avait remis, avec l'original de *Duo de dingues*, cru 1995. Je le lui ai tendu :

— Tu veux des preuves ? Il y en a plus qu'assez, là-dedans.

Et j'ai tout raconté, en détail, point par point. En lui montrant les documents au fur et à mesure, l'enregistrement de mes scénarios sous le nom de Fleck, les virements en faveur de MacAnna, la mystérieuse société Lubitsch Holdings – « Il a tous ses films... », a-t-elle alors murmuré –, mais aussi les pertes financières que j'avais subies par la faute de Bobby Barra, qui, j'en étais convaincu, avait monté ce stratagème sur les ordres de Fleck. Quelles raisons avait eues ce dernier ? La question restait ouverte.

— Ce que je n'arrive pas à voir, c'est s'il a voulu se venger en découvrant ce qui s'était passé entre nous ou s'il…

— Mais quoi, David ? Deux collégiens d'aujourd'hui seraient allés plus loin que ça ! Et à cette époque Philip ne me touchait plus depuis des mois…

— Alors, si ce n'est pas pour ça… je ne sais pas. Peut-être qu'il était jaloux de mon petit succès ?

— Philip est jaloux de tous ceux qui ont un véritable talent artistique. Parce qu'il n'en a aucun, lui ! Moi qui le connais bien, malheureusement, je sais qu'il peut y avoir une douzaine de raisons différentes à sa conduite, toutes absolument incompréhensibles, sauf pour lui. Ou bien il l'a simplement fait pour le plaisir. Parce qu'il en a le pouvoir…

Elle s'était levée. Elle allait et venait dans la pièce, hors d'elle, prête à donner un coup de pied dans un meuble. Quand elle a repris la parole, elle haletait d'indignation :

— Ah, je suis… C'est affreux, affreux… Comment il manipule tout le monde… Oh, c'est tellement lui !

— Tu le connais mieux que moi.

— Je suis… désolée, David.

— Moi aussi. Et c'est pour ça que j'ai besoin de ton aide.

— Tu l'auras.

— Même si ce que je propose est plutôt… risqué ?

— C'est mon affaire. Vas-y, explique ce que tu attends de moi.

— Que tu lui mettes ces preuves sous le nez. Une par une.

— Oui… Et pendant cette grande scène à la *J'accuse*, tu veux que j'aie un micro caché sur moi ?

— Un mini-magnétophone suffira. J'ai juste besoin qu'il reconnaisse une seule fois avoir été l'instigateur de tout ça. Une fois que ce sera sur cassette, mon agente et ses avocats auront de quoi plaider. Quand il va se rendre compte qu'il a avoué le vol de mes textes et la manip de Theo MacAnna, il cherchera à négocier avec nous, j'en suis certain. À cause du bruit que ça pourrait faire. Parmi ses nombreuses phobies, il redoute d'avoir mauvaise presse, non ?

— Oh oui !

— Tout ce que je veux, c'est rétablir ma réputation. L'argent n'est pas vraiment un problème.

— Tu as tort ! Le fric, c'est le seul langage qu'il comprenne, au bout du compte. Ça ne va pas être facile, en tout cas.

— Il va tout nier en bloc ?

— Oui, évidemment. Mais…

— Quoi ?

— Si je le pousse vraiment fort, il finira peut-être par cracher quelque chose.

— Tu n'as pas l'air très confiante.

— Je te l'ai dit, je le connais trop bien. Et je sais qu'il est plus que jamais refermé sur lui-même, en ce moment. Mais enfin, ça vaut la peine d'essayer.

— Merci.

Elle est venue ranger les photocopies dans le dossier.

— Je vais avoir besoin de tout ça.

— Je t'en prie.

— Tu peux me reconduire à ma voiture, s'il te plaît ?

Elle est restée silencieuse pendant les quelques minutes de trajet. Je l'ai regardée du coin de l'œil, une fois : elle avait le dossier serré contre la poitrine, les sourcils froncés, les mâchoires serrées. Préoccupée. Furieuse, aussi. Quand je me suis arrêté devant la librairie, elle m'a rapidement embrassé sur la joue :

— Je te tiens au courant.

Sur la route du retour au cottage, je me suis dit que c'était exactement la réaction que j'attendais d'elle.

Des jours ont passé sans un mot de Martha. Alison, au contraire, venait régulièrement aux nouvelles, curieuse de savoir quel parti je pouvais tirer de cette pile de preuves photocopiées. J'ai improvisé, baratiné que je continuais à les éplucher à la recherche d'un angle d'attaque contre Fleck.

— Tu bobardes, David.

— Crois ce que tu veux.

— J'espère juste que tu ne fais pas de bêtises, pour changer.

— J'essaie. Et toi, avec ton équipe de petits génies du prétoire, vous avez trouvé un moyen de coincer ce salaud ?

— Non. Je te l'ai dit, il a tout prévu.

— C'est ce qu'on verra.

Comme Martha ne donnait toujours pas signe de vie au bout d'une semaine, je me suis demandé si Alison n'avait pas raison, sur ce point aussi. Soudain, l'inquiétude est revenue en force : dans moins d'un mois, j'allais devoir verser à nouveau la pension de Lucy et je n'avais même pas la moitié de la somme devant moi. Elle allait sans doute répliquer aussi durement qu'à son habitude, et, comme je ne pourrais me payer les services de Walter Dickerson devant un juge, elle n'aurait aucun mal à m'écrabouiller sur le plan juridique. Et puis il y avait la question de Willard Stevens, désormais. Il m'avait téléphoné de Londres pour faire connaissance, me demander si tout se passait bien et m'informer de son retour probable d'ici huit semaines... Inutile de chercher quelque chose à louer dans la zone de Meredith, avec mon salaire. Donc, plus de toit, ou plus de travail, ou... Une fois le scénario catastrophe lancé dans ma tête, je me voyais déjà allongé sur des cartons de Wiltshire Avenue, avec un triste écriteau au cou : « On me télephonait, dans le temps ! »

J'exagérais ? Certes. Mais rien qu'un peu, car ma route allait inexorablement vers le gouffre. Et puis, le vendredi soir, dix jours après notre rencontre, Martha a enfin appelé. À la librairie. Une voix un peu distante, très lucide :

— Désolée d'avoir tardé. J'ai dû m'absenter.

— Tu... tu as des nouvelles ?

— Tu es de congé quand ?

— Les lundi et mardi.

— Tu peux garder tout ton lundi ?

— Bien sûr.

— Parfait. Je passe te prendre chez toi vers quatorze heures.

J'ai failli la rappeler, réclamer des explications, mais je savais que cela aurait été contre-productif, ou pire encore. Il ne me restait plus qu'à ronger mon frein.

Elle est arrivée à l'heure dite dans sa Range Rover. Ravissante, encore : une courte jupe rouge, un débardeur noir moulant, la même veste en jean, les lunettes rafistolées et un camée en pendentif. Lorsque je suis sorti l'accueillir, elle m'a lancé un grand sourire qui a réveillé l'espoir en moi. Le baiser qu'elle a légèrement déposé sur mes lèvres était quant à lui prometteur… mais un peu déroutant, aussi.

— Salut !

— Bonjour bonjour. Est-ce que j'ai tort de déceler une certaine bonne humeur ?

— On ne sait jamais. Tu comptais t'habiller comme ça, aujourd'hui ?

Je portais un vieux Levis, un tee-shirt et un sweat-shirt à fermeture Éclair.

— Comme j'ignorais le programme…

— Je peux proposer quelque chose ?

— Je t'en prie…

— Aujourd'hui, je veux que tu me laisses m'occuper de tout.

— Ce qui signifie ?

— Tu dois me promettre de ne poser aucune question, de ne soulever aucune objection… et de faire tout ce que je te dirai.

— Tout ?

— Oui ! – Son sourire s'est encore élargi. – Mais ne t'inquiète pas : je ne prévois rien d'illégal. Ni de vraiment dangereux.

— Ah, tant mieux…

— On est d'accord, donc ?

Elle m'a tendu sa main, que j'ai serrée.

— Conclu. À condition que tu ne me demandes pas d'enterrer un cadavre.

— Pff, ce serait bien trop banal, ça ! Allez, viens, tu vas enlever ces frusques d'ado.

Elle m'a conduit droit dans ma chambre, a ouvert le placard et en a inspecté le contenu jusqu'à arrêter son choix sur un jean sombre, un tee-shirt blanc, une veste en cuir souple et des baskets noires.

— Ça devrait être bien. Change-toi.

J'ai obéi pendant qu'elle retournait au salon. Quand je suis entré dans la pièce, elle était devant le bureau, les yeux sur une vieille photo de moi avec Caitlin. Elle m'a jaugé d'un œil appréciateur.

— Beaucoup mieux ! – Puis, le doigt tendu vers le petit cadre : – Tu penses que je peux prendre ça avec nous ?

— Euh, oui… Mais si tu me disais pourquoi ?

— Pas de questions, c'était convenu ! – Elle s'est approchée, m'a effleuré les lèvres des siennes. – Et ce qui est convenu… Allez, on y va !

Nous étions sur l'autoroute côtière, dans sa voiture, quand elle a remarqué :

— Je suis bluffée, David.

— Par quoi ?

— Que tu ne m'aies pas encore demandé ce qui s'est passé pendant ces dix jours. Tu joues très bien le jeu.

— N'est-ce pas.

— Je vais quand même te le dire. À une autre condition : après, on n'en discute plus.

— Parce que c'est mauvais ?

— C'est insatisfaisant, disons. Et je ne veux pas que cela nous gâche cette journée ensemble.

— D'accord.

Tout en surveillant la route, avec de brefs coups d'œil dans le rétroviseur, ai-je aussi remarqué, Martha a entamé son récit.

— Après ma visite, je suis rentrée à L.A. et j'ai demandé qu'on prépare le Gulfstream pour partir directement à Chicago. Sur la route de l'aéroport, je me suis arrêtée discrètement dans une petite boutique de hi-fi et j'ai acheté un magnétophone de poche. De ceux qui se déclenchent au son de la voix, tu sais ? Avant l'atterrissage, j'ai appelé Philip pour lui dire que je devais le voir tout de suite. Je l'ai retrouvé dans sa suite au Four Seasons, j'ai sorti le dossier et j'ai commencé. Tu devines comment il a réagi, lui ? Il a haussé les épaules en marmonnant qu'il ne comprenait rien à ces sornettes. Alors j'ai tout repris, preuve par preuve, et bien sûr il est monté sur ses grands chevaux, plus fuyant que jamais, et il a tout nié. Il ne m'a même pas demandé où j'avais trouvé ce matériel. Il m'a ignorée, comme il sait si bien le faire. Et quand j'ai perdu patience, que je me suis mise à exiger des comptes en criant, il est passé en mode coquille d'huître, zombie total. Pendant une heure j'ai tout essayé, sur tous les tons. Je m'adressais à un mur. Finalement, j'ai remballé mes papiers, je suis partie en claquant la porte et je suis revenue à L.A.

« Les jours suivants, j'ai mené ma petite enquête, moi aussi. Lubitsch Holdings est bien l'une des sociétés écrans qui lui servent dans ses affaires. Mais c'est du camouflage certifié îles Caïman, c'est-à-dire impossible à prouver. Autre chose qui reste improuvable mais que j'ai toutes les raisons de croire : en plus de sa charitable donation, Philip a allongé un bon paquet de fric qui a atterri dans les poches du directeur de l'AATC en personne, M. James LeRoy.

— Hein ? Comment tu as découvert ça ?

— Quel accord on a conclu pour la journée, déjà ?

— Pardon.

— Enfin, le principal, c'est que tout ce que tu m'as raconté l'autre fois se vérifie à cent pour cent. Philip a décidé de te détruire. Pour quelle raison, je l'ignore. Et il ne le reconnaîtra jamais, ni ne fournira d'explications. Il est incapable de reconnaître quoi que ce soit. Mais je sais qu'il est coupable, et je vais le faire payer pour ça. En le laissant tomber. Même si ça ne l'incite pas à se remettre en cause une seconde.

— Tu lui as dit que tu le quittais, ai-je relevé en prenant soin de formuler cette remarque sur un mode dénué d'inflexion interrogative.

— Non, pas encore. Tout simplement parce que je ne lui ai pas reparlé depuis l'autre jour. Mais j'aimerais tellement obtenir cet aveu de lui… Ce serait ma contribution à un peu de justice, au moins. Quoique, pour l'instant…

Elle n'a pu réprimer un frisson.

— C'est déjà bien.

— Non, ça ne l'est pas.

— Pour aujourd'hui, ça l'est.

Lâchant le volant d'une main, elle a entrecroisé ses doigts aux miens et les a gardés ainsi jusqu'à la sortie de Santa Barbara, quand elle a dû changer de vitesse. Nous sommes passés dans le quartier où j'avais vendu ma Porsche et mis au clou mon ordinateur, avant de pénétrer le rayon des magasins de marques et de restaurants branchés où la roquette et le parmesan frais sont des musts incontournables. Arrivés sur le front de mer, nous avons suivi la plage, et les grilles du Four Seasons ont bientôt été devant nous.

— Euh…

Mal à l'aise, je me suis rappelé ma semaine clandestine avec Sally dans cet hôtel, ce temps où je me sentais sûr de moi, à un point risible. Avant que je puisse continuer ma phrase, Martha m'a arrêté net :

— Pas de questions !

Pendant que le préposé au parking allait garer la Range Rover, elle m'a entraîné dans le hall d'entrée. Au lieu de se diriger vers la réception, pourtant, elle m'a conduit dans un couloir qui donnait sur une lourde porte en chêne à double battant, surplombée d'une plaque de laiton qui annonçait « Centre de Bien-Être ».

— J'ai décidé que tu avais besoin d'un peu de bien-être, a-t-elle déclaré avec un sourire en me poussant devant elle.

Elle s'est chargée de tout, expliquant à l'hôtesse d'accueil que j'étais David Armitage et qu'un programme de soins complets avait été réservé pour moi, « y compris un petit passage chez le coiffeur ». À ce propos, d'ailleurs, pouvait-elle dire deux mots au figaro des lieux ? L'hôtesse a décroché son téléphone. Peu après, un homme musculeux et distingué s'est présenté à nous. « Martin », a-t-il annoncé d'une voix confidentielle.

— Enchantée, Martin. Voici votre victime… – Elle a sorti de son sac à main la photo de Caitlin et moi qu'elle avait emportée… – Et voici à quoi il ressemblait avant de retourner vivre dans une caverne. Vous pensez que vous pourriez le ramener au stade post-Neandertal ?

— Sans problème, a déclaré Martin avec un frémissement amusé des lèvres.

— OK, mon grand, m'a dit Martha. Je te laisse ici quatre heures. Profite bien. Je te retrouve pour un verre dans le patio à sept heures.

— Et toi, tu vas faire quoi ?

— Encore une question…

Elle est repartie vers l'entrée tandis que Martin posait une main sur mon épaule pour m'inviter à le suivre dans ce sanctuaire de la remise en forme.

Après avoir été dépouillé de tous mes vêtements, j'ai été conduit par deux jeunes assistantes vers une salle tout en marbre où j'ai été aspergé d'eau brûlante haute pression, frictionné au savon d'algues marines, enveloppé dans un peignoir luxueux et escorté jusqu'au fauteuil où Martin m'attendait. Il a d'abord débroussaillé ma barbe à la tondeuse, puis serviettes chaudes, mousse, et un rasoir étincelant a surgi du stérilisateur en inox. Une fois cette opération terminée, il m'a shampouiné la tête dans le bassin. Bientôt, j'avais retrouvé la coupe « court dans la nuque et sur les côtés » qui avait été si longtemps la mienne. Une tape sur l'épaule, il m'a désigné une autre porte en murmurant : « Je vous verrai à la fin. » Les trois heures suivantes, j'ai été malaxé, trituré, transformé en momie d'argile, massé aux huiles essentielles et renvoyé à Martin, qui a opéré quelques ajustements sur ma coiffure, m'a séché et brossé les cheveux. Les yeux sur mon image dans le miroir, il a décrété :

— Voilà, vous êtes redevenu celui que vous étiez.

Je ne savais pas trop si je l'aimais, cet ancien moi revenu dans la glace. J'avais le visage plus émacié, des yeux qui trahissaient la fatigue et le chagrin. Malgré cette cure accélérée de « bien-être », je n'arrivais pas à croire qu'un changement d'apparence aussi radical puisse m'apporter quoi que ce soit. En réalité, je ne voulais plus voir cette tête-là, parce que je ne lui faisais plus confiance. Et je me suis juré de laisser repousser ma barbe.

En arrivant dans le patio spectaculairement ouvert sur le Pacifique, j'ai trouvé Martha assise à une table. Elle avait passé une robe noire très courte et laissé ses cheveux tomber librement sur ses épaules. Elle n'a pas sursauté en me voyant, cette fois, mais m'a gratifié d'un sourire :

— Nettement mieux.

Je me suis assis à côté d'elle.

— Montre un peu.

Elle a posé une main sur ma joue, s'est penchée sur moi et m'a embrassé avec fougue.

— Beaucoup, beaucoup mieux.

— Content que tu aimes, ai-je bredouillé, encore sous le choc de ce baiser.

— Voyez-vous, monsieur Armitage, il y a un déficit d'hommes à la fois séduisants et intelligents, dans ce monde. Vous trouverez plein de beaux idiots, et plein de grosses têtes moches, mais cette première catégorie… En voir un, c'est aussi difficile que la comète de Halley. Donc, quand l'un de ces oiseaux rares décide de ressembler à un rescapé de Woodstock, il faut prendre des mesures pour ramener le garçon au bon sens. Surtout que moi, je ne pourrai jamais coucher avec quelqu'un qui a l'air de sortir d'un chromo du Sermon sur la montagne.

Il y a eu un long silence. Martha m'a pris la main :

— Tu as entendu ce que je viens de dire ?

— Oui…

— Alors ?

Cette fois, c'est moi qui ai pris ses lèvres.

— Voilà la réponse que j'attendais.

— Tu sais à quel point j'étais attiré par toi, la nuit sur ton île ? lui ai-je demandé soudain.

— Encore une question.

— Et puis ? Je veux que tu le saches.

Elle a saisi les revers de ma veste et m'a fait venir tout contre elle.

— Je le sais, oui, a-t-elle murmuré. Parce que j'ai ressenti la même chose. Mais maintenant, assez parlé de ça.

Elle m'a encore embrassé.

— Tu veux essayer quelque chose de différent ?

— Un peu !

— Contentons-nous d'un verre de vin, ce soir. Deux, maximum. J'ai l'impression que ce sera bien d'avoir la tête claire, après…

Nous avons donc bu un verre de chablis avant de passer au restaurant pour un dîner d'huîtres et de langoustines, que j'ai accompagné d'un second verre, et nous avons parlé de milliers de choses sans importance en riant comme des idiots. Après avoir refusé le café qui nous était proposé, nous nous sommes levés de table. Martha m'a repris la main pour m'entraîner dans le hall, l'ascenseur, une grande suite lumineuse. Elle a refermé la porte derrière nous et, passant ses bras autour de moi :

— Tu connais la scène obligatoire, dans tous les films avec Cary Grant et Katherine Hepburn, quand il lui retire ses lunettes et l'embrasse passionnément ? C'est celle-là que je veux qu'on joue, tout de suite.

Et nous l'avons faite, cette scène, mais elle nous a emportés plus loin que le scénario habituel. Enlacés, nous avons chancelé jusqu'au lit. Et puis… Et puis un nouveau jour était là et je me suis réveillé pour découvrir que j'avais merveilleusement dormi. Dans ce bref instant de béatitude à demi consciente, les yeux encore clos, j'ai revécu cette soirée extraordinaire, chacune de ces minutes fantastiques. Ma main, qui cherchait Martha à côté de moi, est tombée sur un rectangle en bois : le cadre de ma photo avec Caitlin, posé sur l'oreiller. Je me suis redressé d'un bond. J'étais seul dans la pièce. Dix heures vingt à ma montre. Il y avait une boîte plate et noire sur la table, une enveloppe posée en travers. Je me suis approché. J'ai ouvert le mot qu'elle m'avait laissé.

David chéri,

Je dois partir. Je vais t'appeler très vite mais, s'il te plaît, laisse-moi te contacter la première.

Voici un petit cadeau pour toi. Si tu décides de ne pas le garder, je ne t'adresserai plus jamais la parole. Pas pour l'objet, mais pour ce qu'il représente. Et comme j'ai vraiment envie de continuer à te parler... enfin, tu vois la suite.

Je t'aime,

Martha.

J'ai ouvert la housse noire. Un portable Toshiba dernier modèle.

Quelques minutes plus tard, j'étais devant la glace de la salle de bains et mes doigts frottaient pensivement un début de barbe. J'ai décroché le téléphone qui se trouvait non loin, composé le numéro de la réception.

— Bonjour. Vous pensez que je pourrais avoir un kit de rasage ?

— Je vous envoie ça tout de suite, monsieur Armitage. Désirez-vous un petit déjeuner ?

— Juste un jus d'orange et un café, merci.

397

— Tout de suite, monsieur Armitage. Il fallait que je vous prévienne, aussi : votre amie a réservé l'une de nos voitures pour vous reconduire à votre domicile.

— Vraiment ?

— Oui, tout est prêt. Mais vous avez la chambre jusqu'à une heure, donc je vous en prie…

À une heure moins cinq, j'étais à l'arrière d'une Mercedes avec chauffeur, mon portable sur le siège en cuir à côté de moi, en route vers Meredith.

Le lendemain matin, j'ai pris mon service à la librairie. Les est passé dans l'après-midi et il lui a fallu un moment pour comprendre qui était l'intrus installé derrière la caisse enregistreuse. Affectant un air solennel, il m'a déclaré :

— D'après mon expérience, il faut que vous soyez sacrément amoureux pour avoir renoncé à cette tignasse et à cette barbe.

Je l'étais, oui. Et plus encore que « sacrément » : Martha occupait toutes mes pensées. Le souvenir de cette nuit ne me quittait pas, sa voix, son rire, ses murmures enfiévrés tandis que nous faisions l'amour… J'étais consumé par le désir de lui parler, de la toucher, d'être avec elle. Et qu'elle ne m'ait pas encore téléphoné me torturait.

Au quatrième jour, je n'en pouvais plus. J'ai décidé d'enfreindre ses directives si je ne l'entendais pas avant le lendemain midi. Je l'appellerais sur son mobile, je lui dirais que nous devions nous retrouver quelque part, tout de suite. Ce n'était pas un simple coup de foudre qui était en cours, là, mais la confirmation passionnée du pressentiment que j'avais eu dès le début, même si j'avais tenté de ne pas l'admettre : c'était « pour de bon », cette fois.

Le lendemain, à huit heures du matin, on a frappé à la porte. J'ai sauté du lit en me disant : « C'est elle. » À la place, j'ai vu un gaillard en uniforme bleu marine, qui m'a tendu une grande enveloppe en papier kraft.

— Monsieur Armitage ? Un paquet pour vous.

— De… de la part de qui ?

— Aucune idée.

J'ai signé, je l'ai remercié et je suis rentré. L'enveloppe contenait une cassette vidéo. Quand je l'ai sortie du fourreau cartonné, j'ai découvert sur l'étiquette blanche un cœur maladroitement dessiné, percé d'une flèche qui s'étendait entre des initiales. D. d'un côté, M. de l'autre. J'ai frissonné, fermé les yeux, puis je me suis ressaisi et je suis allé glisser la cassette dans le magnétoscope.

Plan fixe d'une luxueuse chambre d'hôtel. La porte s'ouvre, un couple entre, s'enlace. Malgré la mauvaise qualité de la prise de son, j'ai à nouveau entendu Martha me demander si je connaissais la scène incontournable dans les films où Cary Grant et Katherine Hepburn étaient les deux vedettes. Ensuite, nous nous embrassons, nous chancelons à reculons jusqu'au lit, nous nous arrachons mutuellement nos vêtements. La caméra est parfaitement positionnée pour capter les moindres détails.

Au bout de cinq minutes, j'ai coupé. Je ne voulais pas en voir plus, parce que je connaissais la suite mais aussi parce que j'étais atterré, révolté.

Fleck. L'omniscient, l'inévitable, le tout-puissant Philip Fleck. Il nous avait piégés, de bout en bout. Il avait écouté les conversations téléphoniques de Martha, surpris la réservation à l'hôtel de Santa Barbara, envoyé ses gens acheter la discrétion des uns et des autres pour arriver à nous espionner dans la suite qui nous avait été allouée. Et il nous avait eus. Là, exposés dans notre nudité, sur un film vidéo aux couleurs un peu criardes, au grain un peu forcé. Sa première production hardcore. Qui allait lui servir à détruire sa femme et à s'assurer que le périmètre interdit dans lequel il m'avait poussé resterait ma seule adresse.

Le téléphone s'est mis à sonner. J'ai bondi dessus.

— David ?

La voix de Martha m'a paru d'un calme surnaturel, empreint de cette sorte de détachement qui succède à un choc terrible.

— Ah, c'est toi ! Merci mon Dieu !

— Tu l'as vue ?

— Oui. À l'instant. Il me l'a envoyée ici par porteur spécial.

— C'est quelque chose, non ?

— Je n'arrive pas à y croire…

— Il faut qu'on se voie.

— Tout de suite.

5

J'étais douché, habillé et sur la route en cinq minutes. Pendant tout le trajet jusqu'à Los Angeles, je suis resté pied au plancher, poussant la Golf jusqu'aux limites de ses faibles capacités, soit environ cent quarante. C'était comme d'obliger un vieillard asthmatique à courir un cent mètres, mais je m'en moquais : je devais retrouver Martha au plus vite, avant que Fleck n'utilise cette cassette à des fins que je ne pouvais même pas concevoir.

Je suis arrivé peu après dix heures au café de Santa Monica qu'elle m'avait indiqué. Elle était déjà là, assise face à la mer. Le soleil était éclatant mais une légère brise du Pacifique tempérait la chaleur du matin. Si j'avais eu conscience de tout cela sur le moment, je me serais dit que c'était une belle journée.

— Salut !

Je n'ai pu évaluer son état d'anxiété à son regard, car elle portait des lunettes noires, mais j'ai tout de suite été frappé par son attitude étonnamment paisible, que j'ai mise une nouvelle fois au compte du traumatisme qu'elle venait de subir.

Je l'ai serrée dans mes bras. Elle ne s'est pas levée et m'a embrassé sur la joue, deux signes qui ont renforcé mon désarroi et mon inquiétude.

— Du calme, a-t-elle chuchoté en posant une main sur ma nuque et en me poussant doucement dans la chaise. On ne sait jamais qui est en train de regarder.

— Oui... bien sûr, ai-je balbutié en m'asseyant et en prenant ses doigts sous la table. Mais tu vois, j'ai... j'ai réfléchi à tout ça sur la route. J'ai compris ce qu'il nous reste à faire. Il faut qu'on aille voir ton mari, tous les deux, lui annoncer que nous nous aimons et lui demander de ne rien tenter pour...

— David ? m'a-t-elle coupé assez abruptement. Avant quoi que ce soit d'autre, il y a une question importante à laquelle tu dois répondre.

— Oui, mon amour. Dis-moi.

— C'est un espresso que tu veux, ou un cappuccino, ou un caffe con latte ?

J'ai levé la tête, de plus en plus perdu. Une serveuse était penchée sur notre table, cherchant en vain à dissimuler son air amusé. Elle avait entendu toute ma tirade, visiblement.

— Double espresso.

Sitôt débarrassé de l'intruse, j'ai pris la main de Martha et je l'ai embrassée.

— Je n'en voyais plus la fin, de ces quatre jours.

— Vraiment ? a-t-elle demandé, taquine.

— Et je voulais te dire aussi... Ton cadeau m'a énormément touché.

— J'espère que tu t'en sers, surtout.

— Je vais m'en servir, mon amour. Promis.

— Écrire, c'est ce que tu sais faire.

— Je... Il faut que je t'avoue.

— Quoi ? Je t'écoute.

— Depuis l'instant où je me suis réveillé seul dans notre lit, tu n'as pas quitté mes pensées. Pas une seconde.

Elle a posément retiré sa main de la mienne.

— Tu es toujours comme ça quand tu viens de passer la première nuit avec une femme ?

— Pardon, pardon… Je sais que j'ai l'air d'un ado roucoulant, mais…

— C'est très mignon.

— C'est ce que je ressens.

— Oui. David, il y a un sujet plus urgent dont on doit discuter, maintenant.

— Bien sûr, tu as raison ! Ce qu'il peut encore comploter avec cette cassette, c'est assez… terrifiant.

— Ça dépend de la manière dont il réagit.

— Mais puisque c'est lui qui a tout organisé, il doit déjà avoir une idée, non ?

— Il n'a rien à voir là-dedans.

— Hein ? Qu'est-ce que… Tu me dis quoi, là ?

— Je dis qu'il n'a rien à voir avec cette cassette.

— Mais ça ne tient pas debout, voyons ! Qui d'autre que lui aurait pu nous espionner, enfin ?

— Moi.

J'ai cherché une nuance taquine dans son regard, quelque chose à quoi me raccrocher, mais Martha se contentait de me fixer, imperturbable.

— C'est une blague ?

— Pas du tout.

La serveuse est revenue avec nos cafés. Je n'ai pas touché au mien.

— J'ai peur de ne pas comprendre.

— Oui ? C'est facile, pourtant. Quand j'ai vu que Philip ne reconnaîtrait jamais sa faute envers toi, j'ai décidé d'employer les grands moyens. Et j'ai eu cette idée : puisque je ne pouvais pas avoir une preuve tangible de lui, j'allais en avoir une de nous. Ils ont été très compréhensifs avec moi, à l'hôtel. Surtout quand j'ai graissé quelques pattes, évidemment. J'ai demandé à un vidéaste de L.A. que je connais de se charger de la partie technique. Et voilà.

— Tu veux dire que ce type était là ? Sur… les lieux ?

— Tu me prends pour qui ? Non. Tu te rappelles que je suis allée aux toilettes juste avant la fin du dîner ? En fait, je suis montée à la chambre et j'ai mis la caméra en route. Cachée dans un placard. Et après… Silence, on tourne. Le lendemain, pendant que tu dormais, j'ai pris la cassette. Deux jours plus tard, je suis repartie à Chicago, j'ai surpris Philip à son hôtel et je l'ai forcé à regarder les deux premières minutes du film.

— Tu l'as… Comment il a pris ça ?

— Typiquement lui : il n'a pas dit un mot. Fasciné par l'écran. Une souche. Mais je sais l'effet que ça lui a fait. Même s'il refuse de l'avouer, il est d'une jalousie féroce. Et je sais aussi qu'il a une peur maladive des révélations, des scandales. C'est exactement pour cette raison que j'ai monté tout ce plan. Parce qu'une vidéo de moi dans un lit avec toi ne peut que lui faire perdre toutes ses défenses. Comme je voulais être certaine qu'il recevrait bien le message, je lui ai précisé que j'ai laissé une copie de la cassette à mon avocat de New York. S'il n'a pas réparé ses torts envers toi d'ici une semaine, mon représentant juridique a la consigne de faire passer des exemplaires du film au *Post*, au *News*, à l'*Enquirer*, à *Inside Edition*, *Hard Copy*, bref à tout ce qui existe de pire dans la presse à scandale.

— Tu as vraiment dit ça ? ai-je soufflé, n'arrivant toujours pas à y croire.

— Je ne l'ai pas seulement dit. C'était mon intention et cela l'est encore. Les copies sont à New York et le temps passe. Il n'a plus que six jours.

— Mais s'il pense que c'est du bluff de ta part ? Dans ce cas, l'affaire sortira et, et...

— Et on fera la une des journaux, toi et moi. Je m'en fiche. S'il ne comprend pas la leçon, je suis prête à donner une interview grand déballage à Oprah Winfrey, ou Barbara Walters, ou Diane Sawyer. Ce calibre. Je vais raconter le bonheur que c'est de vivre avec un homme qui a des montagnes d'argent mais la sensibilité d'un coupe-papier. L'essentiel, d'ailleurs, c'est qu'il se rattrape pour le mal qu'il t'a fait. Quant à moi, ma décision est prise : je le quitte.

— C'est vrai ? ai-je demandé d'un ton un peu trop exalté.

— C'est ce que je lui ai dit. D'après mon avocat, que notre petite soirée devienne du domaine public ne peut avoir aucune conséquence sur notre contrat de mariage. Moi aussi, j'ai veillé au grain en le signant : que je parte ou qu'il veuille s'en aller, je reçois cent vingt millions.

— Grands dieux...

— Pour M. Fleck, c'est un excellent arrangement, crois-moi. Si nous étions tous deux résidents permanents de Californie, je pourrais l'attaquer en justice et recevoir la moitié de tout. Non que je veuille autant.

405

Cent vingt millions, ce sera amplement suffisant pour moi et pour l'enfant.

— Pour... qu'est-ce que tu as dis ?

— Je suis enceinte, David.

— Oh, ah... C'est... Super nouvelle.

— Merci.

— Depuis quand tu sais ?

— Trois mois.

Soudain, je me suis rappelé les raisons qu'elle avait habilement invoquées pour ne pas boire, l'autre soir...

— Et Philip, comment il...

— Il n'est au courant que depuis hier. C'est l'une des quelques bombes que je lui réservais.

— Mais je croyais que toi et lui, vous ne...

— Oui, sur ce plan notre mariage est mort pendant un long moment. Mais il y a eu une courte parenthèse peu après que je te rencontre à Saffron Island : Philip s'est brusquement souvenu du lit conjugal. Non seulement ça, mais il a été très présent, au point de donner l'impression qu'il était une nouvelle fois tombé amoureux de moi. Environ trois mois après, il est redevenu l'huître habituelle. Sans aucune explication, bien entendu. Hop, je referme la coquille. Et donc, quand j'ai découvert que j'étais enceinte, je ne lui en ai pas parlé. Jusqu'à hier. Et tu sais quelle a été sa réaction ? Silence complet.

J'ai repris sa main.

— Martha... Est-ce que...

— Ne dis surtout pas ce que tu es en train de penser.

— Mais est-ce que tu m'as...

— Quoi, aimé ?

— Oui.

406

— Je t'ai connu trois jours, en tout et pour tout.

— Mais on peut le savoir après cinq minutes.

— En effet. Sauf que je ne te suivrai pas sur ce terrain, aujourd'hui.

— Que tu aies tout risqué pour moi, c'est… inimaginable.

— Épargne-nous les violons, s'il te plaît. Ce type t'a traité plus bas que terre. Avant tout parce qu'il a été tenu informé point par point de notre escapade dans l'île, j'en ai plus que l'impression. Que nous ne soyons pas allés jusqu'au bout, ça n'avait aucune importance pour lui. Ce qui comptait, c'était que tu avais du talent et que j'avais l'air de t'apprécier. Et c'est pour ça que je me suis sentie responsable, quand tu m'as démontré comment il avait démoli ta vie professionnelle. Ensuite, comme il restait sourd à toute moralité, j'ai décidé de la jouer impitoyable, moi aussi. Et on est là. Ce dont il s'agit, c'est de remettre les pendules à l'heure, de régler les comptes, de réparer ce qui est réparable… Enfin, il y a encore plein d'expressions de ce genre, tu le sais.

— L'argent ne lui suffira pas pour réparer tout ça, Martha. Je vais avoir besoin d'une mise au point, par rapport à ma carrière, à mes éventuels employeurs. Une déclaration de sa part. Et aussi…

— Oui ?

Une idée avait surgi dans mon cerveau, aussi tordue que possible, mais qui me paraissait valoir le jeu. D'autant que je n'avais rien à perdre.

— Je voudrais que tu lui imposes le principe d'une interview. Lui et moi, dans un talk-show national haut de gamme. Ses gens peuvent obtenir ça, j'en suis sûr.

— Et que se passerait-il pendant cette causerie ?

— C'est mon affaire.

— Je vais voir ce que je peux obtenir, David. Sans garantie aucune.

— Tu as été merveilleuse, et plus encore. Tu es…

— Arrête, s'il te plaît.

— Oui. Mais une fois que nous aurons survécu à tout ça…

— Nous ?

— Oui, nous ! Pourquoi…

— Voyons déjà ce qui arrive pendant ces six jours, d'accord ? – Elle s'est levée. – Il faut que j'y aille.

L'imitant, je l'ai embrassée et cette fois elle n'a pas détourné les lèvres. Un torrent de déclarations passionnées menaçait de jaillir de moi, mais je l'ai contenu.

— Je t'appelle dès que j'ai du nouveau, a-t-elle murmuré avant de partir vers sa voiture d'un pas pressé.

Sur tout le chemin du retour, j'ai repassé notre échange en boucle, cherchant, comme tout amoureux transi, les rares signaux d'encouragement qu'elle aurait pu m'adresser. Elle quittait Fleck, c'était un fait. Même si elle n'avait pas clamé son amour pour moi, elle ne l'avait pas formellement nié, non plus. Elle avait noté qu'elle m'appréciait, au détour d'une phrase. Et elle n'avait fermé aucune porte entre nous : « Voyons déjà ce qui arrive pendant ces six jours… » Aussi, elle savait ce que j'éprouvais envers elle avant même que je n'apprenne le pactole qu'elle obtiendrait en se séparant de Fleck. Et ça, c'était une preuve d'amour sérieuse, non ? « Oh, la ferme, Armitage ! On croirait un gamin de treize ans ! » Mais c'est l'un des effets classiques de la passion amoureuse : réveiller l'adolescent qui sommeille en chacun de nous.

Fataliste comme je l'étais, pourtant, je n'ai pu m'empêcher d'envisager également le pire des scénarios : Fleck décidait de jouer au plus fort, la cassette était rendue publique et je me retrouvais doublement en accusation, l'ignoble plagiaire se doublant désormais du destructeur de foyers conjugaux, couchant avec une femme enceinte de trois mois, pour ne rien arranger... Martha divorçait tout de même mais elle décidait de se passer de moi. La débâcle totale.

À mon arrivée à la librairie, deux messages m'attendaient sur le répondeur. Le premier avait été laissé par mon patron, qui se demandait pourquoi je n'avais pas ouvert la satanée boutique le matin et espérait que cette faute ne se reproduirait pas. Dans le second, Alison m'enjoignait de la rappeler presto. Dont acte.

— Eh bien... Les voies du Seigneur sont impénétrables.

— Mais encore ?

— Voilà. Je viens d'être contactée par un certain Mitchell van Parks, associé d'un cabinet d'avocats super chic de New York. Il s'exprimait au nom des Films Fleck... Et donc, il commence par présenter ses excuses pour la « grave erreur » commise au moment de l'enregistrement de « ton » scénario à l'AATC. Le tien, oui ! Une « regrettable faute de leur système informatique », que la compagnie qu'il représente veut rattraper en toute équité. « C'est-à-dire ? » je demande. Et lui : « Un million pour M. Armitage et une cosignature du scénario. » Moi, je reste sereine : « Il y a sept mois, je lui dis, votre client a proposé au mien un

409

million quatre d'entrée de jeu. Étant donné que des questions gênantes ne manqueraient pas de surgir s'il devenait public que le nom de M. Fleck s'est retrouvé tout seul sur la page de garde de *Duo de dingues...* » Il ne m'a même pas laissée finir ! « Un million quatre, très bien. » Mais j'ai dit : « Désolée, on ne marche pas. »

— Tu as quoi ?

— Oui, David ! J'ai continué à pousser, en expliquant que M. Fleck devait faire un geste supplémentaire s'il voulait que l'affaire soit vraiment classée. Et classée entre nous, pas sur la place publique.

— Il a répondu quoi ?

— Un cinq.

— Et tu as dit quoi ?

— Tope là.

J'ai dû poser le combiné un instant pour plonger mon visage dans mes mains. Je ne me sentais ni victorieux, ni vengé, ni soulagé. C'était une impression indéfinissable dans laquelle s'imposait un sentiment de perte, aussi surprenant que tenace. Et puis l'envie irrépressible d'avoir Martha dans mes bras, là, tout de suite. Son pari sur l'impossible avait payé. Et désormais, si elle voulait encore lancer les dés avec moi, notre vie pourrait...

— David ? Tu es là ? Réponds !

Alison s'époumonait dans le téléphone, que j'ai repris.

— Désolé. J'étais un peu...

— Pas besoin d'expliquer. Ces six mois ont été quelque chose.

— Que tu sois bénie, Alison. Bénie.

— Ah, non, pas de bondieuseries avec moi, Armitage ! Surtout que nous n'allons pas tendre la joue gauche dans la manche suivante, en nous demandant si nous acceptons la cosignature ou pas. J'ai prié van Parks de m'envoyer le script définitif par Fedex. Demain, quand je l'aurai, il faudra regarder ça sérieusement. Entre-temps, je vais m'offrir une bonne bouteille de champagne. Et je te suggère de faire de même. Je suis contente, moi : trois cent mille dollars en un après-midi !

— Bravo.

— À toi aussi. Mais un jour tu m'expliqueras comment tu as réussi un renversement de situation pareil, d'accord ?

— Je ne dirai pas un mot, sinon ceci : c'est bon de recommencer à bosser avec toi, Alison.

— Recommencer ? On n'a jamais arrêté, David !

Aussitôt après, j'ai appelé Martha, pour tomber sur la messagerie de son portable. Je lui ai laissé un message indiquant que je savais que son stratagème avait réussi, en la priant de me téléphoner « n'importe quand, jour et nuit ». Mais je n'ai eu aucune nouvelle. Ni la nuit, ni les deux jours suivants. Alors que je me morfondais à l'attendre, c'est Alison qui m'a passé un coup de fil tout aussi surprenant que le précédent.

— Tu pourrais trouver le *New York Times* d'aujourd'hui, dans ton trou ?

— Il est en vente chez nous, figure-toi.

— Ouais. Cahier « Arts et Spectacles » ? Une interview avec notre génie du septième art, j'ai nommé Philip Fleck. Il faut que tu voies ce qu'il raconte à ton sujet, David ! À côté de toi, question persécutions obscurantistes, Salman Rushdie a eu une vie pépère. Et il compare le journaleux qui a monté cette campagne contre toi à un nouveau McCarthy. Mais le plus beau, ce qui vient le plus délicieusement confirmer le peu de bien que je pense de l'humanité, c'est que, d'après lui, les attaques de MacAnna et la lâcheté abominable de la profession vous ont conduit, toi et lui, à décider d'un commun accord qu'il valait mieux que ton nom disparaisse entièrement. « Dans l'intérêt du film » !

J'avais déjà saisi un exemplaire du quotidien sur le présentoir et rattrapé Alison dans son résumé de l'article. Je suis arrivé aux lignes suivantes : « Cependant, la perspective de rayer le nom du scénariste a si douloureusement évoqué à Philip Fleck la sombre période des listes noires dans le Hollywood des années cinquante qu'il a résolu de rompre le silence sur ce sujet. Il a dû aussi surmonter sa fameuse aversion pour les interviews dans le seul but de venir défendre publiquement son scénariste : "Il est honteux que l'une des voix les plus originales de notre temps ait été réduite au silence par un individu frustré dans ses prétentions d'auteur. L'étourdissant scénario que David nous a donné pour *Duo de dingues* restera la meilleure réplique à ces calomnies. Et Hollywood va se rendre compte de ce qu'il a perdu." »

— Putain !

— Ouais. Maintenant, Fleck aurait toutes les chances d'être embauché si un studio décidait de refaire une vie d'Émile Zola. Et il t'appelle par ton petit nom, en plus ! Bon. Tu te décides à me raconter ce qui s'est passé sur son île perdue, enfin ?

— Je suis tenu à la discrétion, Alison.

— Tu te crois drôle ? Tu ne l'es pas. Mais enfin, comme tu recommences à rapporter de l'argent… Et cet article va te rouvrir des tas de portes à L.A. Tu veux parier ?

En effet, le téléphone n'a pas arrêté de sonner ce soir-là. J'ai répondu aux questions du *Daily Variety*, du *Hollywood Reporter*, du *L.A. Times*, du *San Francisco Chronicle*… Et de quelle manière ? Quelle a été ma réaction au soudain et vibrant panégyrique de Philip Fleck en ma faveur ? J'ai joué le jeu, évidemment. J'ai encensé le bonhomme pour ses mille qualités, et notamment pour son « remarquable respect de la chose écrite », ce dernier commentaire étant bien sûr un avertissement au réalisateur et à son « équipe de création » : n'allez surtout pas imaginer que vous allez toucher une ligne de mon scénario ! Et lorsqu'on m'a demandé si je gardais rancune à Theo MacAnna, j'ai simplement répondu que je n'aurais pas aimé être à la place de sa conscience.

Entre deux interviews, j'ai à nouveau cherché à joindre Martha. Cette fois encore, j'ai été immédiatement transféré sur la boîte vocale et j'ai laissé un bref message. Comme elle ne rappelait pas, j'ai dû lutter contre la tentation de lui envoyer un e-mail ou même d'aller frapper à sa porte à Malibu. J'avais compris ce que Fleck était en train de faire : tout en s'assurant que la cassette vidéo ne sortirait jamais du tiroir, il proclamait aussi à sa femme qu'il ne voulait pas la perdre.

Le lendemain, le *Los Angeles Times* avait repris intégralement l'interview new-yorkaise de Fleck. Tôt dans la matinée, une productrice de l'émission *Today* à la NBC m'a téléphoné pour m'annoncer que j'avais une place réservée dans l'avion de quatorze heures.

Une limousine m'attendrait à JFK et une chambre était retenue pour moi au Regency. Le jour suivant, Fleck et moi allions passer ensemble pendant la dernière partie du talk-show.

Il était neuf heures et quart. Je n'avais que le temps de filer à l'aéroport de L.A., où mon billet était prêt. J'ai appelé Les chez lui :

— Je sais que c'est sans préavis, mais j'ai vraiment besoin de deux jours de congé.

— Oui. J'ai vu le papier dans le *Times*. J'ai idée que vous n'allez pas rester encore très longtemps à la librairie, David.

— Sans doute pas, non.

— Bon, allez-y. Mais tout de même, vous pourrez me garantir deux semaines de travail, après ? Le temps que je trouve quelqu'un ?

— Comptez sur moi.

J'ai préparé un sac de voyage très alourdi par les quatre scénarios que j'ai placés au fond. Il m'a fallu deux heures pour arriver à l'aéroport, moins de six pour traverser le continent. À minuit, j'étais dans ma chambre d'hôtel. Incapable de trouver le sommeil, je me suis rhabillé et j'ai flâné dans les rues de Manhattan jusqu'au point du jour. Revenu au Regency, j'ai attendu la limousine de la NBC. À sept heures vingt, tandis qu'une maquilleuse des studios me couvrait le visage de fond de teint et de poudre, la porte s'est ouverte et Philip Fleck est entré, flanqué de deux gardes du corps en costume trop raide.

Il s'est assis dans le fauteuil à côté de moi. Il ne m'a fallu qu'un rapide coup d'œil pour remarquer les cernes sous ses yeux : je n'avais pas été le seul à mal dormir, donc. Sa nervosité était évidente, tout comme sa ferme intention de ne pas me regarder. Il a fermé les paupières pour échapper au bavardage de la maquilleuse, qui avait voulu le distraire en lui refaisant la façade. La porte s'est encore ouverte. Une jeune femme hyper-décidée, hyper-souriante et hyper-contente d'elle – « Melissa. Je suis votre assistante de production pour la matinée » – nous a décrit les grandes lignes des cinq minutes d'antenne que l'on attendait de nous. Fleck a gardé les yeux fermés pendant qu'elle débitait les questions que Matt Lauder, l'animateur, pourrait nous poser.

— Nous sommes au clair, messieurs ?

Hochement de tête de Fleck et de votre serviteur. Elle nous a donc souhaité bonne chance avant de repartir en hâte. À ce moment, je me suis tourné vers mon ex-ennemi juré :

— Je voulais vous remercier pour tous ces compliments que vous m'avez adressés. J'ai été touché, franchement.

Il a continué à regarder le mur, ses traits poupins contractés par l'appréhension.

En une seconde, nous avons été entraînés à travers des couloirs jusqu'au plateau de la célébrissime émission. Matt Lauder était déjà installé dans un fauteuil, jambes croisées. Il s'est levé pour nous serrer la main, interrompu dans ses salutations par les techniciens venus fixer des micros miniatures sous le revers de notre veste et par les maquilleuses décidées à retoucher encore nos têtes de carnaval. Fleck m'a observé de biais tandis que je posais mes quatre manuscrits sur la table basse, sans proférer un mot. Le front pâteux de sueur, il ne pouvait plus dissimuler son trac, désormais. Après avoir lu tant de commentaires sur sa

haine des interviews et sur son refus des invitations
à la télé, j'étais aux premières loges pour constater
le supplice qu'il s'infligeait en s'asseyant devant les
caméras. Et une nouvelle fois je n'ai pu m'empêcher
de penser que c'était, avant tout, parce qu'il tenait
désespérément à Martha.

— Vous êtes OK, Philip ? l'a interrogé Lauder.

— Ça ira, oui.

— Quinze secondes, a annoncé la régie.

Nous nous sommes tous raidis dans l'attente
pendant le compte à rebours, puis l'animateur s'est
animé, reprenant le fil de l'émission :

— Pour ceux d'entre vous qui raffolent de scandales hollywoodiens, en voici maintenant un qui vient
de revenir très fort dans l'actualité. Avec un happy
end, cette fois, ce qui n'est pas vraiment la loi du
genre. David Armitage, l'auteur de *Vous êtes à
vendre !*, l'un des grands succès télévisuels de ces
dernières années, avait vu sa carrière ruinée après
avoir été accusé de plagiat. Il est de retour, lavé de
tout soupçon, et ce grâce à l'intervention de l'un des
plus grands brasseurs d'affaires de notre pays, Philip
Fleck… Je sais qu'habituellement vous évitez les
apparitions publiques, Philip, et que vous êtes pris par
votre nouveau film, car vous êtes aussi réalisateur.
Qu'est-ce qui vous amène à monter ainsi au créneau
pour défendre David Armitage ?

La tête baissée, Fleck a répondu d'une voix altérée :

— David est tout simplement le meilleur scénariste que nous ayons actuellement. C'est lui qui a écrit
mon prochain film, d'ailleurs. Lorsqu'il a été ignomi-
nieusement attaqué par un journaliste qui n'est autre

416

qu'un... euh, tueur à gages, j'ai pensé que je deva
intervenir.

— Oui. Et cette intervention est assez providen-
tielle pour vous, n'est-ce pas, David ? Car pratiquement tout Hollywood vous avait tourné le dos.

— C'est vrai, Matt, ai-je reconnu avec un grand
sourire. C'est une résurrection professionnelle et je la
dois à mon grand ami ici présent, Philip Fleck. Et pour
vous montrer jusqu'où va le sens de l'amitié, chez lui,
j'ai apporté ceci... – M'emparant de l'un de mes
scénarios posés devant moi, je l'ai ouvert à la page
de garde. – Au moment où ma réputation était bafouée,
où personne ne voulait plus me donner de travail,
Philip a tout simplement repris quatre de mes
scénarios non tournés, sous son nom. Parce qu'il savait
qu'aucun studio ne voudrait entendre parler de moi.

— Vous avez donc été une sorte de couverture pour
David Armitage, Philip ?

Il a enfin consenti à lever les yeux sur moi et c'est
la plus glaciale des stupéfactions que j'y ai lue. Il avait
compris que je l'avais coincé. Dès que les caméras
sont revenues sur lui, pourtant, il a repris son air à la
fois revêche et timide :

— Si vous voulez, oui. David était devenu un paria
à Hollywood. Alors, comme... comme je voulais la
meilleure distribution pour le film que je tourne en ce
moment sur l'un de ses scénarios, je l'ai signé moi-
même... En plein accord avec David, bien sûr.

— En plus de *Duo de dingues*, dont le tournage
commence le mois prochain avec rien de moins que
Peter Fonda, Dennis Hopper et Jack Nicholson, vous
avez donc l'intention de porter à l'écran trois autres
idées de David Armitage ?

s qui paraissait vouloir rentrer sous terre, a eu *de* d'articuler :

— C'est... c'est mon intention, Matt.

— Et pour dire plus, Matt, me suis-je hâté d'intervenir, Philip ne le mentionnera jamais lui-même, évidemment, modeste comme il est, mais il a tenu à me les acheter tous à un moment où ma situation était... disons... critique. Et quand je dis acheter : deux millions et demi pièce !

Même Lauder a paru estomaqué par cette somme colossale.

— Philip ? – Les lèvres de Fleck frémissaient. Il a approuvé péniblement de la tête. – Eh bien, c'est ce que l'on peut appeler croire en quelqu'un, ça !

— En effet, Matt. Et encore plus quand on sait que ce contrat à dix millions est ferme, c'est-à-dire que Philip m'a garanti cette somme même si les scénarios ne vont pas jusqu'au tournage. C'était une aide tellement généreuse, mais aussi une telle preuve de confiance, que je n'ai pas pu refuser. Et bon, pour être franc, on ne m'a pas forcé la main non plus !

Un Matt Lauder très amusé par cette dernière remarque s'est tourné vers le mécène :

— On pourrait dire que vous êtes le rêve de tous les scénaristes, Philip Fleck !

Il m'a fixé une longue seconde.

— David le vaut largement.

Et moi, soutenant son regard :

— Merci encore, Philip.

L'interview s'est achevée peu après et Fleck a quitté le plateau en trombe. Après avoir pris congé de Matt Lauder, j'ai été reconduit au salon de maquillage, où j'avais laissé mon téléphone portable sur le plan de travail. Je l'avais à peine pris dans ma main qu'il s'est mis à vibrer.

— Mais tu es un dangereux enfoiré, toi… – La voix d'Alison vibrait d'excitation. – Un entubage pareil, je n'ai jamais vu ça !

— Content que ça t'ait plu.

— Si ça m'a plu ? Tu viens de me faire gagner une brique et demie en cinq minutes et tu veux que ça ne me plaise pas, nom de nom ? Mes félicitations, David.

— À toi aussi. Tu as plus que mérité ta com.

J'ai entendu son rire éraillé par la cigarette.

— Ramène tes fesses tout de suite, mon poulet. Tout le monde va s'arracher David Armitage, maintenant.

— Très bien. Dis seulement que je ne peux rien prendre pour les quinze jours à venir.

— Pourquoi ?

— Je dois faire mon préavis à la librairie.

— Arrête de jouer les idiots, David !

— J'ai donné ma parole à… – La porte s'est ouverte à la volée. Philip Fleck est entré dans la pièce comme un automate. – Faut que je te laisse, Ali. Je te rappelle.

Il s'est laissé tomber dans le fauteuil près du mien. Une fille s'approchait déjà, un pot de crème à démaquiller entre les doigts, mais il l'a arrêtée d'un geste.

— Vous pouvez nous laisser une minute, s'il vous plaît ?

Elle s'est éclipsée sans un mot, mais Fleck a tardé à prendre la parole.

— Vous savez que je ne tournerai jamais un seul de ces scripts. Jamais.

— C'est votre droit.

— Je laisse tomber *Duo de dingues*, même.

— Cela ne regarde que vous, également. Mais les trois légendes vivantes ne vont peut-être pas apprécier.

— Tant qu'ils seront payés, ils ne broncheront pas. C'est le show-biz, non ? Il suffit que le contrat soit honoré et le chèque en banque. Le reste, on s'en fiche. N'ayez crainte, vous les aurez, vos dix millions. C'était un achat ferme. Pour ce que cela représente dans mon budget…

— Je me moque que vous me payiez ou non.

— Faux. Vous y tenez beaucoup. Grâce à cet argent, vous revenez dans le circuit de Hollywood, et en beauté. Vous pouvez me remercier mille fois, donc. Même si, sans le vouloir, vous avez incroyablement amélioré mon image. Le public me voit maintenant comme le champion des causes perdues. Et le protecteur des écrivains, en plus. Bref, l'expérience a été bénéfique à l'un et à l'autre, vous ne pensez pas ?

— Vous avez vraiment besoin de tout avoir sous votre contrôle, hein ?

— Je ne suis pas trop votre logique, là.

— Mais si. Vous me comprenez très bien. C'est vous qui avez décidé de tout massacrer dans ma vie, de démolir ce que…

— C'est moi ?

— Vous avez eu l'idée de mettre en scène ma ruine, vous…

— Non, c'est vrai ? Vous pensez réellement ça ?

— Plus encore. Je le sais.

— C'est très flatteur, mais j'ai tout de même une question pour vous, David : est-ce moi qui vous ai demandé d'abandonner femme et enfant ? Qui vous ai forcé à venir à Saffron Island ? Qui vous ai mis un revolver sur la tempe pour que vous me vendiez votre scénario, même si la seule idée de le faire vous révulsait ? Et quand ce misérable roquet, MacAnna, a commencé à vous chercher des poux, est-ce moi qui vous ai dit de partir en guerre contre lui ?

— Le problème n'est pas là. Vous avez décidé de monter ce traquenard quand vous…

— Non, David. Vous avez tout monté vous-même. Vous vous êtes enfui avec Miss Birmingham.Vous avez rêvé d'empocher la somme que je vous offrais pour ce film. Vous avez voulu démolir le portrait d'un journaliste qui ne méritait que le mépris. Et puis, oui, bien sûr, vous êtes tombé amoureux de ma femme. Je n'ai rien eu à dire là-dedans, rien. Vous avez consciemment pris chacune de ces décisions.

— Mais de là à vous servir de moi comme d'un simple pion sur l'échiquier !

— Je n'ai joué aucun jeu avec vous, David. Vous êtes devenu la victime de vos propres choix, c'est tout. La vie est ainsi, voyez-vous. Une succession de choix qui affectent notre situation, et, lorsqu'ils se révèlent négatifs, nous n'avons qu'une hâte : en rejeter la faute sur la méchanceté des autres. Alors qu'il n'y a d'autre coupable à chercher que soi-même.

— Je suis bluffé par votre cynisme, monsieur Fleck. C'est à… couper le souffle.

— Et je suis également admiratif devant votre refus systématique de regarder la réalité en face.

— C'est-à-dire ?

— Reconnaître que vous vous êtes piégé tout seul. Ce qui n'a rien de honteux, car nous le faisons tous, en permanence. C'est ce que l'on appelle le doute, n'est-ce pas ? Et nous passons le plus clair de notre vie à douter de qui nous sommes.

— Ah ! Qu'est-ce que vous pouvez savoir de ça, vous ?

— L'argent n'achète pas le doute pour le neutraliser. C'est tout le contraire : souvent, il ne fait que le renforcer. – Il s'est levé : – Et maintenant, il faut que…

— Attendez ! J'aime votre femme !

— Félicitations. Moi aussi, je l'aime.

Il est allé à la porte, s'est retourné :

— On se reverra au cinéma, David.

Sur la route de l'aéroport, j'ai encore laissé deux messages à Martha. Sept heures plus tard, revenu en Californie, j'ai vérifié mon cellulaire : ex-amis, connaissances de travail m'avaient accablé d'éloges à propos de mon passage sur NBC. La seule voix qui comptait pour moi, cependant, n'était pas sur mon répondeur.

Je suis rentré à Meredith au radar. Le lendemain, en ouvrant le *Los Angeles Times*, je suis tombé sur un long article consacré à… Theo MacAnna. Excellentes sources, parfaitement documenté, c'était essentiellement un démontage des méthodes staliniennes du bonhomme, de sa jalousie chronique, de sa mythomanie – il claironnait partout qu'il avait fait le Trinity College de Dublin quand il avait à peine le bac – et de certains détails personnels assez édifiants, comme d'avoir laissé deux filles sans un rond, l'une à Bristol, l'autre à Glasgow, où il végétait comme chroniqueur local avant d'émigrer aux États-Unis, alors qu'il savait pertinemment qu'elles étaient enceintes de ses œuvres. L'intermède de son travail à la NBC était à nouveau rapporté, avec ce détail révélateur : environ un an avant la sortie de *Vous êtes à vendre !*, il avait tenté de caser une idée de feuilleton qui se passait justement dans une agence de relations publiques. Sans succès, ce qui expliquait sa haine tenace envers David Armitage...

En l'espace d'une journée, la chute de Theo MacAnna était consommée. *Hollywood Legit* a fait savoir que sa rubrique s'arrêtait. Nombre de journalistes voulaient avoir sa réaction à l'article du *L.A. Times*, mais il avait disparu de la circulation.

— Il paraît qu'il est retourné en Angleterre la queue entre les jambes, m'a raconté Alison. C'est ce que mon privé m'a appris, en tout cas. Et tu sais ce qu'il a découvert d'autre ? La semaine dernière, un million tout net est tombé sur le compte bancaire de MacAnna. En provenance de Lubitsch Holdings, bien entendu. Pas difficile de calculer le deal que Fleck a dû lui imposer : un million pour que tu fasses ta valise et qu'on ne te revoie jamais plus.

— Comment il peut être aussi bien informé, ton gars ?

— Je ne pose pas de questions. D'ailleurs ce n'est plus « mon gars », depuis aujourd'hui. Le dossier est clos. À propos : je viens de recevoir les contrats pour les quatre scénarios. Tout est en ordre.

— Oui, même si Fleck n'en fait jamais rien.

— À part *Duo de dingues*.

— Il m'a dit qu'il le mettait à la poubelle.

— Ouais. Juste après le tour que tu lui as joué devant les caméras. Ensuite, mon petit doigt me souffle que sa femme l'a convaincu du contraire.

— D'où tu sais ça ?

— Ce matin, en page trois de *Daily Variety*, nous apprenons que le tournage commencera dans un mois et demi, avec Martha Fleck comme productrice en chef. Tu as donc une alliée objective dans la place.

— Ah bon ?

— Que cette dame t'apprécie ou non, on s'en balance un peu. Le truc, c'est que le film va se faire.

La chance avait tourné, oui. Une semaine plus tard, j'ai reçu un coup de fil de Brad Bruce.

— J'espère que tu m'adresses encore la parole ?

— Je n'ai rien contre toi, Brad.

— Oui ? Tu es plus cool que je ne l'aurais été à ta place, alors. Enfin, merci. Comment ça va ?

— Comparé aux six derniers mois, très bien.

— Tu es toujours dans cette petite ville de la côte qu'Alison t'a trouvée.

— Ouais. Je fais mon préavis à la librairie locale.

— Tu bossais dans une librairie ?

— Faut bien croûter, non ?

— Certes, certes. Mais maintenant que tu as signé ce contrat dingue avec Fleck…

— N'empêche, j'en ai encore pour cinq jours ici.

— OK, OK. Admirable, en fait. Mais tu as quand même l'intention de rentrer à L.A., non ?

— C'est là qu'est l'argent, non ?

— Ah ! Je vois qu'on a encore de la repartie.

— Bon, comment ça va, sur la série ?

— Eh bien… C'est un peu pour ça que j'appelle. Après ton départ, on a pris Dick LaTouche pour superviser le script. On a six épisodes en boîte mais franchement, franchement, les grands patrons ne sont pas du tout contents. Ils disent qu'ils ne retrouvent pas le mordant, l'impertinence que tu mettais là-dedans. – Je suis resté silencieux. – Et donc, on se demandait si…

Huit jours après, la FRT me reprenait officiellement sur *Vous êtes à vendre !*. Je devais écrire quatre des huit derniers épisodes et superviser le reste. La « dette » du précédent contrat était effacée, bien évidemment, et je retrouvais le droit à la mention « sur une idée de… » pour tout le feuilleton. J'ai aussi récupéré mon bureau, ma place de parking, ma couverture médicale et surtout, surtout, ma réputation dans le milieu audiovisuel. Désormais, tout le monde faisait ami-ami. La Warner a contacté Alison pour lui annoncer que notre projet était à nouveau sur les rails et que le léger différend survenu antérieurement ne valait même pas la peine d'être mentionné : que M. Armitage garde la monnaie, en gros. Le téléphone n'arrêtait plus de sonner, des collègues m'ont invité à déjeuner. Et non, je ne me suis pas dit : où étaient-ils quand j'aurais eu besoin d'eux, tous ces braves gens ? Tout simplement parce que cela ne fonctionne pas ainsi, dans ce business. Ou on est dans le coup, ou on ne l'est pas. Ou on est lancé, ou on n'existe pas. En ce sens, Hollywood est un archétype des théories darwiniennes. Alors que dans d'autres villes la même hantise de la réussite se dissimule sous des couches d'urbanité et d'affectation intellectuelle, le principe de base est ici sans détour : si tu as quelque chose à m'apporter, tu m'intéresses. Monstrueuse superficialité, s'indigne-t-on souvent, mais moi j'aimais la franchise bourrue de ces rapports sociaux. On sait toujours de quoi il est question. On ne peut ignorer les règles du jeu.

La semaine même où j'ai signé un nouveau contrat avec la FRT, je suis rentré à L.A. Alors que j'avais les moyens de me mettre aussitôt en quête d'une maison, la prudence acquise pendant mon époque de vache enragée m'a dissuadé de céder aux coups de tête, à l'attraction facile qu'exerce tout ce qui entoure le succès. Au lieu du loft minimaliste ou de la villa délicieusement nouveau riche, j'ai loué une maison de ville moderne dans un quartier tranquille de Santa Monica. Deux chambres à coucher, lumineux. Trois mille dollars par mois. Raisonnable, quoi.

Lorsqu'il a fallu choisir l'emblème totémique, inévitable à L.A., c'est-à-dire une bagnole, j'ai tout bêtement décidé de garder ma Golf cabossée. Le premier jour de mon retour à la FRT, je suis arrivé juste derrière Brad Bruce qui, au volant de sa Mercedes SR décapotable, a jaugé ma vieille guimbarde d'un œil amusé :

— Ne m'explique pas, j'ai pigé ! C'est le trip rétro-baba. Je parie que la boîte à gants est pleine de cassettes de Crosby, Stills et Nash.

— Elle m'a bien servi à Meredith, je ne vois pas pourquoi elle ne pourrait pas m'être encore utile.

Brad a eu un sourire indulgent, qui signifiait : « OK, fais-toi encore un peu ce trip. Tu finiras par changer de voiture. Parce que c'est ce qu'on attendra de toi. » Il avait raison, en partie. Je savais que j'en viendrais à renoncer à ce tacot. Mais uniquement le jour où il ne démarrerait plus.

— Alors, prêt pour l'accueil au fils prodigue ? m'a-t-il lancé.

— Ne me charrie pas.

Quand je suis arrivé à notre étage, pourtant, toute l'équipe présente s'est mise debout pour m'applaudir. J'en ai eu les larmes aux yeux, j'avoue, mais quand ce petit triomphe s'est calmé j'ai réagi ainsi qu'on l'attendait de moi, c'est-à-dire par une vanne :

— Merci pour tout ça, vraiment. Je devrais être viré plus souvent. Et puis aucun d'entre vous n'a sa place dans ce métier. Vous êtes beaucoup trop honnêtes.

Je me suis rapidement réfugié dans mon ancien bureau. J'ai reconnu ma table, ma chaise pivotante, sur laquelle je suis tombé et que j'ai réajustée à la bonne hauteur. J'ai jeté un regard circulaire à la pièce en me disant : tu n'aurais jamais pensé que tu y reviendrais, hein ? Quelques minutes plus tard, Jennifer, mon ex-assistante, s'est arrêtée timidement à l'entrée.

— Ah, quelle bonne surprise ! ai-je lancé d'un ton engageant, mais avec une nuance dans ma voix qui indiquait que je n'avais pas oublié son hostilité lorsque ma disgrâce avait commencé.

— Je… je peux entrer ?

— Bien sûr. Vous travaillez ici, non ?

— David… monsieur Armitage… je…

— David, ça va toujours. Je suis content de constater qu'ils ne vous ont pas renvoyée, finalement.

— J'ai été graciée à la toute dernière minute, quand une autre secrétaire a annoncé son départ. David, est-ce que vous pourrez me pardonner ce qui… ?

— Le passé est le passé, Jennifer. Et je ne dirais pas non à un double espresso, si vous voulez bien.

— Tout de suite ! s'est-elle exclamée avec soulagement. Je reviens avec la liste de vos appels.

Là aussi, tout était comme avant, ou presque. Les deux noms qui se détachaient du reste étaient Sally

Birmingham et Bobby Barra, la première ayant téléphoné à la fin de la semaine précédente, le second ayant déposé deux messages quotidiens au cours des quatre derniers jours. D'après Jennifer, il avait même essayé de lui soutirer mon numéro personnel. Et il affirmait avoir d'excellentes nouvelles à me communiquer… D'emblée, j'ai compris que la main de Fleck se trouvait derrière cet empressement, que j'ai laissé sans réponse pendant une bonne semaine, histoire de lui montrer que je n'étais pas à sa botte.

J'ai fini par capituler le jour où Jennifer m'a informé que c'était le troisième appel de Bobby Barra depuis le matin.

— Tu sais faire baver les gens, y a pas à dire !

— C'est une remarque qui ne manque pas de sel, venant de toi.

— Hé, qui est-ce qui est devenu dingue de rage en apprenant que…

— Et qui a dit qu'il ne voulait plus entendre parler de moi ? Donc on devrait sans doute se dire d'aller se faire foutre l'un et l'autre et raccrocher, non ?

— Ah, ah, je vois que monsieur est monté sur ses grands chevaux. Genre « je suis le meilleur et je conchie tout le monde », à nouveau ?

— Ce n'est pas moi qui ai des complexes, Bobby. Et le fait est que tu es une petite crapule, au propre et au figuré.

— Et moi qui venais t'annoncer quelque chose de géant !

— Alors vas-y, et sois bref.

— Bon. Tu te souviens de ces dix mille dollars que tu avais laissés sur ton compte le jour où…

— Pardon ? Je n'ai pas gardé un rond, Bobby.

428

— Si, tu as oublié dans les dix mille.

— N'importe quoi.

— Ne m'oblige pas à me répéter, David. Je te dis que si.

— OK, OK… Et tu vas peut-être m'apprendre ce qu'il est advenu de ce fric que j'aurais oublié ?

— Je t'ai pris une participation dans une boîte vénézuélienne de nouvelle technologie. Rien de spectaculaire, non, mais dès son entrée en Bourse l'action a rapporté du cinquante contre un.

— Pourquoi tu me sers de pareilles conneries ?

— Ce n'en est pas, mon vieux. Tu as cinq cent mille dollars chez nous. J'allais justement demander qu'on t'envoie un relevé aujourd'hui, à toi et à ton comptable.

— Tu veux me faire gober ça ?

— La putain de thune est là, David ! À ton nom.

— D'accord, mais ces histoires de boursicotage au Venezuela… Tu n'as rien trouvé de mieux ? Je veux seulement que tu avoues…

— Quoi ?

— Qu'il t'a demandé de me mettre dans la mouise.

— Qui, il ?

— Tu le sais pertinemment.

— Je ne parle jamais de mes clients, moi.

— Ce n'est pas un client, c'est Dieu sur terre !

— Ouais. Et il lui arrive d'être sympa, Dieu, alors arrête de chercher la petite bête. Surtout quand le Dieu en question paie dix briques quatre vieux textes qui étaient en train d'attraper des champignons dans ton tiroir à chaussettes. Et pendant que tu y es, tu pourrais aussi me remercier de t'avoir gagné le double de ce qui te restait quand tu as claqué la porte.

— Bobby… Pfff, qu'est-ce que je peux dire, après tout ? Tu es un génie, d'accord.

— Je préfère considérer ça comme un compliment. Mais ma seule question, c'était : ce fric, j'en fais quoi ?

— « Dans quoi je l'investis pour toi », tu veux dire ?

— Juste.

— Et d'où tu tires que je tiens encore à tes services ?

— Du fait que je t'ai toujours rapporté plus que ta mise et que tu le sais.

J'ai réfléchi un moment à cet aspect des choses.

— Bon. Tu n'ignores pas qu'après la commission d'Alison et le passage des impôts, j'aurai encore dans les cinq briques du contrat avec Fleck, qui ne demandent qu'à travailler ?

— J'ai fait le calcul, oui.

— Et si je voulais mettre cet argent, plus le demi-million que tu as aimablement engrangé pour moi, dans un fonds de placement ?

— On pratique ça aussi. C'est pas ce qu'il y a de plus bandant, comme investissement, mais…

— Mais c'est moins risqué qu'une IPO en Asie du Sud-Est.

Il a soupiré bruyamment.

— Si tu cherches du solide, du fiable, avec un rendement pépère mais garanti, on peut te faire ça aussi.

— C'est ce que je veux, oui. Du béton armé. Et le fonds sera au nom de Caitlin Armitage.

— Ah, joli ! J'approuve cent pour cent.

— Trop gentil. Et puis n'oublie pas de remercier Fleck de ma part.

— Pardon ?

— Quoi, tu deviens sourd ?

— Tu n'as pas remarqué que c'est notre lot à tous ? On s'use. C'est la vie, paraît-il. Raison de plus pour garder un regard amusé sur tout ce qui nous arrive. En premier lieu les sales coups.

— Philosophe, avec ça. Ah, tu m'as manqué, Bobby.

— Et toi aussi. Vachement. On déjeune la semaine prochaine ?

— C'est impossible à éviter, j'imagine.

J'ai en revanche réussi à esquiver Sally pendant une semaine encore. Elle s'est montrée bien moins acharnée au téléphone que Barra, mais elle a rappelé plusieurs fois, jusqu'au jour où j'ai reçu une lettre sur papier à en-tête de la Fox :

Cher David,

Ce mot pour te dire ma joie de te voir revenu à ta situation après l'horrible campagne de dénigrement que tu as subie. Tu es l'un des éléments les plus doués que nous ayons, ce qui rend cette histoire encore plus consternante. Au nom de toute la chaîne, je te félicite d'avoir surmonté cette épreuve et de renouer avec le succès. Ce ne sont pas toujours les méchants qui gagnent, donc.

Je voulais également te dire que la Fox est très intéressée par le projet de série intitulée Ciel, mon mariage ! *dont nous avons déjà parlé. Sous réserve de tes obligations, je serais ravie de bavarder de tout cela avec toi au cours d'un déjeuner.*

J'attends de tes nouvelles,

Sally.

Était-ce sa façon de présenter des excuses, ou bien simplement un aveu alambiqué de son désir de « bavarder » ? Ou bien jouait-elle son jeu de super cadre d'une télé en plein essor traquant les talents là où ils se trouvaient ? Même si la réponse ne m'intéressait pas, je ne me sentais pas pour autant d'humeur agressive ni triomphaliste. Il n'y avait pas de quoi, d'ailleurs. J'ai pris une feuille à en-tête de la FRT et j'ai rédigé la lettre suivante :

Chère Sally,
Merci beaucoup pour votre mot. Mon retour à plein temps sur la série ne me permet pas de prévoir de déjeuner dans un avenir proche. Vu le planning de travail qui m'attend, je ne suis pas en mesure d'envisager une collaboration avec vous, non plus.
Bien à vous,

David Armitage.

La meilleure des nouvelles, cependant, m'a été offerte par Walter Dickerson, qui, après des mois de pénibles tractations, venait de récupérer mon droit de visite.

— Lucy s'est calmée, alors ?

— Oui. Elle a fini par comprendre que Caitlin avait besoin de voir son père, Je vous l'avais dit. Dommage que ça ait pris tout ce temps. Et non seulement elle a lâché là-dessus mais elle n'a pas réclamé que vos contacts avec votre fille se passent en présence de témoins. C'est souvent ce qui arrive, dans ce genre de cas.

— Son avocat a donné une explication quant à ce changement ?

— Je suis convaincu que Caitlin a joué un grand rôle. Et que vous ayez retrouvé votre prestige professionnel n'a pas été sans effet sur elle, franchement.

Il y avait une troisième raison, que j'ai découverte en allant passer mon premier week-end avec ma fille depuis huit mois.

J'avais loué une voiture à l'aéroport pour me rendre à Sausalito. Dès que je suis arrivé, Caitlin est venue se jeter dans mes bras. Je l'ai gardée contre moi un long moment, puis elle m'a donné un petit coup de coude :

— Tu m'as apporté un cadeau ?

J'ai ri à ce merveilleux toupet et à son remarquable équilibre, aussi : malgré cette affreuse parenthèse, rien n'avait changé pour elle. J'étais son père, point.

— Il est dans la voiture. Je te le donnerai tout à l'heure.

— À l'hôtel ?

— Oui.

— Le même où on a été tous les deux ? Très très haut dans le ciel ?

— Non, pas celui-là, Caitlin.

— Ton ami ne t'aime plus, alors ?

Je l'ai contemplée, stupéfait. Elle se souvenait de tout.

— C'est une longue histoire, ma chérie.

— Tu me la raconteras ?

Je n'ai pas eu le temps de répondre.

— Bonjour, David.

Je me suis redressé, la main de Caitlin encore dans la mienne.

— Bonjour, Lucy.

Un silence gêné s'est installé. Comment échanger des banalités après toute cette haine, l'horreur et l'absurdité d'un système judiciaire envahissant, les souffrances inutiles ? J'ai fait un effort sur moi-même, pourtant :

— Tu as bonne mine.

— Toi aussi.

Un homme venu de l'intérieur de la maison s'est approché du seuil, près de Lucy. Grand, mince, la quarantaine, vêtu de la tenue réglementaire du WASP en week-end : chemise bleu marine, shetland marron, pantalon de toile et docksides. Quand il a passé un bras autour des épaules de Lucy, j'ai essayé de garder un air impassible.

— David, je te présente mon ami, Peter Harrington.

— Ravi de vous connaître enfin, David.

J'ai serré la main qu'il me tendait en songeant : « Au moins il n'a pas sorti quelque chose dans le style "J'ai tellement entendu parler de vous…" »

— Moi aussi.

— On peut y aller, papa ?

— Je suis prêt. – J'ai lancé un regard à Lucy. – Six heures dimanche soir, donc ?

Elle a hoché la tête.

Alors que nous approchions de San Francisco, Caitlin m'a regardé :

— Maman, elle va se marier avec Peter.

— Oui ? Et qu'est-ce que tu en penses, toi ?

— Je veux être la demoiselle d'honneur.

— Il ne devrait pas y avoir de problèmes. Tu sais ce qu'il fait dans la vie, Peter ?

— Il a une église.

— Ah oui ? ai-je murmuré, un peu inquiet. Quel genre d'église ?

— Très jolie.

— Comment ça s'appelle, tu t'en souviens ?

— Uni… uni quelque chose.

— Unitarienne ?

— Voilà ! Drôle de nom !

C'était un culte relativement raisonnable, au moins…

— Il est très gentil, Peter, a repris Caitlin.

— Tant mieux.

— Et il a dit à maman que tu devrais pouvoir passer du temps avec moi.

— Comment tu le sais ?

— J'étais dans la pièce à côté, en train de jouer. Maman ne voulait pas que tu me voies, alors ?

J'ai laissé mon regard planer sur les lumières de la baie.

— Mais si.

— C'est… vrai ?

Ah, Caitlin, la vérité n'est pas toujours bonne à entendre…

— Oui, ma chérie. Vrai de vrai. J'étais en voyage, pour mon travail.

— Mais tu ne partiras plus jamais aussi longtemps ?

— Non, jamais.

Elle m'a tendu sa menotte.

— Marché conclu ?

— Depuis quand tu travailles à Hollywood, toi ? l'ai-je taquinée avec un sourire.

Très sérieuse, elle gardait la main en l'air.

— Oui, papa ?

Je l'ai serrée cérémonieusement.

— Marché conclu.

Le week-end est passé en un délicieux mirage. À l'heure dite, le dimanche, nous étions de retour chez Lucy. Caitlin a embrassé sa mère, puis m'a déposé un énorme baiser sur la joue : « On se revoit bientôt, Pa ! » Les bras chargés de Barbie et autres saletés en plastique que je lui avais achetées pendant son séjour, elle s'est précipitée dans la maison. Nous nous sommes retrouvés soudain face à face, Lucy et moi, sans savoir quoi nous dire.

— C'était bien ?

— Super.

— Tant mieux.

Silence.

— Bon, alors…

J'ai fait un pas en arrière.

— OK. À bientôt.

— Dans quinze jours.

— D'accord.

J'étais presque à la voiture quand elle m'a hélé :

— David ?

— Oui ?

— Je voulais te dire… Je suis heureuse que les choses se soient arrangées pour toi. Professionnellement parlant.

— Merci.

— Ça a dû être… très dur.

— En effet.

436

Un moment de flottement.

— Autre chose. Mon avocat m'a raconté que tu as perdu tout ton argent, à cette époque.

— C'est vrai. J'ai pas mal été dans la panade.

— Mais tu as quand même payé la pension tous les mois.

— Il le fallait.

— Tu étais ruiné, pourtant.

— Il le fallait.

Silence.

— J'ai été très impressionnée, David. Vraiment.

— Merci.

Comme nous ne trouvions rien à ajouter, je lui ai dit au revoir, je suis reparti à l'aéroport et j'ai pris l'avion du retour. Le lendemain, je suis allé à mon bureau, j'ai été « créatif » en diable, j'ai passé des heures au téléphone, j'ai déjeuné avec Brad. Vers trois heures de l'après-midi, les yeux sur le gouffre qu'est un écran d'ordinateur, je me suis senti capable de revenir à mes personnages, à ma narration, et lorsque j'ai relevé la tête l'immeuble était désert. Je suis sorti dans la nuit. Je me suis arrêté pour prendre quelques sushis en route, je suis rentré dîner chez moi, j'ai bu une bière en regardant vaguement un match des Lakers à la télé, puis je me suis mis au lit avec le dernier livre de Walter Mosley, j'ai dormi sept heures, je me suis levé et j'ai recommencé la même routine.

C'est au milieu de ce confortable train-train que le constat m'est apparu dans toute sa clarté : tout ce que j'avais voulu réparer l'était, désormais. Mais j'étais seul, irrémédiablement. Malgré le réconfort d'une ambiance d'équipe au travail, malgré les deux week-ends par mois où j'avais le droit de voir ma fille, il n'y avait personne pour m'attendre à la maison le soir venu et c'était un autre homme qui jouait au papa avec Caitlin. Le succès était de retour, d'accord, mais il ne pouvait conduire qu'à d'autres réussites, lesquelles ouvraient sur... sur quoi, d'ailleurs ? Quelle était la destination finale ?

C'était le plus déroutant de tout. On peut passer des années à chercher quelque chose mais, quand on l'a devant soi, sous la main, on se rend compte qu'il s'agit seulement d'une étape sur la route des illusions, aussi éphémère que le succès, et que le terminus n'existe pas. Si j'avais tiré une leçon de ce voyage impossible, pour ma part, c'était que le seul véritable but de cette quête désespérée réside dans une confirmation quelconque de sa propre valeur. Une justification de son existence, que l'on ne peut trouver que chez ceux qui sont assez fous pour vous aimer ou que vous avez réussi à aimer.

Martha, par exemple.

Le premier mois, je lui avais laissé un message tous les deux jours, un e-mail quotidien. Et puis j'ai fini par comprendre, je n'ai plus essayé de renouer, même si elle demeurait une présence constante dans mes pensées, comme une sourde douleur qui ne se dissiperait jamais.

Un vendredi, environ deux mois après notre dernière rencontre, il y a eu un paquet dans mon courrier. Dans l'enveloppe, j'ai trouvé un objet rectangulaire recouvert de papier cadeau et une lettre manuscrite :

Cher David,

J'aurais dû répondre à tous tes appels et à tes e-mails, mais voilà : je suis à Chicago, avec Philip. Pourquoi ? D'abord parce qu'il a fait ce que je lui demandais. Si j'en crois les journaux, le dommage que tu as subi a été réparé, tu es à nouveau sur les rails, et mieux encore. La seconde raison de ma présence ici, c'est que, comme tu le sais sans doute, je produis le film que tu as écrit. Mais ce qui explique mon choix, aussi, c'est qu'il m'a suppliée de rester. Je me doute que cela doit paraître absurde : Philip Fleck, l'homme aux vingt milliards, se mettant à genoux devant quelqu'un... C'est ce qui s'est passé, pourtant : il m'a demandé de lui accorder une deuxième chance. Il a déclaré qu'il ne pouvait supporter l'idée de me perdre, moi, et de ne pas être là à la naissance de son enfant. Il a même réussi à prononcer du bout des lèvres la promesse vieille comme le monde : « Je changerai, tu verras. »

Quelles sont ses raisons ? Je ne suis pas certaine de savoir. Est-il vraiment un autre homme ? Ce qui est sûr, c'est que nous nous parlons, que nous partageons un lit. C'est un grand pas en avant, pour nous. Et il a l'air relativement emballé par la perspective d'être père, même si son esprit est surtout accaparé par le film en ce moment. Bref, les choses vont à peu près bien. Je suis incapable de dire si cela va durer ou s'il va se replier encore sur lui-même, ce qui serait pour moi le point de non-retour.

Ce que je sais, par contre, c'est que tu es dans mon cœur et que tu vas y rester. C'est à la fois merveilleux et très triste, mais nous en sommes là : moi, une romantique comme il y en a peu, mariée à quelqu'un qui n'a pas idée de ce que ce mot signifie. Mais si je m'étais enfuie avec toi ? Quelqu'un d'un romantisme encore plus échevelé ? Nous sommes de l'espèce à rêver de ce que nous n'avons pas, et lorsque nous l'avons obtenu...

C'est peut-être pourquoi j'ai laissé tes messages sans réponse. Parce que la passion, la folie, d'accord, et après ? Serions-nous parvenus au point de nous regarder de cette façon dont il t'arrivait de regarder Sally, d'après ce que tu m'as raconté toi-même, en nous disant : C'était pour « ça » ? Ou bien nous aurions été heureux, heureux ensemble... C'est le défi que nous sommes toujours tentés de relever, parce que nous avons besoin de crise, de drame, de passion, de danger plus imaginaire que réel, et en même temps, nous avons une peur terrible de tout cela. Pour résumer, nous ne savons jamais ce que nous voulons.

Il y a une part de moi qui te désire, et une part qui te craint. Entre-temps, j'ai pris ma décision : je reste avec M. Fleck, je choisis d'espérer, à cause de cette bosse que fait mon ventre chaque jour davantage, et parce que je ne veux pas être seule dans ce monde quand il ou elle va y arriver, et parce que j'ai aimé, j'aime peut-être encore son très étrange père. J'aurais voulu que ce soit ton enfant, oui, mais ce n'est pas le cas, parce que tout est une question de circonstance... Et j'arrête là mes divagations.

Voici une petite variation sur le même thème, mais avec autrement plus de concision, sous la plume de notre poétesse préférée :

Voici venue l'heure de plomb.
Elle rappelle, à qui survit,

La neige aux victimes du gel :

D'abord un frisson, puis une stupeur – enfin,
l'abandon [1].

*Je te souhaite de tout laisser aller, David. Quand tu
seras arrivé au bout de cette lettre, promets-moi de ne
pas broyer du noir, de ne pas penser à ce qui aurait
pu être et qui n'a pas été. Remets-toi au travail, c'est
tout.*

Avec amour,

Martha.

Je n'ai pas été en mesure de suivre sa dernière
recommandation, cependant, parce que en ouvrant le
paquet je suis tombé sur une édition originale des
poèmes d'Emily Dickinson, datée de 1891, publiée par
les Robert Brothers de Boston. J'ai gardé ce livre
vénérable dans ma main, émerveillé par sa tranquille
pérennité, sa densité élégante mais périssable, comme
toute chose en ce monde. Relevant les yeux, j'ai
surpris mon reflet sur l'écran de mon ordinateur
portable, et j'ai vu un homme entre deux âges qui,
contrairement à ce livre, ne serait plus là dans cent
onze ans.

Un souvenir est remonté dans ma mémoire, à cet
instant. Caitlin me demandant de lui raconter une
histoire alors que je la mettais au lit à l'hôtel, le
samedi soir. Elle voulait entendre celle des Trois Petits
Cochons, mais à une condition :

1. Emily Dickinson, *Poèmes*, traduit de l'américain par Guy
Jean Forgue, Aubier, 1970.

— Sans le Grand Méchant Loup, c'est possible, papa ?

J'ai réfléchi une minute à cette éventualité.

— Voyons un peu. Il y a une maison en paille, une autre en bois, une autre en brique. Et ensuite, quoi ? Ils fondent une association de quartier ? Non, désolé, mon amour, mais sans le Grand Méchant Loup ça ne marche pas vraiment...

Et pourquoi ? Parce qu'une « histoire », c'est un drame. Le vôtre. Le mien. Celui du type qui est en train de la lire assis dans le métro en face de vous. Tout est récit, et le simple fait de conter, de narrer, renvoie à cette vérité première : nous avons besoin de crise, d'angoisse, d'attente, d'espoir, de la peur de se tromper, de soif de la vie que nous pensons vouloir et de la déception que nous inspire celle qui est la nôtre. D'un état de tension qui nous fasse croire à notre importance, à notre capacité à aller au-delà du trivial. Du constat que nous restons constamment dans l'ombre du Grand Méchant Loup, même si nous avons tenté de le nier. De la menace qui se tapit derrière le moindre geste, la moindre décision. Du danger que nous constituons pour nous-mêmes.

Mais qui est le maître d'œuvre de ces crises, en premier lieu ? Qui les invente, qui nous les inflige ? Certains parlent de Dieu, d'autres de la société. Ou serait-ce la personne que nous avons décidé de charger de tous nos maux, mari, femme, mère, patron ? Ou nous-mêmes, peut-être ?

C'est à cause de ces interrogations que je n'ai pas encore entièrement compris jusqu'à ce jour ce qui m'était arrivé. J'avais certes un « méchant » dans ma saga personnelle, quelqu'un qui avait désiré ma ruine puis m'avait donné une nouvelle chance. Il avait un nom, je ne le connaissais que trop bien, et cependant la question demeurait : et si c'était moi ?

Je me suis encore regardé sur l'écran éteint, chacun de mes traits rehaussé par le fond noir. Le portrait d'un fantôme. En découvrant son reflet, le premier homme a sans doute été hanté par les remises en cause qui nous assaillent aujourd'hui : qu'y a-t-il derrière cette image ? Qui suis-je, à proprement parler ?

Sans trouver de réponse, pas plus jadis qu'alors, sinon celle que je formulais en cet instant : « Arrête de te torturer avec tout ça. Cesse de te laisser obséder par ces questions impossibles. Ignore la futilité de toute chose, n'essaie pas d'imaginer ce qui aurait pu être. Assume, et continue ta vie. Il n'y a pas d'autre choix, et tu n'as qu'un seul recours : te remettre au travail. »